JN125420

ファシリテーター・ハンドブック

イングリッド・ベンズ 著
似内 遼一 監訳
荻野 亮吾／岩崎 久美子／吉田 敦也 訳

INGRID BENS

FACILITATING WITH EASE!

CORE SKILLS FOR FACILITATORS, TEAM LEADERS AND MEMBERS, MANAGERS, CONSULTANTS, AND TRAINERS

明石書店

はじめに

今日、組織の一員であれば、さまざまなミーティングへあたりまえに参加することでしょう。スタッフ・ミーティング、プロジェクト・ミーティング、タスクフォース・ミーティング、企画調整ミーティング……、その数を数え上げればきりがありません。このようなミーティングの多くで非常に困ることは、うまく運営されず、貴重な時間を浪費してしまうことです。

今や、効果的なミーティングとは、そのプロセスを成立させる事柄にきちんと注意を払い、巧みに場の進行の手助けをすることで実現するとの認識が広く持たれるようになりました。

長い間、ファシリテーションは、アメリカでは企業の教育研修担当にしかできない取り組みで、曖昧であまり理解されていないものでした。しかし、このことが変わり始めています。私たちはミーティングに時間を費やし、チームで多くの重要な目標を達成することを求められています。そのため、組織やコミュニティのさまざまな現場では、熟練したファシリテーションの必要性が高まっています。

ファシリテーションは、組織の中で人事部のみに追いやられることなく、チームを率いる人、プロジェクトを管理する人、委員会を運営する人、部署を管理する人の主たる職業能力になりつつあるのです。これらの人々はすべて、本当の意味での協働を育てる効果的なグループ・ダイナミクスを作り出し、管理・運営できることが求められます。

また、ファシリテーションは、変化の波に乗らなければやっていけない現代の経営者・管理職にとって中心的なスキルであり、新たな要求が経営者・管理職に課されています。同時に、何十年も機能してきた管理・指令型の古い管理者モデルは、もはやかつてほど効果的ではなくなってきています。

今日、人々から最大限の力を引き出すために、リーダーは心からの賛同[1]を作り出し、参加を生み出し、人々に力を付与するノウハウを知らなければなりません。

そのペースに寄り添うため、今日のリーダーには、コーチ、メンター、そして教師としての役割が求められています。これらの新しい役割の中核をなすのが、ファシリテーション能力なのです。

本書の目指すところ

この実践的なハンドブックは、ミーティングをこなす能力を向上させたいと考える人が増えている中で、ファシリテーションの中核となる手法や会議術を、手軽に利用できるよ

訳注1. buy-in。賛同という意味ですが、形式的な側面が強調される agreementとは異なり、buy-inには積極性が伴います。

うに作成されたものです。ここでは、数十年にわたり、あらゆる場面で積極的にファシリテーションを行ってきた中で、収集され、検証され、洗練されてきた素材やアイデアを紹介しています。第4版では、第1～3版で好評を博した核となる手法や道具を引き続き紹介しています。さらに、各章に新しい資料を追加しました。

以前の3つの版に引き続き、本書は、実践的なハンドブックです。クリス・アージリス、ドナルド・ショーン、エドガー・シャインといった組織開発のパイオニアたちの理論をベースにしてはいますが、この教材は理論的なものを目指しているわけではありません。その代わり、シンプルかつ垣根の低い形で、よく用いられるプロセスツールを紹介することに力点を置きました。読むというより、使うための本といえるでしょう。

「伝える」のではなく「考えさせる」こと、「聞き取る」こと、そして「コンセンサスを作る」ことに重点を置いたファシリテーションは、他者と協働して仕事をする人には欠かせない能力です。

対象とする読者

このハンドブックには、グループでのやり取りのファシリテーションを行う人にとって、貴重な情報が含まれています。そのため、以下のような広範な読者を想定しています。

- チームリーダーとチームメンバー
- プロジェクト・マネージャー
- スタッフ・ミーティングを行う監督者や管理職
- コミュニティ開発者
- 伝統的な教室環境における教員
- 支援グループを指導するセラピスト
- フォーカスグループを運営するマーケティング・コンサルタント
- 成人継続教育プログラムの教員
- 交渉人、および対立調停者
- シックスシグマ[2]などのプロセス改善事業を率いる品質コンサルタント
- 対立に介入しているコンサルタント

訳注2. 製造業で使用される経営・品質管理手法のことです。

- ファシリテーションのやり方を教えるトレーナー
- 議論を導く、もしくはミーティングを運営する者

ファシリテーションは中立的な部外者の役割として機能することが想定されているため、本書では、外部ファシリテーターの視点から、手立てやファシリテーション術を解説しています。議論の終了成果に利害を持つ者がファシリテーションを行うことが多くなり、リーダーやグループメンバーが中立的立場を保つことが難しくなってきているため、第4版ではそれに対処するための手立てを盛り込みました。

本書の構成

この本は11の章で構成されています。各種チェックリストやツールは付録という形ではまとめられてはいませんが、資料として各章の関連する本文の後に掲載しています。

第1章では、ファシリテーションとは何か、その主な用途について概説しています。プロセスとコンテンツは区別するものであることを説明しています。また、コアプラクティスや、中立性、ファシリテーターの断固とした態度の取り方、グループリーダーの役割とファシリテーターの役割の按分といったファシリテーターの課題も取り扱います。

さらに、第1章では、議論の最初、中間、最後にファシリテーターが行うべきことを解説します。ファシリテーションの言語、フィードバックのやり取りの原則、そしてファシリテーターの最善の例と最悪の例の簡単なイメージについての情報を提供します。

章末には、2枚の観察シートと4段階の能力自己評価ツールがあり、現在の能力のフィードバックを希望する者には役立つものでしょう。

第2章は、第4版の本書で新たに追加されたものです。ファシリテーションの取り組みにおける問いかけの中心的な役割と、問いかけのための質問を効果的に使う方法についての重要な情報を掲載します。この章では、依頼主についてより深く知るための有用な一連の質問例も紹介します。

第3章では、ファシリテーション課題の細部を計画することや管理・運営することについての諸段階を丹念に検討します。現状評価、進行案作成、フィードバック、推敲、最終準備というファシリテーションプロセスの各ステップの重要性を解説します。また、ファシリテーションを行うセッションの開始、中間、終了を導くのに有用なチェックリストも提供します。

第4章では、ファシリテーションをリーダーがどのように管理・運営できるかに焦点を当てています。これは、プロセス管理・運営の重要性に対するリーダーたちの意識の高まりを反映したものであり、新たに大きく加筆した箇所です。

本章では、リーダーがファシリテーションを行う際に直面する難局を探り、リーダーがグループのプロセスを効果的に管理・運営するための手立てを提供します。また、ファシ

リテーターが自分に権限がないと感じている場合や、目上の立場の人たちと一緒に仕事をする場合に遭遇する課題についても論じます。

第5章では、参加者を知ることに焦点を当て、最も一般的に用いられる現状（ニーズ）評価の4つのファシリテーション術についての情報を提供します。現状評価の質問とアンケートの例も紹介します。また、この章では、グループのファシリテーションとチームのファシリテーションの違いについて論じ、どのようなグループでも効果的なチームのように振る舞えるようにするための手立てを伝授します。チームルールの作成については、チームの進化段階の概要と各段階に最適なファシリテーション手立てとともに論じます。

第6章では、さまざまな理由から人々はミーティングやワークショップに参加することにあまり乗り気ではないという率直な議論から始めます。そして、心からの賛同を得るためのアイデアなど、これらの障壁を克服できることが検証された手立てを提供します。また、参加率を高めるためのファシリテーション術や、メンバーの効果的なミーティングの振る舞いを促すためのトレーニング策も紹介されています。

第7章では、意思決定の複雑さについて深掘りします。ファシリテーターに必要な議論のタイプと、権限委譲を明確にすることの重要性を学びます。ここでは、意思決定に至るさまざまな方法について解説し、それらの違いを明らかにします。それぞれのやり方の長所、短所、用途を丹念に検討し、その後にコンセンサス形成についての追加的な議論が掲載されています。また、第7章では、決定の有効性を高める振る舞いの概要と、体系的なコンセンサス形成プロセスのステップを紹介します。本章の最後には、質の低い決定、その兆候、原因、対処法について論じます。この章では、グループが現在の決定の有効性を評価するためのアンケートを掲載しています。

第8章では、対立と抵抗の両方に対処するためのファシリテーション手立てを扱います。この章では、「健全な討論」と「度を越した口論」の違いについて概観することから始めています。そして、健全な口論を促すファシリテーション術と、あらゆる対立に対処するためのステップを紹介します。特に感情を吐き出すための手立てに着目します。また、5つの対立対処の選択肢を丹念に検討し、ファシリテーションが求められる状況にそれらを当てはめてみます。

第8章では、ファシリテーターが参加者の不適切な振る舞いを正すことができるよう、言葉遣いを工夫するための3つの形式を紹介しています。また、抵抗に直面したときにファシリテーターが選択できる2つの進め方と、なぜそのうちの1つが優れているのかについても解説します。最後に、ファシリテーターによくあるジレンマとその解決策を紹介します。

第9章では、ミーティングの管理・運営に焦点を当てます。ミーティングが機能しているかどうかを評価するミーティングの有効性の診断法と便利なチェクリストが掲載されています。また、一般的なミーティングの不調について、その症状や処方箋を概説した整理表も掲載してあります。ミーティングの管理・運営の基本を概説し、特にファシリテーターの役割を従来の議長の役割と比較しながら強調しています。中間点検と終了時アンケートの両方を説明し、その例を紹介します。オンラインミーティングが増加していることから、ファシリテーション術を遠隔ミーティング中に活用するための手立ても提示されています。

第10章では、すべてのファシリテーション活動の基本となるプロセスツールが収録されています。ビジョニング、連続質問法、フォースフィールド分析、ブレーンストーミング、ギャップ分析、根本原因分析、決定マトリクス分析、親和図法、需給マッチング対話、体系的問題解決手法、サーベイ・フィードバック、複数投票、トラブルシューティングなどです。それぞれのツールについて解説し、その進め方の手順を示してあります。

第11章では、17例のプロセスデザインノートを提供し、詳細な段取りを説明しています。この第4版では、ミーティングのデザインノートが更新され、各話し合いのオンライン版が含まれています。このノートは、遠く離れたグループとのミーティングを行うファシリテーターにとって役立つ資産となるでしょう。

この章で紹介する17の話し合いの組み立ては、ファシリテーターが最も頻繁に先導することが求められる議論の内容です。これらの例は、グループの中に入る前にファシリテーターが考案する必要のある進行案の解像度について鮮明に示します。

コンサルタント、プロジェクト・マネージャー、チームリーダー、トレーナーとしての長年の経験を経たから述べますが、高度に発達したファシリ—テーション能力がなければ、チームの構築、一貫したコンセンサスの達成、効果的な意思決定が可能なミーティングの運営は難しいと確信しています。幸いなことは、これらの能力は誰でも習得ができるものです。本書第4版が、この重要な能力を獲得しようとする人たちにとって貴重なリソースであることを願っております。

2017年9月

イングリッド・ベンズ

(Ingrid Bens, M.Ed., CPF)

本書で回答される疑問

- ファシリテーションとはどのようなものですか。どんな時に使うのですか。
- ファシリテーターの役割とは何ですか。
- 主な手法とファシリテーション術にはどのようなものがありますか。
- ファシリテーターの価値観と態度はどうあればよいですか。
- 実際にはどのぐらい中立的立場でいる必要がありますか。
- 断固とした態度はどのぐらい取れるものでしょうか。
- グループの意思決定に利害関係がある人は、どのようにしてファシリテーションを行うべきですか。
- 正式なファシリテーターでない場合、どのようにファシリテーションを行えるのでしょうか。
- 議長とファシリテーターの役割のバランスを取るにはどうすればよいですか。
- どうすれば全員の参加が実現できますか。
- ファシリテーション術を使用してオンラインミーティングを運営できますか。
- 打ち解けたくないという人々の気持ちを、どうやって解きほぐせばいいですか。
- グループとチームの違いは何ですか。
- どうすればグループがチームのように行動するようにできますか。
- グループの人々がシニカルな態度を取る場合にはどうすればよいですか。
- 強い抵抗に会った場合はどうすればよいですか。
- 心からの賛同が全くない場合はどうなりますか。
- 対立に対処するための選択肢にはどのようなものがありますか。
- ミーティングが分裂して制御できなくなったらどうなりますか。
- 意思決定におけるファシリテーション術にはどのようなものがありますか。
- コンセンサス形成がグループの決定に最も効果的なのはなぜですか。
- 意思決定においてどんな間違いが起こり得ますか。
- 議論が総括されるようにするにはどうすればよいですか。
- どんなファシリテーション手法が利用可能ですか。
- 効果的なプロセスの細部を計画するにはどうすればよいですか。

- ミーティングがうまくいっているかどうかは、どうすればわかりますか。
- 計画された効果的なミーティングの細部にはどのような要素がありますか。
- ファシリテーションを活用してオンラインミーティングを運営するにはどうすればよいですか。

いくつかの用語の定義

ファシリテーター

グループが効果的に機能し、質の高い意思決定ができるように、やり取りの組み立てとプロセスに貢献する人のことです。他の人が目標を追求するときにサポートすることが目指すべき姿であるお手伝い役であり、それを叶える人です。

コンテンツ

すべてのミーティングで議論されているトピックまたはテーマのことです。タスク、決定事項、または調査された問題を指す場合もあります。

プロセス

やり取りの組み立て、枠組み、そこで用いられる方法、および手法のことです。また、ファシリテーターのスタイルだけでなく、定着した場の雰囲気や心持ちを指す場合もあります。

介入

グループの機能を改善することを目的とする行動、または一連の行動のことです。

全体会議

個別の班で考案されたアイデアを共有するために開催されるグループ全体のセッションのことです。

ルール

グループメンバーたちが相互に同意して作成した、自分たちを統制するための一連のルールのことです。

グループ

情報を共有したり、互いの労力を調整したり、あるタスクを達成したりするために、主に自分の目標を追求し、独立して活動する個人の集まりのことです。

チーム

共通の目標を達成するために力を尽くし、互いに支え合い、メンバーのリソースを十分に活用し、密接に関係した役割を持つ個人の集まりのことです。

プロセス進行案

話し合いの組み立てに用いられる手法とファシリテーション術の詳細な段取りを解説したものです。

プロジェクト

共創的事業活動のことです。特定の目的を達成するために慎重に計画された研究または設計図を伴うことが多くあります。

プロセス改善

新たな目標や目指すべき姿を達成する組織内の既存のプロセスの把握、分析、および改善のためのプロセス責任者の一連の行動のことです。

リーン[3]

エンドユーザーの価値創造以外の目標に対するリソースの支出を無駄と考え、それによって排除の対象とする生産的取り組みを指すビジネス用語です。基本的にリーンは作業を少なくし、価値を維持することを重視します。

シックスシグマ

欠陥やエラーの原因を特定して除去し、ばらつきを最小限に抑えることで、プロセス出力の品質向上を図る事業経営戦略を指します。シックスシグマ工程は、製造された製品の99.99966%が、統計的に欠陥（100万個当たり3.4個の欠陥）がないと予想される工程となります。

訳注3. Lean本来の意味は脂肪が少ないことを意味し、赤身肉や贅肉の少ないプロポーションを表現するのに用いられます。

ファシリテーター・
ハンドブック

目　次

■ 第1章 ■

ファシリテーションを理解する

ファシリテーターという言葉を辞書で引くと、「あるグループが共通の目的を理解する手助けをし、特定の立場に立つことなく、その目的達成を支援する人」と書かれています。

この役割は、前世紀半ば、行動科学という新しい分野の理論家が、複雑なグループのやり取りに対して、指示や答えではなく、順序や骨格（以下、組み立て）を提供して議論の交通整理をするリーダーシップスタイルの必要性を認識したことに始まります。行動科学のパイオニアたちの働きは、ミーティングの管理・運営における新しい重要な役割を出現させました。ミーティングの管理・運営を行う人は、議論に参加したり、結果に影響を与えようとしたりせず、その代わり、すべての会話には口を出さずに、ミーティングの進行に集中します。意見を言う代わりに、参加者に進め方や手法を提供します。ある一つの見解を助長させる代わりに、参加者に全員の声を聞くように促します。決定や指示を出す代わりに、参加者が自ら目標を定め、行動計画を立てることを支援します。

1.1　ファシリテーションとは

ファシリテーションはリーダーシップの役割です。この役割では、メンバー内に意思決定権が保持されます。このため、ファシリテーターは、意思決定から解放され、協力し合う場の雰囲気を作ることに集中し、グループが効果的に活動するために必要な順序や骨格を組み立てることができます。

ファシリテーターは、解決策を提示するのではなく、グループメンバーたちが自分たち自身で答えを導き出すための手法を提供します。ファシリテーターはミーティングに出席し、段階を踏んで議論を進める先導役を担い、メンバーたちが自分たちなりの結論に到達できるようします。

ファシリテーターはプレーヤーであるよりも、むしろレフリーのように振る舞います。参加するというより、行動を見守ります。メンバーたちが目標を定めるように手助けをします。グループメンバーたちがうまいやり取りを導くための効果的なルールを持つように仕向けます。

ファシリテーターは順序よく活動を展開します。状況を常に把握し、次に進むべき時、あるいはまとめるべき時をわきまえています。話し合いに集中させて、グループメンバーたちが締めくくれるように手助けをします。議論中のテーマについて中立的立場を保ちながら、そして、グループの意思決定権を妨げないように、これらすべてを行います。

1.2　ファシリテーターは何をするのか？

ファシリテーターは、次の方法で貢献します。

- グループのニーズと達成したいことを理解するための背景調査の実施
- グループ全体の目標や具体的な目的を明確にする手助け
- どのようなやり取りが展開されるのかを解説するプロセスノートを含む詳細な進行案の作成
- グループが効果的な場の雰囲気を作り出す行動規則を作成する手助け
- 想定や思惑の顕在化とその状態の確認
- より深い検討を誘うための問いかけと本音の引き出し
- 適切な手法とファシリテーター術の適切なタイミングでの提供
- 全員参加の働きかけ
- グループディスカッションの先導（ガイド）と順調な進行の維持
- メンバーたちのアイデアを反映した正確な要点筆記の作成
- メンバーたちの意見の相違を建設的に処理することの支援
- 非効率的な振る舞いの修正
- 進捗状況を評価し、調整できるようにするためのグループへのフィードバックの実施
- グループが議論を総括し、次のステップを特定するための手助け
- グループがグループ内外のリソースへアクセスするための手助け
- ミーティングの評価と改善のための手段の提供

ファシリテーターは、やり取りを生産的にするために、その組み立てを示します。彼らは慎重に計画し、かつ進行に応じた調整を行います。ファシリテーターが自分の仕事をどのように整理して管理・運営するかについての詳細はファシリテーションプロセスの段階に関する第3章を参照してください。

1.3 ファシリテーターの考え方

ファシリテーターは一連の基本原則に従って活動します。その根底にあるのは、「三人寄れば文殊の知恵」という考え方です。もう一つは、良い成果を導くためには、参加者は、決定の権限を持ち、しっかり関与する必要があるという考え方です。

すべてのファシリテーターは次の考え方を基本としています。

- 人は知的で能力があり、正しいことをしたいと思っている。
- グループは優れた意思決定を行うことができ、それは1人が単独で行うよりも優れている。

- 階級や地位に関係なく、全員の意見は平等に価値を持つ。
- 人は、自分が作成に参加したアイデアや計画により熱心に取り組む。
- 参加者は、自分の決定に対する説明責任を負うものとして信頼できる。
- 適切な手段とトレーニングの機会があれば、グループは自分たちの対立、振る舞い、対人的関係に対処できる。
- **プロセス**は、細部が適切に計画され、その通りに適用されれば、信頼できるものである。
- 結果は出る。

リーダーがその場で最も重要な人物と見なされる従来のリーダーシップのモデルとは対照的に、ファシリテーターはメンバーを第一に考えます。メンバーたちは、目標を決め、決断し、行動計画を実行し、結果を出すために自ら責任を負います。ファシリテーターは、議論を組み立て、適切な手段を適切なタイミングで提供することに貢献します。

ファシリテーションとは、究極的には、リーダーからメンバーへ、経営者・管理職から社員・従業員への責任の転換を図ることです。ファシリテーターは切り回し役を担うことで、グループメンバーたちが主体的に行動するように働きかけます。

1.4 ファシリテーターの典型的な業務

中立的で第三者の立場にあるファシリテーターには、多種多様なミーティングの細部の計画や進行の業務が依頼されます。

- 研修合宿の手立ての作成
- チームビルディングのイベント
- 目的を明確にし、詳細な成果指標を作成するためのセッション[1]
- 優先順位づけミーティング
- 定例スタッフミーティング
- プログラムレビュー／評価のセッション
- 連携ミーティング
- チームの役割と責任について取り決めるためのミーティング
- 問題解決・プロセス改善のセッション

訳注1. sessionは、目的がはっきりして、メリハリがついた時間や期間、あるいはその間の活動のことを指す言葉です。日本語の会議用語に対応する言葉がないため、「セッション」と訳しました。

- フィードバックと改善提言のためのミーティング
- 新しいプログラムや製品に関する情報を収集するためのフォーカスグループ

1.5 プロセスとコンテンツの区別

ファシリテーションで何度も耳にするのがプロセスとコンテンツという言葉です。これらは人と人とのやり取りの2つの次元です。

ミーティングの**コンテンツ**とは、議論の内容のことです。すなわち、目下抱えているタスクや取り扱っているテーマ、解決すべき問題などが含まれます。コンテンツは、進行案や話された言葉の中に表れます。ミーティングの言語的部分にあたるため、コンテンツはあからさまで、一般的にメンバーの意識を支配します。

他方、**プロセス**とは、物事がどのように議論されるかを扱うもので、方法、手順、形式、ツールなどを指します。プロセスには、その場で形成されるやり取りのスタイル、グループ・ダイナミクス[2]、場の雰囲気が含まれます。プロセスは状況であるため、その説明はより困難です。ほとんどのミーティングでは、プロセスは目には見えず、無視されることが多く、人々の関心はコンテンツに向けられます。

ミーティングの進行役が、議論の結果に影響を与えることを意図して意見を述べる場合、その人は**「コンテンツリーダー」**として行動していることになります。ファシリテーターが手段を提供し、メンバーたちのやり取りを管理・運営することに重点を置く場合、その人は**「プロセスリーダー」**として行動していることになります。

コンテンツ	プロセス
何を	いかに
タスク	方法
議論のテーマ	関係維持の仕方
解決すべき問題	使用手法
決定事項	ルールや規範
進行案に記載の項目	グループ・ダイナミクス
目標	場の雰囲気

重要な注意点としては、ファシリテーターは議論のコンテンツについては徹底して立ち入らないのですが、一方で、プロセスの管理・運営については周囲に惑わされることなく、断固とした態度を取ることです。こうしたファシリテーターのプロセス管理・運営に

訳注2. 個人や集団の意思決定や行動に一種の圧力として影響を与える集団力学を指します。ドイツの心理学者クルト・レヴィン（Lewin, K. Z.）が提唱し、集団内のコミュニケーション、集団規範、集団目標と業績、リーダーシップなどを研究対象とし、組織社会学や経営学の観点から取り上げられることが多い言葉です。

関する一環した考え方と立場の堅持は、対立に対処し、介入し、グループが行き詰まった際に手助けをするために必要なものです。

最初のうちは、ファシリテーションは、「温かく、ほんわか」して、人間本位な見方をするものと思われがちです。しかし、そうではなく、ファシリテーションとは、豊富な手法やファシリテーション術を活用しながら、確たる組み立て、そして、周囲に惑わされない断固たる考え方や態度のもとで展開される取り組みだということが、学ぶにつれてわかってくるでしょう。そのファシリテーション術と応用の仕方を習得さえすれば、どんなグループにおいても、すぐに全体のパフォーマンスを大幅に改善できることでしょう。

1.6 ファシリテーション手法

ファシリテーターは思い通りに使用できる手法を幅広く用意しています。これらの手法は2つのカテゴリに分類されます。**コアプラクティス**と**プロセスツール**です。

コアプラクティスとは、主軸となる取り組みのことで、ファシリテーターの作法、スタイル、振る舞いなどを基礎としています。具体的には、以下のようなものがあります。

- 中立的立場を保つこと
- 傾聴すること
- 問いかけをすること
- 継続的に言い換えること
- 議論を要約すること
- アイデアを記録すること
- アイデアを統合すること
- 計画通りの進行を保つこと
- 想定や思惑を確認すること
- 場の雰囲気を管理・運営すること

プロセスツールとは、順序や骨格で組み立てられた活動のことで、その利用により一連の明確な段階が生み出されます。具体的には、以下のようなものがあります。

- ビジョンづくり
- フォースフィールド分析
- ブレーンストーミング
- 優先順位設定
- アンケート調査
- 根本原因分析
- ギャップ分析
- 決定マトリクス分析
- 体系的問題解決手法

これらの手法を理解し、どのように用いるかは、ファシリテーターの仕事の中では極めて重要な部分です。

1.7 コアプラクティスの概観

ミーティングの種類や用いるプロセスツールにかかわらず、ファシリテーターは以下のコアプラクティスを常に実践しています。このうち、最初の5つは基本的なものです。これらは、他の手法がどのように展開されているかにかかわらず、ファシリテーションの最中には定常的に実践されています。

1. **ファシリテーターはコンテンツに対して中立的立場を保ちます：**議論のコンテンツについて中立的立場を保つことは、ファシリテーターの役割の代表的特徴です。ファシリテーターは議論の結果に利害関係を持たない中立的な部外者です。ファシリテーターは、議論を組み立て、協力し合える場の雰囲気を作るためだけに存在するのです。ファシリテーターが問いかけたり、有益な提案をすることは、決して自分の意見を押し付けたり、意思決定に影響を与えたりするために行うのではありません。

2. **ファシリテーターは傾聴します：**これは、判断するためではなく、理解するための聞き取りです。また、話を注意深く聞いていることを示す所作を使ったり、参加者が話している間は目を見たりするということでもあります。アイコンタクトは、発言の主旨を把握したことを示したり、発言の少ない人に参加を促したりするために使うこともできます。

3. **ファシリテーターは問いかけをします：**「問いかけ」とは、質問すること、あるいは、質問を投げかけることです。ファシリテーターの最も基本的な手法です。想定や思惑を確認したり、隠れた情報を探ったり、想定や思惑を見直したり、コンセンサスを確かなものにしたりするのに、質問を活用することができます。効果的な問いかけは、人々が過去の兆候に目を向けて根本原因を突き止めるように働きかけます。

4. **ファシリテーターは絶えず言い換えます：**ファシリテーターは議論の間、絶えず言い換えをします。言い換えには、グループメンバーたちが言ったことを繰り返すことが含まれます。そうすることで、自分の発言に耳が傾けられていることを知ることができると同時に、その内容が参加者の間で認められます。また、言い換えをすることで、他の人にもう一度発言の主旨を聞いてもらい、アイデアを明確にする機会にもなります。

5. **ファシリテーターは要約します：**ファシリテーターは、すべての議論の最後に、メンバーたちが共有したアイデアを要約します。これは、場に出されたすべてのアイデアについて全員が聞いたことを確実にし、正確さを点検し、議論を締めくくるために行います。ファシリテーターは、議論の最中にも要約を行い、全員に話し合いの流れを把握させ、会話が途切れた際にトピックを新しくします。要約はまた、行き詰まった議論を再始動させるのにも有効です。これは、グループメンバーたちに、すでに述べられている点を思い出させ、多くの場合、思考回路に新たな刺激を与えるからです。多くの意思決定を伴う議論では、ファシリテーターがグループに重要な点を明確かつ簡潔にまとめた際に、コンセンサスが作り出されます。

上記の5つのファシリテーション術に加え、コアプラクティスを構成するいくつかの付加的な術があります。

ファシリテーターはアイデアを記録します：グループは、議論を要約した正確無比な記録を持ってミーティングを終える必要があります。ファシリテーターは、発言内容を迅速かつ正確に記録します。フリップチャートでも電子ホワイトボードでも、参加者が発案したキーワードを注意深く使い、関連するまとまりごとにその要点を整理します。グループのアイデアを記録することについては、本章の後半で詳しく紹介します。

ファシリテーターは複数のアイデアを一つにまとめます：ファシリテーターは、グループ内でアイデアをちょうど卓球（ピンポン）のようにスピーディに交換し合い、それぞれのアイデアを積み上げられるようします。名付けてピンポン方式です。意思決定を伴わない話し合いでは、これを行うことで、納得感を高め、相乗効果を生み出します。意思決定を伴う話し合いでは、同じくピンポン方式で、密度高くスピーディな意見交換を行い、他の人が言ったことに各自がコメントを加えます。そして、みんなが納得できる言葉に仕上げます。

ファシリテーターは議論の計画通りの進行を保ちます：議論が脱線したり、集中力が途切れたりした際に、ファシリテーターはそれに気づき、機転を利かせて指摘します。壁にはアイデア留め置き場所となる用紙を貼っておきます。そして、とりあえず関係のないトピックはそこに記録してもらい、後で議論することを参加者に提案します。

ファシリテーターは想定や思惑を確認します：ファシリテーターは、適用される指針、権限委譲レベル、および、その他の制約を全員に理解されるようにするため、それらを概説します。ファシリテーターは、誤解が想定や思惑の相違によるものでないか常に場の状況に目を光らせ、その状況を慎重に精査します。

ファシリテーターは場の雰囲気を管理・運営します：ファシリテーターは、メンバーたちが行動規範やグループのガイドラインを設定するように手助けをします。そして、メンバーたちが自分たちのルールを順守していないことに気づいたら巧みに介入します（ルールと介入については、後の章を参照してください）。

ファシリテーターは定期的なプロセスチェックを行います：これには、グループの有効性が低下するたびに、機転を利かせて行動を停止することが含まれます。ファシリテーターは介入して、目的が誰にとっても明確であるか、プロセスが機能しているか、ペースが効果的かを確認したり、人々がどのように感じているかを調べたりすることができます。

ファシリテーターはフィードバックのやり取りを行います：ファシリテーターは、常にグループの状況を把握し、グループ内の調整の手助けをするために、自分の視点を提示します。また、人からの客観的意見を受け入れ、メンバーたちから調整が必要な点を指摘してもらうようにします。各ミーティングの終わりに、ファシリテーターは評価書や終了時アンケートなどの仕組みを作り、継続的な改善のためのフィードバックを収集します。

1.8 中立的立場の意味するところ

ファシリテーションは、公平な部外者による中立的な役割として作られました。この中立的な第三者の役割は、結果に影響を与えることなく、グループの意思決定を支援することだけです。したがって、ファシリテーターは常にプロセスに焦点を当て、コンテンツには立ち入りません。

ファシリテーションを学ぶ上で最も難しいことの一つは中立性の境界線内に留まることです。理由は、ファシリテーターが議論中のテーマについて洞察していることが多いためです。中立性についてさらにやっかいなのは、多くのファシリテーションが利害関係のない外部の人間によって行われるのではなく、議論の結果にまさに利害関係を持つグループ内の誰かによって行われるという事実です。

「リーダーが自分のチームでファシリテーションができるかどうか」というこの問題は、本書の一章を割いて丹念に検討するほど重要な問題なのですが、今のところ、中立性については、ファシリテーターが本当に第三者である部外者であるという前提で議論することにします。

中立的立場でいることは、中立的な部外者でさえも難しいということに注意することが重要です。時には、グループメンバーたちが明らかに間違ったことを言ったり、重要な事実を見落としたりすることがあるからです。このような場合、ファシリテーターは発言を抑え、肩入れを示さないような所作を維持することは非常に困難です。

どのような状況であっても、特定のファシリテーション術を適用することで中立性を保つことができることを理解することが重要です。

第1の手立て[3]：問いかける

ファシリテーターは、冷静に役割を果たすとはいえ、誤った意思決定を導きたくはないという認識を持つことが重要です。ファシリテーターは、グループの役に立つようなアイデアがあれば、それを保留にしてはいけません。

グループがあるアイデアを見落としていると思う場合、ファシリテーターは、思いつきがパッとひらめく質問をして、そのアイデアを紹介することができます。例えば、新しいコンピュータを買う余裕がないために、グループが空回りしている場合、ファシリテーターは、「暫定策として新しいコンピュータをレンタルすることには、何か利点はありませんか」と尋ねることができます。

訳注3. 本書ではstrategyを基本的に「手立て」と訳しました。長期的に総合的に利益・不利益を検討した結果の計画としての意味ではなく、ものごとを対処する際の施策としての意味で使われているからです。ただし、前者の意味である際は「戦略」という言葉を使っています。

質問を通して、グループメンバーは、他の選択肢を考えるように促されますが、それを受け入れるべきか拒否するべきかは指示されません。ファシリテーターは、グループに何をすべきかを指示していないため、中立性が保たれ、意思決定の裁量はメンバーたちに委ねられます。

第2の手立て：発案する

もしファシリテーターが、グループで検討すべきコンテンツの良案を持っている場合、グループに発案し、検討してもらうことは、中立的な役割の範囲内と言えるでしょう。例えば、次のように言うことができます――「コンピュータをレンタルすることの長所と短所を調べてみてはどうでしょうか」。これは、ファシリテーターがコンテンツに踏み込んだように聞こえますが、そのコンテンツが命令ではなく、申し出のように聞こえるのであれば、まだファシリテーターと言えるでしょう。問いかけの手立てと同じように、グループメンバーたちに決定権がある限り、発案をすることは中立性に反しません。

第3の手立て：ファシリテーターの役割から降りることを宣言する

グループが重大な間違いを犯そうとしていて、できうる限りの問いかけや発案の手立てを行っても正しい方向に向かわない場合、ファシリテーターは中立的な役割から外れて、グループをより質の高い決定に導く情報を共有することがあります。

このような稀なケースでは、ファシリテーターがその役割から降りることを明確に示し、これから一時的に参加者の立場からコンテンツに関わることを宣言することが重要です。ファシリテーターはこう言うかもしれません――「私は、一瞬、ファシリテーターの役割から外れて話します。よろしいですか。あなた方が検討しているオフィスの位置は、今後20年間に計画されているどの高速輸送路にも近くないです」。

ファシリテーターの役割を出入りすることは混乱や不信感を招くので、ファシリテーターの帽子（中立の帽子）を脱ぐのはとりわけ慎重に行うべきです。こうした役割転換は、グループが大きな間違いを犯す危険があるとファシリテーターが確信し、危機を救う情報やアドバイスを持っている場合にのみ行われます。

また、問いかけや発案を行う中立的な外部の当事者と、これらのことを実践するリーダーとの間には大きな違いがあります。外部の人間が問いかけや発案を行うことで、メンバーたちは自分の意思決定が助けられたと感じます。一方、リーダーが同じことをすると、メンバーたちは命令されたように感じてしまいます。

1.9 「なるほど」を言えるようになる

グループメンバーたちが素晴らしい点と思われることを言うと、ファシリテーターは

「良い指摘です」とか「素晴らしいアイデアです」と言ってその人を祝福したくなることがあります。残念ながら、これによってファシリテーターは間違いなく中立性を失います。なぜなら、ファシリテーターはコンテンツに踏み込み、グループの意向に影響を与えようとしているように見えてしまうからです。この落とし穴を避けるには、「良い指摘です」の代わりに「なるほど」を使ってください。「なるほど」は、その指摘を聞いたことを認めることができますが、あなたの承認を示すものではありません。

「そのアイデアいいですね」と言いたくなった時は、次のように置き換えてみてください――「残りのメンバーはそのアイデアが良いと思いますか」。結局のところ、あなたはメンバーたちの発案を判断するためにそこにいるのではなく、彼らが判断できるように手助けをするためにそこにいるのです。

1.10 「この場」と言うべき時

中立性に関連するもう一つのジレンマは、「この場」と言って自分自身を話し合いに含めるかどうかに関するものです。簡単なルールは次の通りです。

プロセスに言及する時は、自分自身を含めて「この場」と言ってください。

「この場は、時間通りに進んでいますか。」

「この場のやり方はうまくいっているように見えますか。」

「この場に休憩が必要ですか。」

コンテンツに言及する時は、「みなさん」を使用します。

「今までのみなさんの発言を読み返しさせてください。」

「みなさんが順位付けした順番に課題を並べてみました。」

「これで十分に議論されたとみなさんは納得されましたか。」

1.11 ファシリテーターはどこまで積極的になれるか

ミーティングのコンテンツにおいて中立的立場を取ることは、議論の進行に受動的であることと誤解されることがよくあります。しかし、そうではありません。むしろ、自分の役割は基本的に主張しないものだと考えていると、周囲で対立が激化する中、要点を筆記したり、書記をしたりするだけの存在になりかねません。

ファシリテーターは、議論されるトピックについては非指示的であるべきですが、ミーティングのプロセス面では積極的である必要があります。議題をどのように扱うか、議論にどの手法を使うか、誰がどの順番で発言するかなど、ミーティングのプロセスのあらゆる側面を決定するのは、ファシリテーターの役割の範囲内です。

これは、セッションの細部についてメンバーたちと共同で計画をしてはいけないということではありません。当たり前ですが、メンバーたちからの客観的意見を収集することは、心からの賛同を得ることにつながります。しかし、プロセスというのはファシリテーターの特別な専門知識です。プロセスに関しては、あなたが最終的な決定権を持つのが適切なのです。

高いレベルの自己主張がいかに適切かつ必要であるかは、グループが度を越した行為に陥った際に最もよく理解できます。このような状況では、ファシリテーターは毅然とした態度でレフリーのように振る舞い、争いに割って入って、議事に秩序を取り戻す必要があるのです。

個人攻撃やその他の無礼な行為があった場合は、常に、プロセスにおける高いレベルの自己主張が重要です。すべてのファシリテーターは、参加者間のやり取りがより適切なものになるように、割り込んで、場の方向を変える権限を与えられています。第8章の「対立のファシリテーション」では、介入を行い、嵐のようなミーティングの管理・運営を行うために使用できるファシリテーション術と発言例について詳しく紹介しています。これらの方法を使用することで、あなたは受動的でない方法で振る舞うことができます。

状況に応じてファシリテーターが取る積極的な行動には、次のようなものがあります。

- ミーティングルールの順守を求めること
- 黙っている人々に発言を呼びかけること
- プロセスチェックを行うためにミーティングを一旦止めること
- 小休止や休憩を取ること
- 失礼な振る舞いを止めるために介入すること
- 本音を引き出す問いかけをすること
- 想定や思惑を見直すこと
- ミーティングの計画された細部を調整すること
- 議論を要約すること
- 総括するように主張すること
- 行動計画を作成するように主張すること
- 評価活動を実行すること

1.12 ファシリテーションの言語

ファシリテーションの一部として、特定の言語スタイルが発展してきました。これらの言語術は、批判的または断定的に聞こえることなく人々の振る舞いについてコメントする場合に特に重要です。主な言語術は次のとおりです。

- 言い換え
- 気持ちの描写
- 振る舞い報告
- 顔色のチェック

言い換えとは、相手の発言を自分の言葉で描写することです。

「_____で正しい理解でしょうか。」

「_____ってことでしょうか。」

「_____でいいですか。」

特に、議論が堂々巡りになったり、議論が白熱した場合、ファシリテーターは絶えず言い換えます。このように繰り返すことで、参加者は自分のアイデアを聞いてもらっていることを実感します。

振る舞い報告とは、参加者の人としての反応について非難や不当を指摘する、あるいは動機を彼らのせいにすることなく、観察可能な特定の行動を述べることです。

「気づいたのですが、この議論の大半で3人からしか発言を聞いていません。」

「気になるのですが、何人かの人が日誌を見たり書いたり別なことをしていませんか。」

ファシリテーターは、具体的な振る舞いを言葉で描写することで、参加者の行動がどのように認識されているかについて参加者に情報を提供します。この情報を脅威に感じさせない方法でフィードバックすることで、現状を改善するための扉が開かれます。

気持ちの描写とは、比喩または比喩的表現で気持ちを名付けることです。気持ちを特定したり識別することです。

「エネルギーを使い果たした気がする。」（ネーミング）

「レンガの壁に直面しているような気がする。」（比喩）

「壁に張り付いたハエのような気分だ。」（言葉のあや）

ファシリテーターは、常にグループメンバーたちに次のようなことを正直に言う必要があります――「今、疲れている」「イライラしている」。そうすることで、他のメンバーたちは、感情を表現してもいいのだということを知ることができます。

顔色のチェック[4]とは、他人の内面の状態を言葉で描写し、それが正しいかどうかを点検することです。

「最後のコメントに動揺しているように見えますが、そうですか。」

訳注4. 原文では、perception checkingと書かれており、そのまま訳すと「知覚のチェック」となりますが、日本語にするとファシリテーターの知覚を確認するように読めてしまうので、相手の顔色を確かめるという意味を込めて「顔色のチェック」と訳しました。

「焦っているようですね。次のトピックに移りたいですか。」

顔色のチェックは、非常に重要な手法です。これによって、感情が参加の邪魔をしている恐れのある参加者に対し、その人の意向を探ることができます。

1.13 話し合いの組み立て

ファシリテーションにおいて最も重要なメンタルモデル（無自覚の思いこみ）の一つは、「話し合いは2つの異なるカテゴリー―本質的に意思決定を伴うか、そうではないか―に分類される」というものです。それぞれのタイプの話し合いには固有の特徴があり、その特徴は話し合いを管理・運営するために使用されるべきファシリテーション術を決定づけます。この2つの異なる話し合いの組み立てを理解しているファシリテーターは、その術を用いて、議論を構成し、管理・運営することができます。

意思決定を伴わない話し合い

意思決定を伴わない話し合いとは、グループメンバーたちが単にアイデアや情報を共有する会話のことです。意思決定を伴わない話し合いの例としては、以下のようなものがあります。

- 複数のアイデアが生まれるが、それらの判断はなされないブレーンストーミングのセッション
- グループメンバーが自分の経験の説明や互いの近況報告を行う情報共有のセッション
- ある状況における個人の好みや重要な要因のリストを作成することを目的とした議論

意思決定を伴わない議論では、メンバーたちはアイデアを述べますが、アイデアを判断したり順位づけしたりする要素はありません。ファシリテーターは発表されたアイデアを記録するだけで、他の人に見解を確認する必要はありません。

意思決定を伴う話し合い

意思決定を伴う話し合いとは、グループメンバーたちのアイデアを組み合わせて、メンバー全員が実行または納得できる行動計画やルールを決めるための会話のことです。

ファシリテーターは、メンバーたちが共通のコンセンサスに達するように手助けをする必要があるため、意思決定を伴う話し合いを別の方法で運営する必要があります。これには、アイデアを明確にしたり、他の人が発想を追加できるように多角的に素早く意見を出し合う（ピンポンする）ことや、議論を要約する概要文を作成すること、グループの意向を記録することなどが含まれます。

意思決定を伴わない話し合いでは、ファシリテーターは個人の発想を記録します。意思

決定を伴う話し合いでは、グループの発想を記録します。要約すると以下のようになります。

意思決定を伴わない話し合い	意思決定を伴う話し合い
● 行動計画やルールを特定したり、承認したりしない話し合い	● 行動計画やルールを特定し、承認するための議論
● 情報共有	● 意思決定に達する双方向の議論
● ファシリテーターが個人のアイデアを記録する	● ファシリテーターがグループの意向を記録する
● ブレーンストーミング	● リストの作成
● 一方向の対話	● 双方向の対話

1.14 ファシリテーションの開始

ミーティングに参加する人なら誰でも、目標や議論の進め方、グループの権限レベルについて少しでも混乱が生じると、物事が簡単に脱線したり、停滞したりすることを知っています。そのため、ファシリテーターは、議題について話し合いを始める前に、話し合いの範囲について常に明確にしておくのです。ファシリテーターは、「開始手筈」に則って話し合いの進行案にこの明確さを作り出します（第11章も参照してください）。

開始手筈には3つの要素があります。

1. **目的**：ファシリテーションを通じてこれから進行する議論の目標を明確に解説する進行案の項目です。これは、何を話し合うかということです。シンプルな目標表明の形を取ることもありますし、より詳細な目標設定をし、望ましい結果の記載を含むこともあります。

2. **プロセス**：セッションがどのように実施されるかについての進行案の項目です。これにより、参加者は、意思決定方法、発言の順番、および、用いられる体系化手法を理解することができます。プロセスの記載では、メンバーたちが最終的な決定を下すのか、それとも単に他の場所で行われる決定に対しての客観的意見を求められているのかを明確にする必要があります。

3. **時間**：議論全体の所要時間についての進行案の項目です。より複合的な話し合いでは、議論全体における各区分の時間枠も提示する必要があります。

開始手筈のバリエーション

開始手筈は、単純に整えることも、より複合的に整えることもできます。グループメンバーたちから客観的意見を収集して事前に作成し、議論の開始時にその情報をフィードバックすることもできます。また、議論の開始時に開始手筈を整える場合もあります。このような場合、ファシリテーターは、グループメンバーたちにそのセッションの目的について発言するように促し、その発言を全員で確認して、理解を共有するようにすることができます。

ほとんどの場合、目的は情報を受け取ったグループメンバーたちの客観的意見をもとに設定されますが、プロセスは通常ファシリテーターが提供します。これは、グループメンバーたちがプロセスの細部の計画について十分な経験を持たず、進め方について提案できない場合が多いためです。参加者がそのトピックが話し合いでどのように運営されるかを理解するのに役立つため、プロセスを解説することは重要です。

特定の議論の時間枠を明確に定義することは定石です。ミーティングの最大の問題の一つは、ミーティングが長引くことです。ファシリテーターは、時間に関する話し合いにメンバーたちを参加させることで、メンバーたちが時間配分を設定するように手助けをすることができます。また、メンバーたちが時間枠に同意していれば、同意した時間枠が破られた場合に、ファシリテーターが介入することも容易になります。

必須ではありませんが、開始手筈の詳細をフリップチャートに書き、これを見やすい場所に掲示するのは良い取り組みになります。そうすることで、議論が進むにつれての混乱を最小限に抑えることができます。

開始手筈の事例

シンプルな開始手筈

目的：スタッフの共用空間の改装を行う権限を与えられた委員会に提言すること。

プロセス：大人数によるアイデアのブレーンストーミング。複数投票によるアイデアの順位づけ。

時間枠：25分

複合的な開始手筈

目的：最近の新製品発売キャンペーンについて議論し、得られた教訓を明らかにすること。うまくいったこと、うまくいかなかったこと、そしてうまくいかなかったことを克服するための具体的な手立てを明確にし、次回の新製品発売に向けて改善すること。

プロセス：(1) グループ全体で、立ち上げの各段階でうまくいったこと、およびその要因をすべて洗い出す。成功談を話して肯定的な点を称え、各要素がうまくいった理由を切り出す。(2) 各段階でうまくいかなかったことを索引カードに書き出す。それらを壁に貼る。(3) 全体会議を開き、掲示された課題をすべて読み上げる。(4) 複数投票で、実行課題の順位づけをする。(5) 小グループに分かれ、上位に順位づけされた4

つの項目に対して、体系的問題解決手法のステップを適用する。(6) 全体会議を開き、各チームから上位に順位づけされた行動提言を聞き、全体で承認する。

時間枠：(1) 35分、(2) 40分、(3) 30分、(4) 30分（休憩あり）、(5) 60分、(6) 45分、(1) ～ (6) 合計＝240分または4時間

1.15 ファシリテーションの進行中

いったん議論が始まると、たとえ明確な開始手筈を整えていたとしても、簡単に脱線したり、行き詰まったりすることがあります。これは、以下のようなさまざまな理由で起こります。

- テーマが予想以上に難解である可能性がある場合
- 話し合いが別のトピックに移った可能性がある場合
- 用いられているプロセスツールが、議論に適したものでない可能性がある場合
- 当初の時間枠は現実的でなかったかもしれない場合
- 疲れを感じたり、集中力を欠いたりすることがある場合

このようなことが起こったという明らかな兆しがある場合もありますが、ミーティングの効果が低下しているという外見上の兆しがない場合もよくあります。だからこそ、ファシリテーターがことあるごとに行動を止め、プロセスチェックと呼ばれるものを実施することが極めて重要なのです。

プロセスチェック作業は、有効性を確認するために設計された介入方法の一種で、問題の外見的な兆しがない場合でも用いられる方法です。すべての介入と同様に、プロセスチェック作業の唯一の目的は、グループの有効性を回復することです。

プロセスチェック作業の合図として有用なのは「ストップサイン」です。なぜなら、プロセスチェックを実施するということは、メンバーたちの注目をプロセスや物事の進み具合に移すために、メンバーたちの行動を停止させる必要があるからです。

プロセスチェック作業の組み立て

プロセスチェック作業には、4つの基本的な調査領域があります。ファシリテーターは、1つの要素だけ、あるいは2つ、3つ、または4つすべてを点検することができます。

1. **進捗状況：**ミーティングの目的は達成されつつあると思うか、メンバーたちに尋ねます。「目的はまだ明確だと思われていますか」「話し合いは、まだ逸脱していないと感じているようですか」「進展していると感じているようですか」。

進捗を点検するタイミング：アイデアがほとんど出てこない時、議論が堂々巡りになっている時、ことあるごとに、あるいは終了時点に行います。

2. **プロセス**：用いられている手法や進め方がうまく機能していると感じているかどうかをメンバーたちに尋ねます。この進め方で何か進展があったかどうかを尋ねます。その進め方をいつまで使い続けるつもりなのかを尋ねます。

   プロセスを点検するタイミング：使用中の手法で結果が出ない時、指定されたプロセスに従って進められていない時、あるいはことあるごとに行います。

3. **ペース**：物事が適切なペースで進んでいるかどうかをメンバーたちに尋ねます。

   ペースを点検するタイミング：時間枠が守られない時、あるいはことあるごとに行います。

4. **人物**：相手にどう感じているか気持ちを尋ねます。話し合いの筋道を見失った人がいるかどうかを尋ねます。

   人物をチェックするタイミング：ミーティングが長引いた時、参加者が黙り込んでしまった時、疲れているように見える時、イライラしているように見える時に行います。

1.16 ファシリテーションの終了

ファシリテーションを終了するミーティングの最大の落とし穴のひとつは、実質的な総括や詳細な次のステップがないままミーティングが終わってしまうことです。行動計画なしにミーティングが終了すると、ミーティング全体が時間の無駄のように感じられます。

短時間の議論でも長時間のミーティングでも、ファシリテーターは必ず重要な点を要約し、終了成果について共通の見解の共有があることを確認します。

意思決定を伴わない会議であっても、ファシリテーターは、議論された内容に関する簡潔明瞭な要約を提供する必要があります。

意思決定を伴わないセッションの終了

情報を共有したり、アイデアを出し合ったり、リストを作ったりした議論の最後に、議論された点の要約を提供することは、ファシリテーターの最善策です。こうすることで、人々は見逃していた点を追加することができ、議論を締めくくることができます。

意思決定を伴うセッションの終了

グループメンバーたちが1つ以上何か決定を行ったセッションの最後には、ファシリテーターは、決定事項を要約するだけでなく、その終了成果を全体で承認し、明確にされた行動ステップが確実に実行されるようにする必要があります。これには次のものが含まれます。

- 決定事項の詳細を改めて確認すること
- 決定事項が明確で完全であるかを点検すること
- ミーティング後の行動の積極性の喪失リスクを軽減するため、各メンバーに終了成果に納得できるかどうかを尋ねることにより、決定事項を承認すること
- 次のステップの特定と詳細な行動計画の作成をすること
- 次のような問答をしながら行動計画のトラブルシューティングを行うこと——**「優先事項の変更や実践を妨げる可能性のある突然の変化は何ですか」**

ファシリテーターは、グループメンバーたちが要約と行動計画を作成するように手助けをするだけでなく、ファシリテーションを終了するために次のことを行います。これらはすべてを行う時もあれば、一部の時もあります。

- **「アイデア留め置き場所」**の用紙に記録された項目を回収して、メンバーたちが今後の対応方法を特定するように手助けをすること
- メンバーたちが次回のミーティングの議題を作成するように手助けをすること
- 文書、電子メール、個人的報告会の開催など、フォローアップの方法を決めること
- フリップチャートの用紙を誰が書き写すかを決める手助けをすること
- グループメンバーがすぐに要点筆記を作成する必要がある場合、フリップチャートのデジタルスナップショットを撮れるようにすること
- メンバーたちがセッションを評価できるように手助けをすること
- ファシリテーションを行える貴重な機会についてグループメンバーたちに感謝すること

ファシリテーションを行うセッションの終了については75ページを参照してください。

1.17　効果的な要点筆記の作成

ファシリテーションは、この職業のトレードマークである、あの不格好な3本脚のイーゼルと非常に密接に関係しています。これはフリップチャートと呼ばれるものですが、議論中に発言内容をグループメンバーたちが確認できる方法を探していた最初のファシリテーターが考案し使い始めたものです。

現在フリップチャートは、電子ボードや粘着性のある付箋に取って代わられつつあります。この傾向は今後も続くと思われますが、あの不格

好なフリップチャート立てが使われ続けても不思議ではありません。

フリップチャートや電子ボードに書き込む場合、部屋の反対側からでも文字が見えるように、通常より少し大きめの字で書く必要があります。問いかけをしたり、新しい発言に耳を傾けたり、グループの所作を観察したりしながら書く作業をすることは、非常に難しい場合があります。手書きが突然、幼稚園児の落書きのような字になり、慣れ親しんだスペル（文字）も思い出せなくなったりしますが、それはよくあることです。

完璧なフリップチャートを作成できる人はほとんどいないため、スペルや字の書き方については、主要なアイデアが明確に把握できる限り、気にしないことをお勧めします。このミスを寛容する態度は、グループメンバーたちにファシリテーションを試みるように勧める際に特に重要です。すべてのフリップチャートの用紙には、すべての間違いを自動的に修正する架空の誤字脱字修正ボタンがあることを指摘しておいてあげましょう。

各フリップチャートの用紙に架空の誤字脱字修正ボタンを取り付けます。ボタンを押すとすべての間違いが修正されることを受け入れ、細かい粗探しをしないよう人々に促しましょう。

1.18　言葉づかいのルール

ファシリテーターは、グループメンバーたちが終了成果を自分たちで考えて出せるように常に中立的立場を心がけているため、あまり編集せず、人の発言を正確に記録することが重要です。ファシリテーターが言葉を変えすぎたり、自分の好きな言葉を付け加えたりすると、グループメンバーたちは、ファシリテーターが場を支配していると感じてしまいます。したがって、アイデアを記録する際の第1のルールは、人の発言を忠実に記録することです。

いくつかの簡潔な言葉の組み合わせでは記録しきれないほど人は多くのことを話すので、ファシリテーターは対話に関して短い簡潔な要約を作るという課題に常に直面しています。この場合には、編集が必要になるため、発言の意味を誤って変えてしまう可能性があるのが厄介なところです。

熟練したファシリテーターは編集に長けているため、短縮された言葉の組み合わせが元のアイデアに忠実であるように編集するのが得意です。これは、次の規則に従って行われます。

ルール1：発言者の言葉を使いましょう——参加者が使うキーワードを注意深く聞き取り、その言葉がフリップチャートに書かれた内容に含まれていることを確認します。次のように言って、これを念押しします。

「あなたが『災害』という言葉を強調されたので『災害』と書きますね。」

「あなたが言ったことを読み返して、私があなたの言いたいことを正確に理解しているかどうか確認させてください。」

ルール2：言葉を変える許可を求めましょう——参加者が言いたいことをうまく表現できなかったり、適切な言葉が見つからなかったりする場合、言い回すことを申し出ます。ただし、記録された内容が、参加者の意図を反映しているかどうか、メンバーたちの承認を得ます。次のように言います。

「あなたの言ったことを短くするとこうなりますが、これでいいですか。」

「この単語を使ってもいいですか。」

「こんな風に記録していいですか。」

記録のためのヒント

記録してほしい言葉を口述してもらうというのも良い方法です。これは相手の言っていることが理解できない時や、一瞬集中力が途切れて何を言ったか思い出せない時に有用です。このような場合は、次のように言います。

「書き留めてほしいことを教えてください。」

「ページに表示する必要がある正確な単語を教えてください。」

また、このコミュニケーション術は、相手がしゃべりまくったり、長くてまとまりのないアイデアを話したりした場合にも有用です。発言の要約を作成するのではなく、その役割を担ってもらうようにお願いします。次のように言います。

「あなたのアイデアの重要な部分を確実に捉えたいと思っています。記録できるように、1つか2つの鮮明な文章に短くできますか。」

1.19 フリップチャートの管理

フリップチャートは一見何の変哲もないように見えますが、この3本足の厄介者につまづいたり、手書きの文字が幼稚園児の落書きのようになったり、見慣れたスペルでも思い出せなくなったりすることがあることを忘れないでください。フリップチャートに関するわかりやすい推奨事項については、次の表を参照してください。

最も重要なヒントは、相手の発言を正確に書き留めることです。彼らの発言を多少編集する必要があるかもしれませんが、必ずキーワードを使うようにしてください。自分が良いと思う言葉で代用し始めると、中立的立場ではなくなってしまいます。

相手の発言内容を変えることで、彼らの信頼も失うことになります。これでは、グループのニーズに応え続けることが非常に難しくなります。

アイデアを記録する時は、完全なフレーズを使用することを忘れないでください。文章

取り組むこと	取り組まないこと
メンバーたちの発言は正確に書き留めます。発言は多少編集する必要がありますが、必ずキーワードを使用します。意味が伝わっているか確認します。	物事の個人的な解釈を書き留めないようにしましょう。この要点筆記は参加者のメモです。不明な場合は、「何を書き留めればよいですか」と尋ねます。
動詞を使い、要点をかなり完全なものにします。例えば、「ワークグループ」と書いても、「ワークグループ、月曜午前10時にミーティング」と書くほどには役に立ちません。ミーティングに参加していない人でも、フリップチャートが意味を伝えることができるように常に気をつけます。	誤字脱字を気にしてはいけません。不必要に動揺していると、ファシリテーション中にメンバーたちがまとまったり、進展したりするのを妨げます。
話すことと書くことを同時に行います。これは、良いペースを維持するために必要なことです。練習を積んだファシリテーターは、あることを書きながら次の質問をすることができます。	フリップチャートの後ろに隠れたり、フリップチャートに話しかけたりすることはやめましょう。書いている場合を除き、要点筆記を読み返す際はメンバーたちの方を向いてその横に真っ直ぐ立ってください。
動き回り、生き生きと振る舞います。まるでフリップチャートに鎖でつながれているかのように振る舞うファシリテーターほど、ひどいものはありません。重要な点が指摘されている場合は、話している人の近くに行き、より注意を払うようにしましょう。	長い議論が行われている時は、何も書き留めずに受動的にフリップチャートの側で傍観するのはやめましょう。記録に起こす前は、アイデアは完全な文章である必要はありません。キーワードとアイデアの要点を筆記します。文章は後で包括的に成形できます。
黒や青など、濃い色で書きます。後ろの方からも読めるように、かなり大きな文字で書きます。	字がよほどに上手でない限り、筆記体を使わないようにしましょう。赤や淡いパステルカラーなど遠くから見るとわからないものは避けましょう。
部屋のあちこちにフリップチャートの用紙を貼って、何が話し合われたかを把握できるようにします。	フリップチャートを独占しないようにしましょう。
適当と認められる場合には、大人数グループと小人数グループの両方のファシリテーターを他の人に任せましょう。こうすることで、行動に向けて参加者の積極性が高まり、「これはファシリテーターのミーティングではない」という考えがより強固になります。	ミーティングプロセスの管理・運営を独占しないようにしましょう

を丸ごと書く必要はありませんが、不可解な一言一句の要点筆記は避けるべきです。このように要点を筆記すると、翌日には誰もあなたの書いたものを理解できなくなる可能性が高くなります。

話すことと書くことを同時に行わないと、ペースが追いつかなくなります。一つの良いファシリテーター術は、グループに向かって問いかけたり、彼らに熟考してもらい、自分はその間に文章を書くことです。

フリップチャートに要点を筆記すると、グループに背を向けて1か所に立ち続けることになりがちです。できれば、要点筆記を行っていない時はフリップチャートから離れるようにしましょう。また、歩き回ったり、発言している人の近くに行ったりすることも検討すべきです。そうすることで、場により動きが生まれます。

フリップチャートの用紙に要点がまとまったら、これを必ず部屋のあちこちに貼っておくことです。これは昔ながらの紙を使うことの大きな利点の一つです。そうすれば、すでにメンバー間で議論され、同意されたアイデアを人が目にすることができます。これは、グループが目標に向かって前進するのに役立ちます。また、過去の議論を振り返って、それらのアイデアがまだ有効であることを確認することもできます。

最後に、可能な限り、他の人がフリップチャートに近づけるようにすることを忘れないでください。そうすることで参加者は行動に積極的になり、「**これはあなた(ファシリテーター)のミーティングではない**」という考えがより強固なものになります。

ファシリテーターの最善の例と最悪の例

ファシリテーターが取りうる策のうち最善の例

- 参加者がそこにいる理由を理解するように手助けをすること
- オープンで信頼できる雰囲気を作ること
- 自分はグループのニーズに応えていると考えること
- メンバーたちを注目の的にすること
- シンプルで率直な言葉で話すこと
- 中立的立場を保つために一生懸命働くこと
- 精力的であることと適切なレベルの自己主張を示すこと
- すべての参加者を平等に扱うこと
- 柔軟性を保ち、必要に応じて場を方向転換する準備を整えること
- 話の内容を完全に理解するために熱心に耳を傾けること

- 参加者の意図を反映した要点筆記を作成すること
- アイデアをことあるごとにまとめて首尾一貫した要約を作成すること
- プロセスツールの活用方法を幅広く知っていること
- すべてのセッションが次につながるステップとなるように終了すること
- 参加者が達成したことに主導権を感じられるようにすること
- 前向きで楽観的な雰囲気で締めくくること

ファシリテーターが取りうる策のうち最悪の例

- グループが何を考えているか、何を必要としているのかを無視し続けること
- メンバーたちの懸念事項を確認しないこと
- 言われていることに注意深く耳を傾けないこと
- 重要な（鍵となる）アイデアを見失うこと
- 下手に要点を筆記したり、発言の意味を変えたりすること
- 防御的または戦闘的になること
- 対立を回避または無視すること
- 少数の人に場を支配させること
- ミーティングの進行状況を確認しないこと
- プロセスに対して過度に消極的であること
- 無関係な進行案を押し進めること
- 代替する進め方がないこと
- 議論を脇道にそらしてしまうこと
- 適切な総括なしに、議論をとりとめのないものにすること
- いつ停止したら良いかに気づかないこと
- 文化的多様性の問題に鈍感であること
- 不適切なユーモアを使うこと

1.20 ファシリテーターの振る舞いと手立て

グループ内のファシリテーターか外部のファシリテーターか、チームのリーダーかメンバーかに関係なく、以下の指針が適用されます。

情報に通じていること：成功するファシリテーターは、参加予定者の仕事（ビジネス）とニーズを完全に理解するために、常に参加者について幅広いデータを収集しています。参加者にアンケートやインタビューを行い、背景レポートを読み、用意された質問を用いてグループの状況の全体像を把握します。

楽観的であること：ファシリテーターは、無関心、敵対心、恥ずかしがり屋、皮肉屋、その他の否定的な反応に惑わされることはありません。その代わり、何が達成できるか、そして参加者の力を最大限に引き出すための手立てに焦点を当てます。

コンセンサスに基づくこと：ファシリテーションは基本的にコンセンサス形成のプロセスです。ファシリテーターは常にすべての参加者のアイデアを平等に反映する終了成果を生み出すように努めます。

柔軟であること：成功するファシリテーターは、常にすべてのミーティングの進行計画を持っていますが、同時に、必要であればそれを脇に置いて場を方向転換する準備ができています。経験豊富なファシリテーターは、代替手立てを用意しているのです。

思いやること：ファシリテーターは、今日の職場の社員・従業員には大きなプレッシャーがあり、反感や皮肉な振る舞いは高いストレスレベルの結果かもしれないことを理解する必要があります。

注意を払うこと：グループ・ダイナミクスに注意を払い、常に何が起こっているのかを察知します。人々がどのようにやり取りをしているのか、そして彼らがどの程度仕事を達成しているのか、その両方に注意を払います。

毅然とすること：良いファシリテーションとは、受動的な活動ではなく、実質的な自己主張が必要な活動です。ファシリテーターは常に、効果が妨げられているプロセスに介入し、場を方向転換させる準備ができている必要があります。

控えめであること：話のすべてが参加者の会話であるべきです。ファシリテーターは、指示を与え、議論を止め、物事を軌道に乗せ、要約するのに十分な量しか話しません。注目の的になろうとしたり、自分を重要な人物に見せようとするのは、自分の立場を誤ることになります。ファシリテーションは、エゴのない活動であるべきです。目的はグループを成功させることであり、自分が本当に重要で賢く見えるようにすることではありません。効果的なファシリテーターは、グループに「**自分たちでやったんだ！**」と納得させたままにします。

ファシリテーション・フリップ

ファシリテーションを開始するには

- 参加者を歓迎する
- メンバーたちを紹介する
- 自分の役割を説明する
- セッションの目的を明確にする
- プロセスを説明する
- 時間枠を設定する
- タイムキーパーを任命する
- アイデア留め置き場所を作る
- 議論を開始する

心に留め置くこと

中立的立場を保つ
傾聴する
問いかけをする
継続的に言い換える
要約を提供する
アイデアを記録する
アイデアを統合する
計画通りの進行を維持する

ファシリテーションの進行中

- 目的を点検する
- プロセスを点検する
- ペースを点検する
- 想定や思惑を確認する
- 場の雰囲気を維持する

対立の処理

懸念や気持ちを吐き出す
問題を解決する

ファシリテーションを終了するにあたって

- 議論を要約する
- 決定事項を明確化し、承認する
- 行動計画を作成する
- フォースフィールド分析を行う
- やり残した項目を回収する
- 次の議題作成の手助けをする
- フォローアッププロセスを明確にする
- セッションを評価する
- 体系的に問題解決策を導く

ツールキット

ビジョンづくり
SWOT分析／SOAR分析
ブレーンストーミング
複数投票
ギャップ分析
根本原因分析
決定マトリクス分析

人に優しく、問題に厳しく

プラクティス・フィードバック・シート

ファシリテーション能力を向上させる優れた方法は、同僚にあなたの行動を観察してもらい、フィードバックをもらうことです。次のページではフィードバック用に2種類の観察シートを用意しました。1枚目はコアプラクティスに焦点を当て、2枚目は効果的なプロセスにおける重要な要素を強調するものです。

どのシートを使用する場合でも、以下の手順で行うことをお勧めします。

1. まず、自分がうまくいったと思うことを書いてください。自分自身に問いかけてみてください。「私は何を効果的に行ったのか？ 私の強みは何だったのか？」
2. 次に、あなたのファシリテーションを観察してもらった同僚に、あなたが上手にできていると思われる箇所を具体的に指摘してもらいます。
3. 最後に、そのオブザーバーから、あなたのファシリテーションの効果を高めるための具体的な改善案を提示してもらいます。

注意事項

資料1.1　コアプラクティス観察シート

ファシリテーター

ファシリテーションに役立つ振る舞い

_ 傾聴する
_ アイコンタクトを維持する
_ ニーズの洗い出しの手助けをする
_ 心からの賛同を得る
_ 懸念を表面化させる
_ 問題を定義する
_ 全員を議論に参加させる
_ 所作とイントネーションを上手に使う
_ 継続的に言い換える
_ フィードバックを受け入れて活用する
_ 時間とペースを確認する
_ 有用なフィードバックを提供する
_ プロセスを監視して調整する
_ 本音を引き出す重要な問いかけをする
_ オープンな姿勢を保つ
_ 中立的立場を保つ
_ 役立つ発案を示す
_ 楽観的で前向きである
_ 対立を上手に処理する
_ 問題解決手法を取る
_ プロセスに集中し続ける
_ アイデアをピンポンする
_ 議論の懸念事項を反映した正確な要点筆記を作成する
_ ユーモアを効果的に使う
_ 穏やかで楽しそうに見える
_ 使用する進め方を柔軟に変更できる
_ 発話内容を差し支えなく要約する
_ いつ行動を停止すべきかをわきまえている

ファシリテーションを妨げる振る舞い

_ グループニーズに気づかない
_ 懸念事項にフォローアップをしない
_ 聞き取りが十分でない
_ コンテンツに立ち入ってしまう
_ 中核となるアイデアの変遷を見失う
_ 要点筆記が不十分である
_ 対立を無視する
_ 議論を組み立てるための代替手段を提供しない
_ 防御的になる
_ 言い換えを十分にしない
_ 少数の人々に場を支配させてしまう
_ 進行状況を点検しない
_ 注目の的になってしまう
_ グループの議論を脱線させてしまう
_ 悪いイメージを投影する
_ 否定的または皮肉なトーンを使用する
_ しゃべりすぎ
_ 人をけなす
_ いつ行動を停止すべきかがわからない

追加の観察

資料1.2　プロセスフロー観察シート

ファシリテーター

目的を明確にする

必要に応じて心からの賛同を得る

想定や思惑を点検する

確実にルールがあることを確認する

プロセスを確立する

時間枠を設定する

中立的立場と客観的立場を保つ

継続的に言い換える

明るく積極的に行動する

明確な要点筆記を作成する

本音を引き出す良い問いかけをする

役に立つ発案をする

参加を促す

対立に対処する

良いペースを設定する

プロセスチェックを行う

新しいトピックに円滑に移動する

明確でタイムリーな要約を作成する

いつ行動を停止すべきかをわきまえている

資料1.3　ファシリテーションスキルレベル

ミーティングで中立的立場を保つこと、要点を筆記すること、問いかけをすることを習得することが、ファシリテーションのすべてではありません。完璧なファシリテーターになるためには、4つのレベルで職業能力を向上させる必要があります。

以下の4つのレベルごとに必要な能力を確認します。その後の「ファシリテーション能力とニーズ評価手法」に記入し、自分の現在の強みと今後のトレーニングの必要性を確認します。

レベル1

概念、価値観、信念を理解していること；傾聴、言い換え、問いかけ、要約などの場の手助けをする振る舞いが使えること；時間の管理ができること；参加を働きかけることができること；明確で正確な要点筆記を作成できること；問題解決や行動計画作成などの基本手法を使えること。

レベル2

プロセスツールを習得していること；ミーティングの細部を計画できること；適切な意思決定方法の活用、コンセンサスの達成、完璧な総括に長けていること；フィードバック活動の処理ができ、プロセスチェックが実施できること；終了時アンケートを活用できること；効果的なミーティングの管理・運営が得意であること；グループが測定可能な目標・目的を設定するように手助けができること；想定や思惑の点検やアイデアの根拠を問うことの能力に長けていること。

レベル3

対立を処理し、即座に介入できること；抵抗や個人攻撃に対処できること；計画された細部をその場で変更できること；グループの状況を見極め、その進化段階に適した手立てを用いることができること；調査のフィードバックを管理すること；インタビューやフォーカスグループの細部を計画し、実施できること；アンケート調査の細部を計画し、実施できること；大量の情報から首尾一貫した要約を作成してアイデアを形にすることができること。

レベル4

複雑な組織的問題に対応するプロセス介入策の細部を計画し、実施できること；プロセス改善、顧客との親密性、組織全体の有効性を促す手法を使用できること；チーム進化のさまざまな段階においてチームのサポートができること。

資料1.4　ファシリテーション能力自己評価

以下に概説する基本的な能力領域に従って自分自身を評価することにより、現在の能力レベルを把握します。

自分自身の現在の能力レベルを、以下の5段階で評価してください。

1	2	3	4	5
不足している		部分的に備わっている		完全習得している

レベル1　　評価

1. ファシリテーションの概念、価値観、信念を理解している　＿＿＿＿
2. 傾聴、言い換え、問いかけ、要点の要約に長けている　＿＿＿＿
3. 時間管理ができ、良いペース（進行速度）を保つことができる　＿＿＿＿
4. 積極的参加とアイデア支援のファシリテーション術を身につけている　＿＿＿＿
5. 参加者の発言内容を反映した明確で正確な要点を筆記することができる　＿＿＿＿
6. 体系的問題解決手法、ブレーンストーミング、フォースフィールド分析など基本的手法に精通している　＿＿＿＿

レベル2　　評価

1. グループディスカッションを組み立てるために不可欠なさまざまな進行手法に関する知識がある　＿＿＿＿
2. 幅広いプロセスツールを用いてミーティングの細部を計画できる　＿＿＿＿
3. 6つの主要な意思決定の進め方に関する知識がある　＿＿＿＿
4. コンセンサスを形成し、ミーティングを締めくくる技能を持っている　＿＿＿＿
5. フィードバックプロセスを活用する技能を持つ。また、人の意見を聞くことができて個人的なフィードバックを受け入れることができる　＿＿＿＿
6. 測定可能な目標と目的を設定することができる　＿＿＿＿
7. 自分自身や他人の想定や思惑を揺るがし本音を引き出す良い質問を脅威に感じさせない形で問いかけることができる　＿＿＿＿
8. 行動を止めて、進行状況を点検できる　＿＿＿＿
9. 終了時アンケートを活用しパフォーマンス向上につなげることができる　＿＿＿＿
10. 順序立てて効果的にミーティングを管理・運営できる　＿＿＿＿

レベル3 評価

1. 参加者間の対立を処理し、冷静さを保つことができる ＿＿＿＿
2. 迅速かつ効果的な介入ができる ＿＿＿＿
3. 抵抗勢力に対して非防御的に対処できる ＿＿＿＿
4. 個人攻撃への対処に長けている ＿＿＿＿
5. ミーティングプロセスの細部をその場で再計画できる ＿＿＿＿
6. グループの状況を見極め、進化段階に適した手立てを使用できる ＿＿＿＿
7. アンケートフィードバック作業を実施できる ＿＿＿＿
8. インタビューやフォーカスグループの細部を計画し、実施できる ＿＿＿＿
9. 調査設計や質問票作成に関する知識がある ＿＿＿＿
10. 大量の情報からアイデアを集約して形にし、一貫した要約を作成することができる ＿＿＿＿

レベル4 評価

1. 複雑な組織の問題に対応するプロセス介入の細部を計画し、実施できる ＿＿＿＿
2. プロセス改善、顧客との親密さ、その他の組織開発活動を容易にするように手助けができる ＿＿＿＿
3. チームの形成期、混乱期、機能期の各段階を支援できる ＿＿＿＿

私の現在の能力（あなたがランク４または５と評価したすべての項目を含む）

最も取り組む必要のある能力（あなたが１または２と評価したすべての能力の中から、最も至急に対処が必要な重要能力を選択してください）

■ 第2章 ■

効果的な問いかけ

問いかけのための質問（以下、単に質問と表記します）はファシリテーションの醍醐味です。依頼主が、心を開き、振り返り、想像し、心から賛同して、問題を洗い出し、創造的な解決策を見出すための大事なファシリテーション術です。

まず理解してほしいのですが、良い質問には、最初に頭に浮かんだことを単純に尋ねる以上のものがあります。質問には組み立て方があり、配慮のもと、目的にかなうように入念に細部を計画する必要があります。そのため、プロのファシリテーターは、質問の内容を慎重に計画します。そうすることで、適切な質問で、適切な方法で、適切なタイミングで尋ねることができるのです。

2.1　効果的な問いかけの原則

問いかけを効果的に行う上での大きな課題の一つは、どのような場面にでも通用する標準的な「問いかけのための質問集」がないことです。あるグループにはうまくいく質問でも、別のグループでは混乱させたり、動揺させたりするかもしれません。この章で紹介するものは、あくまで参考としてご覧ください。常に念頭に置いておいてほしいのですが、すべての質問が適切かどうかは、慎重に評価されなければなりません。以下のガイドラインを心に留めておいてください。

1. **文脈に合わせてカスタマイズする：**依頼主の組織文化、職業グループ、ジェンダー、価値観、環境要因、財務状況、最近の経緯、現在のストレスなどを考慮した質問になるようにしましょう。

2. **魅力的な質問を作成する：**質問の中に自分の発想や発案を入れすぎないようにしましょう。そのような質問で問いかけると、人はあなたが好む答えに導かれ、あなたを操作的と見てしまうようになります。深く創造的な思考を促す自由回答式の質問で問いかけましょう。

3. **配慮のある問いかけをする：**依頼主を安穏とした思考から脱却させるために意図的に立ち向かおうと決心しない限りは、問いかけをする際には気遣うべきです。依頼主の不安を煽り、不信感を高めるようなきつい言葉や言葉の罠を避けましょう。友好的な所作を心がけることも、その大きな要素です。

4. **想定や思惑を明瞭にする：**依頼主が言っていることを自分が理解しているかどうかをしっかり確認します。言葉の使い方が違ったり、自分の本当の気持ちを過小に述べたりすることがあります。次のように尋ねてください――「**これは○○というように捉えて間違いないでしょうか**」「**○○ということで、私の理解は合っていますか**」または「**あなたが言ってることは○○ということですか**」。

2.2 質問のタイプ

質問には基本的に選択肢のあるもの（クローズドエンド）と、選択肢がなく自由に回答できるもの（オープンエンド）の2つのタイプがあります。それぞれに用途がありますが、ファシリテーターは依頼主の関与に働きかけるという理由から、主にオープンエンドの質問を使用します。

質問のタイプ	説明	例
クローズドエンド	一言で答えることができる質問で議論を終わらせる傾向があります。	「これまでこの場で議論した変更点について、みなさん全員が理解していますか」
	はい／いいえ、あるいは点数で答える質問です。	「5が最も優れているとして、これは1から5のどれにあたりますか」
	明確にしたり、想定や思惑を試すのに役立ちます。	「私は状況を明確に説明できていましたか」
	たいていは、○○はありますか、○○はできますか、○○はいくつありますか、などで終わります。	「何かさらに詳しく説明する必要があるものはありますか」
オープンエンド	はい／いいえではない答えが必要です。	「顧客に対して、変更説明をあなたならどのようにしますか」
	思考を刺激します。 多くの場合、何でしょうか、どうなるでしょうか、いつになるでしょうか、なぜでしょうか、で終わる、または、それらを含みます。	「私たちがもしもきわめて革新的なことをしようとしたら、それはいったいどのようなものになるでしょうか」

2.3 問いかけのための質問の形式

この章にある質問例は、質問する際の意図に基づいて作成されています。また、各質問は、以下の形式のうちのいずれかに含まれます。これらのさまざまな質問の組み立て方を活用することで、ファシリテーションによって幅広い反応を呼び起こすことができます。ファシリテーターが常に心がけることは、一つの種類の質問だけに頼ることがないように注意することです。

事実を知る質問：誰が、何を、いつ、どこで、いくらで、といったことを確認するデータを対象としています。現状把握の情報収集などに用います。 「今使っているコンピュータ機器はどんなものですか。」 「スタッフはプロジェクトの開始時にどの程度のトレーニングを受けましたか。」
気持ちを確認する質問：参加者の意見、感情、価値観、信念に迫る主観的な情報を求めます。生理的感情を理解するのに役立ちます。 「新しいオフィスのレイアウトはいかがですか。」 「スタッフからどのような反応を期待していますか。」
「なるほど、それで？」の質問：より細かな情報提供と詳しい説明を促します。 「もう少し教えてくださいますか。」 「詳しく説明してくださいますか。」 「その他に思い当たることはありますか。」
最良／最悪の質問：現在の状況に潜む可能性を理解するのに役立ちます。参加者の欲求やニーズの許容範囲を試すことができます。 「ソフトウェアの乗り換えで一番のオススメは何でしょう。」 「ソフトウェアの乗り換えでこれだけは避けたい最悪なことは何でしょう。」
第三者の質問：考えていることを遠回しに聞く方法です。個人の発想を直接ではなく、他の人の発想として聞き取って、そこから推測します。 「なぜこのアイデアに抵抗する人がいるのか、何か考えはありますか。」 「なぜチームメンバーがチームビルディングのセッションに参加したがらないのでしょうかね。」
打出の小槌の質問[1]：人の願望を探るのに役立ちます。ドラえもんのどこでもドアのようなものです。人の心の中にある障壁を一時的に取り除くのに有用です。 「お金の問題を棚上げするとしたら、どのソフトウェアを購入しますか。」 「プロジェクトを自ら指揮できるとしたら、何を変えたいですか。」

訳注1. 原本ではMagic Wand Questionとあり、読者の中にも「魔法の杖の質問」として知っている人もいると思います。なんでも叶える不思議なアイテムの象徴として「魔法の杖」が使われていますが、日本において年齢に関係なく通じやすい類似のアイテムに「打出の小槌」があるので、本書ではそのようにネーミングをしました。

2.4 連鎖的に質問を追加することの重要性

効果的な問いかけの最も重要な側面の一つは、適切な質問を追加する能力です。質問に対する最初の返答では、根本的な問題にたどり着けないことが多いため、追加の問いかけが重要です。それは、何が起こっているのかについての核心に、タマネギの皮を剥ぐように迫るようなものだと考えてください。核心に迫るには、3回、4回と質問のパターンを重ねる必要がある場合もあります。

追加の質問がどのような言い回しになるかは事前にはわかりませんが、一般的な原則はいくつかありますので、覚えておいてください。

1. 単刀直入に事実を尋ねる質問から始めます。
2. 次にその返答の内容を明確にする質問をします。
3. 続いてその返答の背後にある根拠を尋ねます。
4. さらに物事がどのように展開したかを尋ねます。
5. その後に気持ちを確認する質問を行い問題の核心にある感情を汲み取ります。
6. それでも気持ちが閉ざされたままの場合は**「第三者の質問」**や**「打出の小槌の質問」**で尋ねます。

2.5 配慮が必要な質問で問いかける

完全な破局を避けるためにグループに意図的に立ち向かわなければならないような稀な場合を除いて、ファシリテーターは相手に脅威を感じさせないように努力します。一連の問いかけの中で配慮の必要なトピックに触れざるを得ない場合、ファシリテーターはしばしば、参加者に回答を紙に書き込んで良いことにします。そうすることによって、回答は共有される前に回収・集計されるのでグループメンバーたちの安心を確保できます。これはまた個人的な情報の開示を求める質問へのプレッシャーをなくす手法としても使えます。

ここでは、答えづらい質問に安心して回答できるようにする方法をいくつか紹介します。

記述式の回答を求める場合

- **匿名でデータを収集する方法：**これは、回答者が封書で返送する紙のアンケート、回答者があなたのオフィスだけに電子メールで送信する回答、あるいは自動サーベイ・フォームの匿名回答でもかまいません。

- **付箋（スリップ）を利用する方法：**静かに各自で振り返り、付箋に書き留めるための時間を数分設けます。参加者の付箋を回収したら、それらをかき混ぜて、誰のコメントかをわからないようにした上で、声に出して読み上げます。

尺度による回答が可能な場合

- **尺度化して採点する方法：**フリップチャートかホワイトボードに１～５の５段階尺度をつけて、配慮が必要な質問を提示します。回答者には付箋に１～５の数字を書くように促した後、それらを回収して、採点を貼り出します。誰がどの点数をつけたかわからない形で共有されます。

- **個別回答ブースを設ける方法：**フリップチャートに質問と評価尺度を掲示します。回答者がそれを見て各自の評価を付箋に記入する時間を設けた後、フリップチャートをみんなから見えない位置に向けて、一人ずつ順番に回答を貼り付けてもらいます。一般的に、勇敢な人は先に行き、緊張しがちな人は何人かが済ませるのを待ちますが、いずれにしても、全員が回答したら、ボードを裏返して、評価を共有します。

2.6　問いかけのための質問バンク

これから続くページには、ファシリテーターが用いているおきまりの質問を紹介しています。より適切なものにするために、意見聴取を行う文脈に適合するように質問の型が作り直されてきました。これらの質問例を発想の糧にして質問を考案するのが最善な活用方法です。

質問例の多くはそのまま用いることができますが、それらを用いる文脈に沿う形に適合させて用いるとより効果的です。また、ほとんどはその場での質問として用いられますが、グループメンバーに事前に送信して、熟考して適切な回答を準備する時間を与えることもお勧めします。これらの質問は、グループ、アンケート、二者面談で用いることができます。

組織を知るための質問

- 組織のこれまでの歩みを教えてください。
- みなさんは、組織の際立った強みや成果は何だと思いますか。
- 世間から見た組織のイメージはなんでしょうか。
- この組織を動かしている価値観は何でしょうか。
- みなさんの組織の文化は、外部からの意見や大きな変化を一般的に受け入れていますか。

- 組織は部門ごとに縦割りされていますか、それとも人々は機能横断的に働いていますか。
- 組織変革が検討されようとしている際に、経営陣は意図的に従業員の客観的意見を求めていますか。
- 組織には、仲間同士のフィードバック（水平評価）または現場からのフィードバック（部下による上司の評価）のプロセスがありますか。
- 最も満足している顧客はみなさんのことを何と言うでしょうか。
- みなさんの主要な競合他社がみなさんを表現するとしたら、どのような言葉で表現しますか。
- みなさんの組織について、私のような部外者が混乱や驚愕することはありますか。
- 組織にとっての主な転換点や課題は何でしたか。また、それらはどのように対処されましたか。
- 組織の成功に最も貢献したのは誰ですか。
- その成功において、あなたはどのような役割を果たしましたか。
- ここで働く人々が最も誇りに思っていることは何ですか。
- 社内の人たちの一番の強みは何ですか。
- もしあなたが魔法を使えたら、すぐにでも変えたいことは何ですか。
- 時間を巻き戻せて、一つだけ変えることができるとしたら、あなたはどの出来事を選びますか。
- 現在の組織の状態を１から10の尺度で評価してください。10は最も理想的な状態です。
- 今日から10年後の新聞にこの組織について高く評価する記事が載ったとしましょう。その見出しには何と書いてありますか。

ファシリテーターと依頼主の関係を明確にするための質問

- みなさん、外部コンサルタントとのこれまでの経験について教えてください。それらの経験はこの場の仕事にどのように影響するでしょうか。
- このプロジェクトに参加するファシリテーターにみなさんが最も期待しているスキルまたは能力は何ですか。２番目、３番目は何ですか。
- このプロジェクトに私ができる最高の貢献は何ですか。
- みなさんが考えるコンサルタントと依頼主の理想的な関係を教えてください。
- 起こりうるさまざまな課題に対処できるようになるためには、私にどのような力が必要だとみなさんは思いますか。
- 定期的に誰と話せば良いですか。直接連絡してはいけない相手はいますか。

人々が互いを知るのに役立つ質問

● 履歴書を４つの文章で要約して書かねばならないとしたら、あなたはどんな風に書きますか。

● 今のあなたを物語る、若い頃のスナップショットを１枚ください。

● あなたの故郷／青春時代／大学時代の興味深いことを一つ教えてください。

● 今日のあなたをここまで導いた３つの主な物事／出来事／能力を教えてください。

● 以下の文を完成してください。「自分に最も適した職業は……」。

● ここにいるほとんどの人が知らないあなたの隠れた能力、過去の経験、または趣味は何ですか。

● あなたの仕事の最も楽しい部分は何ですか。

● あなたが現在の仕事で最もやりがいを感じる部分はどこですか。

● あなたがさらに身につけたいスキルまたは教育を１つ挙げるとしたら、何ですか。

● あなたはこの組織／プロジェクト／チームにどんなユニークな能力、経験、スキルをもたらしてくれますか。

● あなたの職場への主な貢献をあなたの同僚たちは何を挙げると思いますか。

● あなたにとって、素晴らしい仕事をするための原動力は何ですか。

● あなたにとって、リーダーに最も必要な特性は何ですか。仲間のチームメンバーについてはいかがですか。

● あなたの分野の思慮深い人またはリーダーをチームの一員として３人招待できるとしたら、誰に頼みますか。それは、なぜですか。

現状を評価するための質問

● この組織が非常にうまくやってることは何ですか。

● この組織がまあまあ問題なくやってることは何ですか。

● この組織がうまくできてないことは何ですか。

● この組織が特に注意しなければならない環境では、一体何が起こっているのでしょうか。競合他社、仕入先、顧客、財務、資材、人材、機械などについてはどうですか。

● この組織は、組織化されたプロセス改善プログラムなど、有効性を評価する体系的な方法を有していますか。

● 現在、私たちが注意を払わなければならない、効果的に仕事をするための障壁は何でしょうか。コミュニケーションの障壁はありますか。資源へのアクセスや承認の取得などは困難ですか。

- 現状を踏まえて、組織変革の専門家が推奨すると思われるアプローチについてあらゆる可能性を教えてください。
- このプロジェクトが失敗した場合、組織にどのような影響がありますか。
- このプロジェクトの最良の最終結果は何ですか。
- あなたが私に役立つアドバイスを1つするとしたら、それは何ですか。

プロジェクトの指針を設定するための質問

- あなたが他のプロジェクトで使用したガイドラインで、この場にも採用すべきだと思うものは何ですか。
- すべてのプロジェクトで初期の費用対効果分析が行われていますか。
- この場ではどのように決定を下すのでしょうか。誰が何を決めることができますか。
- コンセンサスが必要な意思決定はどのようなものですか。
- 進行中の作業、問題、課題について、この場においてどのようにコミュニケーションを取るべきですか。
- 組織変革の可能性について、この場からうわさが広がらないようにするにはどうすれば良いでしょうか。
- 誰が誰に何を話すことができるかについてのガイドラインは何ですか。
- 締め切りに遅れたり、予算をオーバーした場合の処理はどうなっていますか。
- この場で資源が常に公平に割り当てられるようにするにはどうすれば良いでしょうか。もしそうなってない場合、どう対処すれば良いのでしょうか。
- この場は、プロジェクトの状況を共有するためのミーティングはどのくらいの頻度で開催する必要がありますか。
- この場は、どの程度の頻度で報告する必要がありますか。報告書はどのような形式で提出する必要がありますか。
- この場は、何を緊急事態とみなすべきですか。それらを効果的に処理するために、どのようなサブルーチン（あらかじめの対処行動）を確立すべきでしょうか。

行動規範やルールを確立するための質問

- みんなが仲の良いチームで働いていた時のことを思い出してみてください。チームメンバーはどのような態度や振る舞いを取っていましたか。彼らはどのようなルールに従っていましたか。

- 他のプロジェクトやチームで働いていた際に学んだことで、このグループがこのプロジェクトのためのルール作りを検討すべきと思うに役に立つことを１つ教えてください。
- リーダーや同僚からどのように扱われているかという点で、あなたをやる気にさせるものを上位５つ挙げてみてください。その中で、このチームの運営方法の一部になる必要があるのはどれですか。
- 対人関係の対立や論争に向かわないようにする、またはそれらを回避する最善の方法は何ですか。
- この場は、どのような情報を共有し、どの情報をグループ内にとどめる必要があると思いますか。
- 機密情報に関して、機密保持を確実にするためには、この場はどうしたら良いでしょうか。
- プロジェクトミーティングに欠席する人については、どのようなルールを設定する必要がありますか。
- ミーティング中にメールをチェックする場合の最良のルールは何ですか。
- チームとして遭遇するかもしれない全盛期をどのように乗り切る必要がありますか。低迷期はどうですか。
- どのような状況であれば、あなたはチームと個人の両方に関して、パフォーマンス・フィードバックを与えたり、受け取ったりすることを厭わないですか。

期待値を把握するための質問

- 今日がこのプロジェクトの最後のミーティングで、あなたの想像を超える成功を収めたと想像してください。今日は何をお祝いするのでしょうか。
- 自分の言葉で「なぜ私たちはここにいるのか」という問いに答えてください。
- このプロジェクトで絶対に取り組まねばならない切実な問題は何ですか。
- 達成しなければならない具体的な最終成果は何ですか。それは何月何日までにですか。
- 社員にこのプロジェクトに対する希望を聞いたら、彼らは何と答えるとみなさんは考えますか。
- もしあなたの競合他社に、このプロジェクトから生じるもので最も見てみたいものは何かと尋ねたら、彼らは何と回答するとみなさんは考えますか。
- この事業全体から、この場にとって２つだけしか良い結果を得られないとしたら、それは何でしょう。

- このプロジェクトで生じる変化から、社員は何を得たいだろうとみなさんは考えますか。
- 成功を導いた重要な出来事は何だったでしょう。
- このプロジェクトからあなた自身が何か得るものがあったとしたら、それは何でしょう。
- この場にいる人が成功したか、失敗したかは、どうすればわかりますか。

課題や問題点を発見するための質問

- このプロジェクトが遭遇しうる最大の問題を、新聞の一行見出しのように記述してください。
- この場にいる人がスコープ・クリープ[2]に遭遇した場合、なぜそれが発生しやすいのでしょうか。
- このプロジェクトで倫理的な問題に遭遇する可能性はありますか。あったとしたらそれは何ですか。
- このプロジェクトが資金を失ったり、経営支援を失うような壊滅的な出来事が起こる可能性があるとしたらどんなことでしょうか。
- 私たちがこのプロジェクトを完了できなかったことで利益を得る可能性のある人またはグループはありますか。
- 我々のプロジェクトに悪影響を及ぼしている、我々のコントロール外の要因を挙げてください。
- 今現在、うまくいっていること／うまくいっていないことは何ですか。
- 遭遇している問題の上位３つを優先度の高い順に並べるとしたら何ですか。
- どうすれば、問題に気づき、迅速に対処する能力を向上させることができるでしょうか。
- この問題に関連して、繰り返されるパターンはありますか。
- 私たちは全体像を見ているのでしょうか、それともより大きなもののほんの一部を見ているのでしょうか。
- この問題に関して何が起こっているかを完全に解説できますか。
- このプロジェクトの重要なメンバーであることで、夜も眠れなくさせる物事は何ですか。
- 組織内で、コミットメントや能力が懸念される領域はありますか。
- 困った時に私たちはどのような資源を活用できるでしょうか。これらの資源への架け橋を今どのように構築できるでしょうか。遭遇する可能性のある問題の種類ごとに、誰に連絡する必要

訳注2. スコープ・クリープ（Scope creep）は、要件クリープや機能クリープとしても知られ、プロジェクトの開始後に成果物やニーズが増え、スコープ（範囲）の変化が斬新的に起こることを指します。

がありますか。

創造的思考を促す質問

- 他の文化では、この課題にどのように取り組むでしょうか。日本人ならどうするでしょうか。ドイツ人なら。スウェーデン人はどうでしょうか。
- 進化の代わりに革命を考えたら、それはどのように物事を変えますか。
- ニーズを満たすだけでなく、お客様を喜ばせることを目指したら、それはどのようなものになるでしょうか。
- 自らを完全に変革させた他の企業はありますか。彼らは何をしたのでしょうか。
- この組織内の人々は、どのような外部資源を誘導することができますか。
- 私たちが自分たちに問いかけていない質問は何ですか。
- あなたが知っている最も革新的な製品またはサービスへのアプローチをいくつか解説してください。何が特別なのでしょうか。
- 最も明白な解決策は何ですか。最も明白でないものは何ですか。
- もしお金が問題でなかったら、この場で何をしますか。
- みなさんの最大の競争相手は、みなさんに何をしてほしいと思っていますか。
- この場で計画していることの反対は何ですか。この場で考慮する必要がある要素はありますか。
- 今までやったことのないことで、議論の俎上に置くべきことは何ですか。
- 8歳の子どもは何と言うでしょうか。80歳の人は何と言うでしょうか。

変革への抵抗感を評価するための質問

- この場の戦略に内在する最大の課題は何ですか。何が私たちの道を阻んでいるのでしょうか。
- 突然現れ、この場の努力を妨げる最大の外的脅威は何ですか。
- この組織の内部のことについて人々が最も議論していることは何ですか。
- この組織の文化に、変革を阻害する要因はないでしょうか。
- この会社で働く人々が最も不満に思うことは何でしょうか。
- 人々は通常どのような変化に抵抗しますか。そのうち、私たちが最も遭遇する可能性が高いのはどれですか。

- 以前に取り組んだ大きなプロジェクトを思い出してください。どのような障害に遭遇しましたか。
- 社員はこの変革に対して反射的にどのような純粋な反応を示すと思いますか。
- 次の文を完成させてください。「思いがけないところから不意に現れて盲点をついてくるものは……」。
- 鍵となるプレーヤーのうち主要な人は誰ですか。彼らはそれぞれ変革に対してどのように反応するのでしょうか。
- この場の提言に人々が抵抗するとしたら、誰が最も抵抗しやすいのでしょうか。抵抗はどのような形で行われるのでしょうか。
- 実装の成功に影響を与える可能性のある考慮すべきすべての要因は何ですか。

影響を特定するための質問

- ここに挙がっている主なアイデアを見て、それぞれがプロジェクトや組織に与える影響を掘り下げて特定してみましょう。
- 計画通りに進めた場合、どのような終了成果が期待されますか。予期せぬ事態に遭遇するとしたら、どのようなものがありえますか。
- ダウンサイジング／スケールアップ／新製品の追加／新拠点への移転がもたらす潜在的な影響は何でしょうか。
- 水晶玉をのぞき込んで未来を占えるとしたら、どんな想像もつかない結果が見えると思いますか。
- この問題の結論について確実にわかっていることは何ですか。

主導権と参加を築くための質問

- 会社にとって最大の潜在的利益は何ですか。そして、あなた個人にとっては。
- あなた個人は、この取り組みにどんな貢献をしたいですか。
- すべての社員ひとり一人が変化の実現に参加できるようにするにはどうすれば良いでしょうか。
- この変化に関して、個々の従業員が持っている最大の希望は何だと思いますか。
- 上級管理職をしっかりとチームに取り込むために最も重要な要素とは何でしょうか。
- 戦略的ビジネスパートナーの参加継続を最も確かにする終了成果とは何でしょうか。

不明瞭なことをはっきりさせる質問

- もっと具体的に教えていただけますか。
- それを別の言い方で言えますか。
- それについてもう少し教えてください。
- 別の例を挙げていただけますか。
- それの反対は何ですか。
- どなたかその考えをもう一度述べて、この場にいる全員が同じように理解できるようにしてもらって良いですか。
- もっと教えてください。これは私たちにどのような影響を与えますか。

議論の切り口を得るための質問

- 同じような状況を経験した人はいますか。
- このアイデアについて、私たちはどのような想定を立てていますか。
- このアイデアの長所と短所は何ですか。
- ひとつ忘れていることがあるとすれば、それは何ですか。
- このチームに盲点があるとしたら、それは何ですか。
- 他の利害関係者（ステークホルダー）はこの問題をどのように見るでしょうか。
- 社員／顧客はどのように反応しますか。
- 別の見解を捉えるために、これについてもうひとつの切り口から考えてみましょう。
- まったく違うものを発案する人はいますか。

困難と対決のための質問

- この場の現在の手立ては、基本的として、あなたが常に行ってきたことと、どのように関係していますか。
- このプロジェクトが期待通りには進んでいない、または必要に応じて大胆に行われなかった理由を１つ挙げるとしたら、それは何でしょうか。
- このプロジェクトを妨げている人間の特性があるとすれば、それは何だったと思いますか。
- 私たちの行動は、変革計画の遂行にどのように妨げとなる可能性があるのでしょうか。

- 組織は問題にどのように貢献していますか。また、この場はどうなのでしょうか。

まだ表面化していないものがあると感じた場合の最後の質問

- この場でまだ自分たちに問いかけていない問題を１つ挙げてください。

■ 第3章 ■

ファシリテーションの段階

ファシリテーターが犯しやすい最大の失敗は、グループのニーズを事前評価せず、あるいはセッションのデザインノート（設計図）を作成せずにミーティングに臨むことです。いかなるミーティングでも適切な事業計画作成と実行を保証するためには、起こりうる具体的な段階について事前に認識しておくことが必要です。

以下のステップは、本来、外部のファシリテーターが行うことを想定していますが、組織内のファシリテーターにも同様に当てはまります。

ファシリテーションの実施段階

1. 現状評価と進行案作成
2. フィードバックと推敲
3. 最終準備
4. ファシリテーションの開始
5. ファシリテーションの途中
6. ファシリテーションの終了
7. ファシリテーションのフォローアップ

綿密な準備は絶対に必要ですが、経験豊富なファシリテーターが口を揃えて言うように、進行案が予定通りに進むことはたいていありません。ある議論では、どうすることもできず、予定より時間がかかってしまうこともあります。進行案の順番を変更する必要があることが明らかになったりすることもあります。その結果、途中で案の修正を迫られることは多々あります。実際、その場の判断で調整を行うことは、すべてのファシリテーターが習得すべき技です。

3.1　現状評価と進行案作成

どのようなファシリテーションでも、確実に成功させるための最初のステップは、十分かつ適切な情報に基づいてミーティングの細部を確実に計画するようにすることです。外部から参加する場合は、グループリーダーにすべてのメンバーたちに手紙を送ってもらい、外部のファシリテーターを雇ったこと、そして進行案の背景情報を収集するためにそのファシリテーターから連絡があることを伝えてもらいましょう。

仕事の手始めによく行われるのが、ミーティングのファシリテーションを依頼した人にインタビューを行うことです。ただし、その人がグループの残りのメンバーたちのニーズや関心事のすべてに気づいていると仮定しないことが重要です。それだけにとどまらず、グループメンバーの特性を反映した小集団から情報収集も行えば、状況のより完全な全体像を構築し、なおかつ主要な想定や思惑をしっかり把握することができます。

経験豊富なファシリテーターはこんなことをよく言います。ある人が言ったことに基づいてミーティングの細部を計画した結果、グループの他の誰もがその現状評価に同意しないことになることほど最悪なことはない！

グループのニーズと状況を評価するために、次のファシリテーション術を一つないし複数を活用します。

- 二者面談
- アンケート調査
- グループインタビュー
- 行動観察

各手法の詳細は、第5章の94ページに記載しています。

グループに関するデータを収集する際はいつでも、その情報の要約をメンバーたちにフィードバックする必要があります。これは、現状評価メモの要約をメンバーたちに書面で提供するか、重要な点をフリップチャートに書き出し、セッションの冒頭に改めて簡単に確認したりすることで行うことができます。

また、ファシリテーターは、ファシリテーションの開始時に収集したデータを改めて確認し、最終的な進行案がどのように作成されたかを全員が理解できるようにします。グループメンバーからの情報提供を正しく解釈できれば、ミーティングの細部の計画はその収集した情報と直接つながっているように見えるはずです。

関連するすべての背景情報を収集して図表に表し、グループのニーズを理解していると確信したら、素案の作成ができます。この作成作業には、セッションの目的を特定することと、プロセスの要点を詳細に書き出して進行案を作成することが含まれます。第11章では、必要な形式と詳細レベルを示すプロセスノートの例を示します。

3.2 フィードバックと推敲

セッションの進行案を作成したら、その案をグループメンバーたちと共有し、承認を得ます。プロセスの展開についての詳細を共有することで、グループメンバーたちはミーティングの組み立てを理解しやすくなります。大人数のグループや、事業計画作成のための合宿などの複合的な作業が予定されるイベントを想定して細部を計画した場合は、このフィードバック活動をより正式なものにする必要があります。よくあるのが、メンバーを代表する小グループを作り、データ収集からのフィードバックを聞いてもらい、提案を確認してもらえるように、彼らとミーティングを行うことです。小規模で作業数が多くないミーティングとして細部が計画されている場合は、進行案のアイデアについてリーダーや代表メンバーたちと話し合うだけで十分かもしれません。

グループメンバーたちが、あなたの案を好まない場合も多々あります。グループが求めているものと、ファシリテーターが必要だと考えているものとの間にギャップがあることはよくあることです。

案に関して意見の相違が生じた場合は、すべての見解を聞き、代替案を検討する必要があります。一方、グループ内にミーティングの実施を拒む正当な理由がある場合（例えば、内容的に高度な配慮が必要で話し合えない、目的が変わったなど）は、その懸念を尊重します。

一方、毅然とした態度で自分の案を積極的にアピールする必要がある場合もあります。特に、ミーティングのメンバーたちが参加型手法に消極的であったり、過去に収拾がつかない事態に陥ったことがある場合です。このような場合は、反対意見に耳を傾けた上で、あなたの主張を理解させる手助けをします。時には、彼らが望むものは、彼らが必要とするものではないこともあります。

ワークショップの細部の最終案について同意が得られたら、フィードバックと最終版案の両方の簡単な要約を書き、グループの代表者たちに送ると良いでしょう。この書面による覚書は、誤解が生じる可能性を減らすのに役立ちます。

3.3 最終準備

プロのファシリテーターはファシリテーションを行う会議の準備に本番と同じだけの時間を費やします。セッションリーダーの業界標準としては、1日のファシリテーションについて1日をかけた準備が必要とされています。作業数の多い会議の場合、1日のファシリテーションに対して2日間の準備が必要な場合もあります。

ここでは、ファシリテーション業務における一般的な時間配分を紹介します。

①ワークショップ／ミーティングの長さ	②面談時間	③計画時間	合計時間（①+②+③）
1日のワークショップ（18名）	1/2日	1/2日	2日
2日間のワークショップ（18名）	1日	1日	4日
2日間の合宿（60名）	1日	3日	6日

行動規範の確立

ミーティングは、従うべき明確なルールや規範がある際に、最もうまく進行します。しかし、ミーティングの開始時にこれらを設定するのは難しい場合があります。参加者は率直に発言してルール発案を行うことに気が進まないかもしれません。進行案を議論し始めることにプレッシャーを感じたりするかもしれません。

このような理由から、グループメンバーたちにルール発案を行ってもらう良い手立ては、現状評価の段階にやることです。方法は二者面談や電子メールでも構いません。得られた発案は、フィードバックミーティングの終了時に共有して承認を求めることができます。

データ収集中にルールを作らない場合は、進行案を議論し承認するミーティングの中で一連のルールづくりをすることが可能です。次のように、ルールに特化した質問をメンバーたちに尋ねるだけで良いのです――「このミーティングを円滑に進めるには、どのようなルールが必要ですか」「ノートパソコンや携帯端末についてのルールはどうしますか」「メンバー加入や脱退はどうしますか」「雑談はどうしますか」「進行案にないトピックを持ち出すことについてのルールはどうするべきでしょうか」。

メンバーたちの回答をまとめて、首尾一貫したミーティングのガイドラインを作成します。これらのガイドラインは、ファシリテーションを行うセッションの最初に示します。

ルール作成については、詳しくは、第5章の102～104ページを参照してください。

個人の権限についての取り決め

また、最終準備段階では、グループ・ダイナミクスを管理・運営できるような十分な権限について取り決めておくことが重要です。これは特に組織内のファシリテーターにとって重要です。

権限の欠如は、さまざまな原因から生じます。最も明白な権限の欠如は、上級管理職が集うミーティングのファシリテーションを依頼された社員が経験するものです。上級管理職グループのやり取りを管理・運営するためには、ファシリテーターは、それに必要な権限を得るための交渉が必須となります。

ファシリテーターは、グループがフィードバックセッションのルールを決める手助けをすることに加えて、ファシリテーション中に何を言っても良いのか、何をしても良いのかについて、メンバーたちに突っ込んだ質問で尋ねます。ミーティングの進行を保つため、自分の意見をはっきり言うことが必要な場合があることを確実に理解してもらうようにします。次のような質問を尋ねて、話し合いを促します。

- 隣同士で雑談を始める人がいたり、無断で出たり入ったりする人がいたり、あるいは2人だけで話し始める人が出たら、私はファシリテーターとして、何を言って、何をしたら良いのでしょうか。こうしたことに対して、差し障りなく注意し、ミーティングに意識を戻すように指示しても良いでしょうか。
- 口論になったり、誰かが長話をしたりした場合はどうしますか。こういったことを注意して、その場にふさわしい発言をするようにお願いしても良いですか。

ほとんどの場合、グループメンバーたちはあなたにはっきりモノを言うことを求めており、必要な際にはいつでも介入することを認めてくれるでしょう。場合によっては、さらに踏み込んで、効果的でないパターンに陥った場合は止めてほしいと言われるかもしれません。

厳密に言えば、ファシリテーターが介入する際にグループメンバーたちの承認は必要ありません。グループ内のやり取りを管理・運営するのは、結局のところ、ファシリテーターの仕事です。積極的に介入する権利を取り決める理由は、グループメンバーたちの期待値を設定するためです。メンバーたちが、ミーティングにおける場の動きを積極的に管理・運営してほしいと発言すれば、介入に必要なゴーサインが出されたことになります。

実際、このような介入は、次のような言い方で始めることができます――「覚えていますか。こうなったら止めてくれとみなさん、おっしゃいましたよね」。

積極的に介入する許可をグループから得ることで、ファシリテーターの越権行為と見なされるのを防ぐグループルールが作成されます。積極的に介入する権利を取り決めることは、ファシリテーターとしての仕事が円滑に進められ、キャリアを阻まれるような瞬間から守られるのです。

最終準備

以下は、最終準備の一部として行うべき事項のチェックリストです。

____ 案を完成させ、グループメンバーと共有する

____ 自分に責任のある行為、ならびにグループが果たすべき行為を明確にする

____ ファシリテーションが効果的に行えるように必要な権限について取り決める

____ ミーティングの場所が最適かを点検する

____ ミーティングの主催者がミーティングの日程、場所、最終進行案など開催要項を参加者に通知するための文書の配布を手伝う

____ 必要な資料と道具のすべてを確認する

____ ワークショップで使う資料や配布物のすべてを作成する

____ ワークショップで使う資料や配布物のすべてを印刷する

____ 開始前に重要なフリップチャートの用紙を会場に準備する、または、電子ボードにデータを移し設定をしておく

グループメンバーが責任を持ってやることとしては、通常、通知の送付、宿泊施設などの手配や支払い、適切な会議室の確保、印刷の手配と支払い、わかりやすい議事録の作成、フリップチャートに記載されたすべての要点筆記の転載、すべての行動計画が確実に実行されたかの監視、結果の評価などがあります。

3.4 ファシリテーションの開始

ファシリテーターであるあなたは、どのようなミーティングでも常に最初に到着する必

要があります。そうすることで、直前になって部屋の座席を変更したり、進行案や調査データを掲示したり、機器を試したりする時間を確保することができます。また、早めに到着することで、参加者が到着した際に挨拶することができます。参加者とざっくばらんに話をすることで、打ち解けるだけでなく、あなたを知ってもらう機会にもなります。

会場設営は議論の円滑な進行を左右します。適度に家具を備えた広い部屋は大人数のグループで集まるにも、班作業をするにも最適です。一方、役員用の巨大なテーブルは、対話に適した雰囲気を作り出すのに不利に働きます。また、長テーブルは階層構造を強化し、メンバー間のアイコンタクトを妨げる傾向があります。大人数のグループワークでは、円卓に等間隔に座るのが良いでしょう。5～8人の小テーブルでのグループワークをするのも理想的です。

フリップチャートを使用する場合は、切り取った用紙を貼る空間を壁に十分に確保してください。一日を通して作成された用紙（要点筆記）を一覧できるようするためです。小グループに分かれて議論を行う場合は、部屋の前方にあるファシリテーターが使用するイーゼルに加えて、各班用のイーゼルを手配する必要があります。

経験とともに自分なりの進め方ができてくるものですが、手始めに次のチェックリストを使ってみましょう。

____ 自己紹介と簡単な生い立ちを説明する

____ ファシリテーターとしての役割を明確にする

____ 他のメンバーの役割を明確にする

____ 部屋の中を回って、特に互いを知らない人が出席している場合、メンバーに名前とできれば役職を自己紹介してもらう

____ 事務連絡を済ませる

____ グループをリラックスさせるため、場をほぐす作業を行う。これがミーティング全体で使える時間と活動の焦点に合うようにする

____ 参加者から収集したデータを改めて確認する。重要な点が全員に見られるように掲示し、データに関する質問に答える

____ 進行案を改めて確認する。ミーティング全体およびセッション中の各作業の目的と望ましい終了成果を明確にする

____ セッション中に運用される行動ルールやミーティングのガイドラインを改めて確認する

____ 介入権限をファシリテーターに与えていることをメンバーたちに念押しする

____ グループにすでに一連のミーティングガイドラインがある場合は、それを見直し、必要な新しいルールがあれば追加するようにメンバーたちに呼びかける。そうしたルールがない場合は、そのセッション用に新しいルールを作成するように手助けをするか、進行案作成

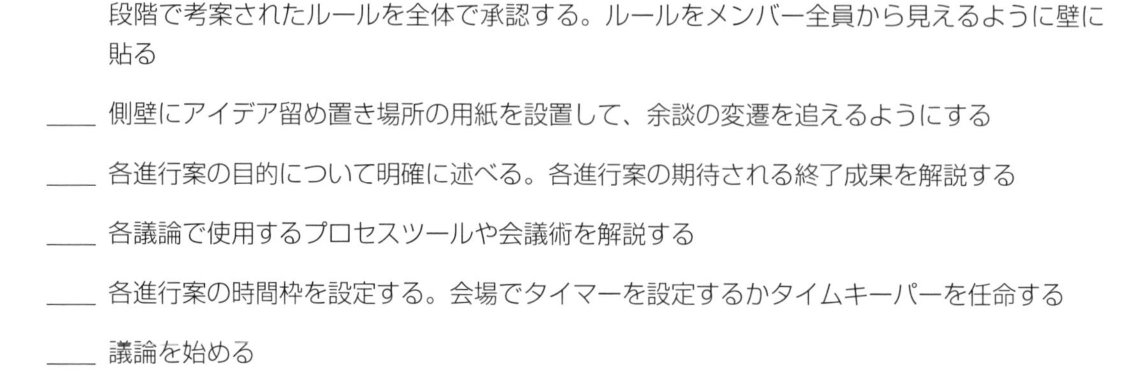
段階で考案されたルールを全体で承認する。ルールをメンバー全員から見えるように壁に貼る

____ 側壁にアイデア留め置き場所の用紙を設置して、余談の変遷を追えるようにする

____ 各進行案の目的について明確に述べる。各進行案の期待される終了成果を解説する

____ 各議論で使用するプロセスツールや会議術を解説する

____ 各進行案の時間枠を設定する。会場でタイマーを設定するかタイムキーパーを任命する

____ 議論を始める

準備が完了したら、最初の議論を開始します。新しい進行案が出るたびに、わかりやすい開始手筈で始めることを忘れないようにしましょう。

開始手筈の構成要素の詳細については、第1章の31ページを参照してください。

3.5 ファシリテーションの進行中

ミーティングでのファシリテーターの重要な役割は、議論が常に効果的であるように、議論の組み立ての説明と概略の説明を行うことです。ファシリテーターは、メンバーたちが議題について議論している時に、受動的な書記係として行動するのではないです。

ファシリテーターは、あくまでも議論の内容に対して中立的立場であることを忘れないでください。プロセスや物事の展開については中立的立場ではありません。優れたファシリテーターは、グループのやり取りを常に監視し、グループの生産性が低下していると見た際はいつでも介入します。

第8章の172ページには、ファシリテーターが効果的でない振る舞いを見た際に、言葉を使って介入する方法の概要が紹介されています。これは、グループの有効性を維持するために必要不可欠な手法です。

介入を行うだけでなく、ファシリテーターはことあるごとにプロセスチェックを行います。プロセスチェックの4つの要素についてのより詳細な解説は、第1章の33～34ページを参照してください。これらの点検は議論の中間点や、物事がうまくいかない兆しがある場合に行われます。

すべての議論において、以下のことを意識してください。

- 全員が確実に参加するようにすること
- 話し合いを進めるために本音を引き出す質問で問いかけをすること
- アイデアを認め明確にするために、継続的に言い換えること

- 経過時間を監視して適切なペースを保つこと
- 簡潔に要点を筆記してアイデアの変遷が追えるようにすること
- 話し合いを再開または終了するためにことあるごとに要約を作成すること
- 基本ルールの順守を参加者に働きかけること
- 振る舞いが効果的でなくなったと見受けられる場合には介入すること
- グループの軌道を維持し、主題から外れた項目を保留すること
- メンバーたちが意見の相違について客観的に話し合うように手助けをすること
- ことあるごとにプロセスチェックを行い、全体的な効果を調べること
- 議論が空回りしている場合は、行動を停止し、メンバーたちになぜ行き詰まっているのか、何が前進につながるのかを尋ねること
- プロセスを調整し、必要に応じて追加の手法を提示すること
- 高い熱意と前向きなトーンを維持すること

3.6 ファシリテーションの終了

多くのミーティングでよく見られる問題は、総括の欠如です。多くの事柄が議論されましたが、明快な道筋が見えてきません。ファシリテーターの重要な役割の一つは、次のトピックに移る前、あるいはミーティングを終了する前に、検討事項が決定され、詳細な行動ステップが用意されているようにすることです。

ここでは、ミーティングを効果的に総括するのに役立ついくつかの方法を紹介します。

- 決定事項の概要文を作成し、フリップチャートまたは電子ボードに記録すること
- 各行動項目に詳細な行動計画が確実に付随しているようにすること
- アイデア留め置き場所に置かれたものなど、ミーティングで議論されなかった事項を集約し、メンバーたちがそれぞれ行動計画を立てる手助けをすること
- グループが次回のミーティングの進行案を作成する手助けをすること
- 書面による報告／グループセッションのフォローアップの手段を決めること
- フォローアップミーティングでの自分の役割を明確にすること
- メンバーのうち誰が要点筆記の文字起こしをするのかを決める手助けをすること
- フリップチャートに記載された内容をデジタルカメラで保存すること

- 終了時アンケートを壁に貼ってセッションに関する参加者の感想を共有すること
- 評価シートを配布して参加者がセッションについてより詳細なコメントを提供し、ファシリテーターの仕事振りについてフィードバックできるようにすること
- ファシリテーターの貴重な機会を与えてくれた参加者に感謝すること

3.7 ファシリテーションのフォローアップ

公式、非公式にかかわらず、現場が終了した後、ファシリテーションを行ったグループの状況を調査することは望ましいことです。短いミーティングだった場合は、グループリーダーに電話をして、そのセッションがグループの効果向上にどの程度役立ったかを確認する程度でも良いでしょう。担当した業務が大規模な意思決定ワークショップや合宿であった場合は、リーダーにフォローアップ評価書をメンバーたちに送付するように働きかけます。

フォローアップ活動をあなたが行うことについて正式に同意されている限りは、セッション後にグループのメンバーたちにミーティングのレポートを渡すことができます。そのことは、セッションで出てきたアイデアの実行について彼らは、あなたではなく、自分たちで責任を負うと考えるようになります。あなたの役割は、単にフォローアップの必要性をグループに念押しし、後で結果を報告するための書式を提供することに留まるかもしれません。場合によっては、グループと取り決め、ミーティング後の進捗状況を議論し評価するフォローアップミーティングのファシリテーションを行うこともあるでしょう。

3.8 ファシリテーションのフィードバックを求める

外部のファシリテーターが依頼主と仕事をする場合、そのファシリテーターは、契約をした人物に自分のパフォーマンスについてフィードバックを求めるのが通常の手順です。これは、依頼主が満足していることを確認し、依頼主との関係を維持するために行われます。

同様に、内部ファシリテーターもフィードバックを求めることが重要です。彼らにとって依頼主の開拓は関与する範囲でないかもしれませんが、彼らの仕事が組織の全体的な健全性に貢献したかどうかについて考えるべきです。

詳細かつ具体的なフィードバックを得ることは「個人の効果性」[1]を高めようとするすべてのファシリテーターにとって必要不可欠です。フィードバックのプロセスは直接会うか電話で行うことができます。形式としては基本的に次のような簡単な質問です。

訳注1. 職業能力（コンピテンシー）の一つで、自身の仕事の能率と周囲の人を管理・運営する役割に対する自身の効果性を指します。効果的なリーダーシップに求められる能力の一つとしても見られています。

- 私のファシリテーションでうまく出来ていた点は何でしょうか。
- 私のファシリテーションで最も価値のある貢献は何でしょうか。
- セッション中、特に効果的だったことは何でしょうか。
- 私のファシリテーションでうまく出来ていなかった点は何でしょうか。
- どのような場合だったら、私はもっと違うことができたでしょうか。
- 私のファシリテーションをさらに効果的にするために、具体的にどのような改善をすれば良いでしょうか。

■ 第4章 ■

ファシリテーションができる人

ファシリテーションの必要性が認識されて以来、誰がその役割を担うべきかについて、しばしば混乱が生じています。組織内のスタッフか、有給で雇われた部外者か、グループリーダーかのいずれであるべきでしょうか。

4.1 内部ファシリテーターに頼む場合

多くの組織では、フルタイム（専任）の社内幹部の育成を左右するものとして、ファシリテーターは重要な資源と見なされています。ファシリテーターは有給の組織開発コンサルタントで、支援を必要とするチームを手助けするために活用できます。

専任のファシリテーターを確保できない組織の中には、ボランティアのファシリテーターグループをパートタイムで確保しているところがあります。こうしたファシリテーターたちは、グループプロセスの専門的知識を高めることに関心のある社員・従業員であり、組織内の他部署のファシリテーション業務を自発的に引き受けている人たちです。

専任のプロであれ、ボランティアグループの一員であれ、内部ファシリテーターには、外部ファシリテーターに比べて次のような利点があります。

- 組織の歴史や文化を理解していること
- 組織の健全性と成功に利害関係があること
- 身近にいて、簡単にアクセスできること
- 給料制なので、外部の人間を雇うよりコストが安いこと
- 利用可能な組織内の資源に熟知していること
- ファシリテーションの終了成果を追跡可能であり継続的に関われること

内部ファシリテーターの活用には多くの利点が認められる一方で次のような欠点もあります。

- 内部ファシリテーターは、特定のファシリテーション手法やプロセスについての経験が不足している場合があること
- 経験豊富な人でも、組織内では信頼できないと思われることがあること
- 一部の同僚とのこれまでの関係から、中立的立場にあるとは見てもらえないことがあること
- もし組織が大規模ですべてのニーズに対応するには人数が少ない場合、限界以上に働かされる可能性があること
- 一部の議論は、内部ファシリテーターではリスクが高すぎる可能性もあり、その場合、内部ファシリテーターは必然的にその場に留まらざるを得ず、その影響に耐えなければならないこと

4.2 外部ファシリテーターに頼む場合

外部ファシリテーターを活用することは、さまざまな状況で有利です。特に、完全な中立性が不可欠であり、全員参加の議論が必要な場合などは特にそうです。さらに、外部ファシリテーターには、次のようないくつかの利点があります。

- 信頼できると思われていること
- 専門的な議論を先導する経験が豊富な場合があること
- 外部ファシリテーターの中立性を信頼する人が多いこと
- 会社の方針や感情に左右されないこと
- 多くの場合、より多くのリスクを負う余裕があること
- デリケートな介入後の影響から逃れることができること
- 報酬を受けて取り組んでいるので多くのことを求めることができること

外部ファシリテーターのサービスを活用することには次のような欠点もあります。

- これまでの経緯などグループと組織に関するデータが不足しており、それゆえかなりの調査を行う必要があること
- 関係者を完全には理解していないこと
- 信頼を確立するために依頼主と親密な関係を築く必要があること
- グループ主導の新しい取り組みを見ることができないこと
- 長期プロジェクトの場合、雇用コストが高くなる可能性があること
- 後続の仕事には参加できない場合があること

内部ファシリテーターがいる組織でも、特定の課題については外部ファシリテーターを起用することがあります。これは通常、内部ファシリテーターが取り組むにはデリケートすぎる、あるいは実施するための専門知識が不足していると感じている課題のために行われます。また、社内のチームに新しい手法を体験させるために、外部ファシリテーターを招聘することもあります。外部ファシリテーターか内部ファシリテーターかにかかわらず、彼らは皆、第3章で概説した明確な一連のステップに従って仕事を行います。

4.3 リーダーがファシリテーターを引き受ける場合

前章で、ファシリテーションの機能は、中立的な第三者が遂行するように設計されてい

ることを論じました。この中立性の存在によって、ファシリテーターは話し合いを組み立てることに全神経を集中させ、ミーティングの参加者が自由に発言できるようにします。なお、内部ファシリテーターが組織内の仕事を引き受ける場合、社内の依頼主との関係では、中立的な外部の人間として活動することになることに留意することが重要です。

しかし残念ながら、効果的なプロセスが必要な際に、中立的立場の人がいつもいるわけではありません。そのため、ミーティングの細部の計画や運営は、ほとんどの場合、リーダーに委ねられています。ここで疑問が生じます――**「議論の結果に利害関係のあるリーダーが、自分のチームのメンバーを相手に効果的にファシリテーションが行えるのでしょうか」**。

答えはもちろん**「できる」**です。チームの意思決定に関与しているリーダーであっても、効果的なプロセスリーダーシップを発揮することは可能です。ただし、問題は、ファシリテーターという役割に対して、まったく異なるアプローチを取らなければならないことです。その理由は、主に2つあります。

第一に、リーダーは、チームメンバーに対してある程度の力を持っています。つまり、リーダーが中立的立場であると主張していても、チームメンバーは、彼らの意見が想像するリーダーの聞きたがっていることに反するかもしれず、その意見を口に出すことに躊躇してしまうのです。

第二に、多くのリーダーは、中立モードに切り替えることが困難です。スタッフから客観的意見を得たいと思いつつも、問題解決や意思決定に慣れてしまっているためか、自分の意見を抑えられない場合があります。

すべてのミーティングに効果的なプロセスが必要であることを考えると、リーダーがチームにプロセスを提供するための手立てが必要であることは明らかです。これは、繊細なバランス感覚を身につけねばならないことを意味します。中立的立場の人がファシリテーターになるのは間違いなく簡単なことですが、リーダーがファシリテーターとしての役割を引き受ける場合には、直面する課題に気づき、それを克服する手立てを持っていることが必要です。

4.4 リーダーのためのファシリテーション手立て

局面1：リーダーは、ファシリテーションを行うべき議論の選択を誤りがちです。例えば、自分が最も得意とするトピックについて、誤って中立的立場で議論しようとすることがあります。また、主要な部分をいつも通りに議事進行を行った後、スタッフからの情報を得やすいトピックを選択してファシリテーションを行う方法を取らずに、最初からミーティング全体のファシリテーションを行おうとすることもあります。

手立て1：リーダーは適切なトピックを選んでファシリテーションを行う必要があります。ここではどのような場合にファシリテーションを行い、どのような場合に従来の議長の役割にとどまるべきかについていくつかのガイドラインを示します。

次の場合は、指示を出し、ミーティングの議長のように行動しましょう	次のことが重要なミーティング場面ではファシリテーター役を務めましょう
明確な指示を出す場合	チームメンバーからの客観的意見を取り入れる場合
自分の専門知識を共有する場合	より多くの心からの賛同と積極的な行動力を生み出す場合
決定事項を人に伝える場合	スタッフに行動の率先を鼓舞する場合
交渉不可の場面で情報を追加する余地がない場合	説明責任を共有する場合
説明責任を共有できない場合	実行される可能性があることから、スタッフのアイデアを聞き取る場合
スタッフのアイデアが実行される可能性はない場合	

局面2：スタッフはファシリテーターの役割を理解していないため、リーダーが新しい方法で行動し始めると混乱する可能性があります。

手立て2：リーダーがファシリテーターを務める最初の数回はファシリテーターとは何をする役割なのか、ミーティングのこの時点でファシリテーターを選択した理由、その役割を担ってもらう期間について、明確に説明する必要があります。また、リーダーは、メンバーたちに率直な意見と洞察がメンバーたちに求められていること、そして、議論中の問題については何も決定していないことを明確にする必要があります。グループメンバーたちは、リーダーが特定のトピックに関して自分たちのアイデアを本当に探していることを理解するとリーダーをファシリテーターとして受け入れやすくなります。

局面3：グループメンバーたちが、決定が実際には別の場所で行われると感じた場合、当然のことながら意思決定に参加することに慎重になります。

手立て3：リーダーがファシリテーションを行う場合、グループメンバーの権限委譲レベルを明確にする必要があります。最終的な承認が必要な発案を部下が作成するのか、他の誰かが下す決定への情報提供として発案を部下に求められているだけなのか、というように、リーダーは最終決定を下すのは誰かについて部下に伝える必要があります。意思決定の流れが明らかになれば、メンバーたちはより積極的に参加するようになります。

　また、ある事柄について最終的な決定を下す権限を保持する必要があると感じているリーダーは、自分が権限委譲レベルⅡを用いていると相手に伝えることができます。このモードにある際は、リーダーはスタッフから情報を集めますが、最終的な決定を下すのはスタッフではないことを明確に伝えます。これによりリーダーはミーティングのファシリテーターであると同時にミーティング後の決定者にもなれるのです。重要なのは、このようなことが起こっていることを完全に開示しておくことです。

　意思決定の権限を明確にするために有効なのが「**権限委譲表**」です。リーダーはこの表をチーム内で共有し、各議題に適用される具体的なレベルを明確にしてからそのトピックのファシリテーションを開始する必要があります。

権限委譲表※

レベルⅠ. 伝達
スタッフは終了成果について知らされるだけで、客観的意見を求められることはない

レベルⅡ. 意見聴取
スタッフは客観的意見を求められるが、最終的な決定は別の場所で行われる

レベルⅢ. 参加
スタッフはアイデアを求められ、行動計画を作成できるが、その計画の実行には承認が必要である

レベルⅣ. 委任
スタッフはさらなる承認の必要なく意思決定を行い、アイデアに基づいて行動できる

※権限委譲表の使い方について詳しくは、第7章の139～142ページを参照してください。

局面4：リーダーはファシリテーションを開始しますが、グループメンバーが不備の疑われるアイデアを提案した瞬間、リーダーはその役割から外れて主導権を握ります。

手立て4：リーダーは、ファシリテーションの結果として、グループが不備のあるアイデアを思いつく場合もあることを受け入れる必要があります。リーダーは、グループメンバーたちの発案を覆すために介入するのではなく、彼らが批判的思考スキルを応用して気づかなかった欠落部分を自分たちで発見するように手助けをする必要があります。

リーダーは、メンバーたちが効果的な解決策の特徴を把握するように手助けをし、グループメンバーたちにそれらの基準を使用して自分たちの提案を調べてもらいます。メンバーたちが質の低い決定を下しているように見える場合は、別の進め方をし、メンバーたちが自分たちのアイデアの良い面と悪い面の両方を客観的にリストアップするように手助けをすることです。そうすることで、メンバーたちが自分たちの提案で発見した弱点を克服するための解決策を見つけるために、リーダーは議論のファシリテーションを行い、その手助けをすることができます。

局面5：リーダーが問いかけをすると、スタッフは当然、その質問の裏にどのような動機があるのか、リーダーが何を考えているのか推測しようとします。

手立て5：リーダーは、背後にある動機を誰も推測できないように、中立的な態度で問いかけなければなりません。例えば、リーダーは2つの質問を一度に行うことができます。一つはある方向について、もう一つは別の方向について問いかけることができます。これは、次のような感じです――「なぜこれが良いアイデアなのか、次になぜこれが最悪なことなのかを教えてほしい」。

もう一つの手立ては、他の誰かからの質問として、探りを入れることです――「お客様から、……といった風に聞かれるかもしれない」。また、質問から距離を置こうとすることもできます――「私は必ずしもこの方法が良いとは思わないが、……はどうだろう」。あるいは、リーダーは問いかける前に、明確な免責事項を述べることができます――「伝えておくが、

私は何をすべきかについて決まった考えがないため、私の質問はまぎれもなく情報を得るための探り出しと見てほしい」。

局面6：みんなは、会議室でリーダーに率直に話したり、リーダーが気に入らないと思うことを言いたがらないのかもしれません。

手立て6：リーダーはオープンな議論を必要としないファシリテーション術を選ぶ機会にも注目する必要があります。これらのファシリテーション術はアイデアを匿名かつ無言で共有することができます。

- 一例としては、付箋に書いた情報を集める形でブレーンストーミングを行います。複数投票方式で発案に優先順位をつけ、最適な行動展開策を導き出します。
- 別な例としては、壁に課題を掲示して、トピックからトピックへと巡見してまわり、同じトピックに集まった小グループのメンバーだけで意見交換を行うというやり方もあります。
- 意思決定における非常に中立的な進め方として、グループメンバーが匿名で決定マトリクス内にあるアイデアに対して採点する方法もあります。

これらのプロセスの多くでは、実際には議論が行われないため、リーダーは課題を設定した後、グループメンバーとして参加することができます。上記のプロセスツールの進め方については、第9章を参照してください。

局面7：難解なテーマを効果的に議論するためにグループに話し合いの組み立てが必要ですが、リーダーが議論に参加する必要があり、他にファシリテーターを務められる人がいません。

手立て7：議論にリーダーの情報提供が不可欠な場合、リーダーが中立的なファシリテーターの役割を引き受けられるのは議論の開始時で、グループが目的、プロセス、時間を明確に編成するように手助けをする時だけかもしれません。

開始手筈を整えたら、リーダーはファシリテーターの役割から外れて、議論に参加することを宣言することができます。これは理想的ではありませんが、議論のための明確な組み立てを持つので、プロセスを整備せずに運営するよりもましです。

局面8：グループには話し合いの組み立てが必要ですが、グループが小さすぎるため、中立的な役割を担う人を割り当てることはできません。

手立て8：ファシリテーター役が誰もいない場合、分担制ファシリテーションとして知られる手立てを用いることができます。これは、通常ファシリテーターが行う役割をメンバー間で分担し、全員が少なくとも一つのファシリテーションの役割を担えるようにするものです。

リーダーが開始手筈を整えたら、時間の管理、アイデアの記録、逸脱した議論の指摘とそれのアイデア留め置き場所への書き込み、発言のない静かな人への呼びかけ、論点の要約、グループの行き詰まりの見極めなど、通常ファシリテーターが行う仕事を分担します。

局面9：リーダーの専門性が常に求められているため、自由にファシリテーターの役割を引き受けられることはめったにありません。

手立て9：リーダーがファシリテーションを行う際は、ファシリテーションの役割をローテーションできるようにするため、部下がファシリテーションを学べるよう必ず手助けをするべきです。そのためには、リーダーがファシリテーションをモデル化してから、さまざまな機能について解説し、メンバーたちがその術を理解できるようにすることが一番です。ファシリテーションの模範を示すことで、リーダーは他のメンバーたちにファシリテーションの方法を教えることができ、その役割を分担できるようになり、常にグループの外に立つ必要がなくなるのです。

　チームメンバー全員が基本を習得したら、ファシリテーターの役割を交代させ、全員がプロセスツールの使い方を学び、複雑なグループのやり取りを管理・運営する能力を身につけることができます。その方法の成果は大きく、メンバー全員のリーダーシップ能力を高めることができるのです。

資料4.1　リーダーが行うファシリテーションの最善策・最悪策

最善策	最悪策
ファシリテーションが必要な具体的な議論を選択すること	気が向いた際にファシリテーションを行うこと
自分がファシリテーターであることを伝え、その役割を明確に説明すること	ファシリテーションを行っているかどうかを推測させること
各議論において、スタッフの権限委譲レベルを明確に発表すること	メンバーたちが決定しているのか、それとも単に意見聴取を受けているだけなのかを明確にすることを怠ること
役割に一貫性を保つこと	ファシリテーター役を務めながら、ことあるごとに自分の意見を主張すること
誘導尋問は避けること	自分が好きなアイデアに人を導くような質問で問いかけること
客観性、匿名性を生み出す手法を活用すること	人々をその場に立たせ、みんなの前で自分の意見を主張させること
中立的立場を示す所作を使用すること	相手のアイデアに対して、自分がどう感じているかが透けて見えること
ファシリテーションを行っていない場合でも、必ず開始手筈を整えること	明確な指針を持たずに議論させること
ファシリテーションを行っていない場合でも、グループの有効性を管理すること	相手がどのようにやり取りしているかに気づかないこと
グループメンバーたちとファシリテーションの作業を分担・交代すること	チーム内で唯一の熟練ファシリテーターになること
ファシリテーションを他の人に教えること	他の人には教えないこと

4.5 リーダーシップスタイルとしてのファシリテーション

数世紀にわたる指示型リーダーシップは多くの組織で最前線にいる人たちを「実行する人」としてのみ見なし、「考える人」としてまったく活用しない文化を生み出してきました。このような指示型リーダーシップは一部の環境ではまだ有効かもしれませんが、今日の知識駆動型組織ではほとんど効果がありません。

今日の職場では、すべてのメンバーの知性、積極的な行動、活力を活用する必要があります。こうした関わりの度合いは「伝える」から「考えさせる」へ、「場を管理する」から「場の手助けをする」へとリーダーシップを転換することによってのみ育まれます。

リーダーが「場を管理し、指示を出す」方式から「場の手助けをし、権限を移譲する」方式に転換すると、管理を放棄しているように感じられるかもしれません。しかし、実際には、ファシリテーターという役割の中には、相当量の権限と管理が組み込まれています。違いは、ここでの権限は、コンテンツの制御ではなく、プロセスの適用を通じて間接的に発揮される点です。

具体的な場面で、どのようにプロセスが管理・運営に用いられるのか、次のような例を考えてみましょう。

状況	指示型	ファシリテーション型
メンバーたちが口論する。	仲良くするように叱咤激励する。	意見の相違に対処可能なルールをメンバーたちに作らせる。
悪い決定が下される。	決定をひっくり返して後で説明する。	メンバーたちに自分たちの決定を客観的基準で批評してもらう。
メンバーたちが仕事の領域を侵す。	牽制し、より注意深く監督する。	具体的な状況のニーズに合わせて権限委譲を拡大する。

ファシリテーション型リーダーは、しばしば、指示型リーダーにはできないことを相手に行わせることができます。ファシリテーション型方式を用いるとリーダーは以下のことが可能になります。

- グループが野心的な目標を特定し、その達成を約束するように手助けをすること
- 高いパフォーマンスチームの構築と維持を行うこと
- 効率的で効果の高いミーティングを管理・運営すること
- 創造的思考にグループが取り組むように働きかけること
- グループ間の対立を緩和すること
- スタッフが難解な問題を解決するように手助けをすること
- 対人関係の絡みを対処すること

ファシリテーションを使い始めると、リーダーは中立的立場を引き受けることが、実はとても自由なことであると理解するようになります。リーダーがすべての答えを与えることをやめれば、スタッフは自分たちの資源を引き出さなければなりません。質問を持ってくるのではなく、答えを持ってくるようになるのです。命令に従うのではなく、戦略や計画の立案に参加するようになります。より多くの決定権を与えられると、候補をより慎重に検討するようになります。リーダーがより一層ファシリテーション型方式を採用すると、グループメンバーたちはより多くのことを担うようになります。これにより、彼らの自律性が発達し、リーダーシップの可能性が引き出されます。

リーダーがファシリテーション型方式を取ることで得られる最も重要な成果の一つは、対話を促すことです。リーダーが問いかけをすることで、会話が促進されます。その結果、スタッフは感情を吐き出したり、疑問を呈したり、新しいアイデアを生み出したりする機会を得ることができるのです。

その結果、最終的に、パートナーシップをより強く意識するようになります。スタッフは自分たちの見解が聞き入れられ、自分たちの見解が重要であると感じます。このようなリーダーとしての能力ほど、変化の激しい時代に必要とされるものはないでしょう。

4.6　その他の役割の課題

内部ファシリテーターも外部ファシリテーターも、グループのプロセスを効果的に管理・運営する権限が自分にないと感じる場面に遭遇します。外部ファシリテーターの場合、依頼主が進行案作成の決定後にダメ出しをしたり、業務全体に口出しをしてきたりすることがあります。内部ファシリテーターの場合、権限の欠如は、自分より地位の高いスタッフを相手にファシリテーションを行っていることに起因することが多いようです。ここでは、よくある役割のジレンマと解決策を紹介します。

やりにくい依頼主

専門知識を買われて採用されたのに、依頼主が仕事に口出しをしてきているとします。事前の場合もあれば、ミーティングの途中で案を変えようとすることもあります。あなたが介入しても、彼らは聞く耳を持ちません。彼らは、自分たちのどんな要求に対しても、あなたが順応することを期待しています。

何が起きているのか：彼らは、自分がしてほしいことを、あなたにしてほしいのです。他の人たちが先を行き、自分たちがそれを追随することが苦手です。彼らは、自分たちがあなたを雇ったのだから、彼らの指示通りにしなければならないと考えているのです。

どうすれば良いのか：現状評価段階のインタビュー中に、ファシリテーションの際に適用されるべき行動規則について、各グループメンバーにその発案を求めます。グループの有

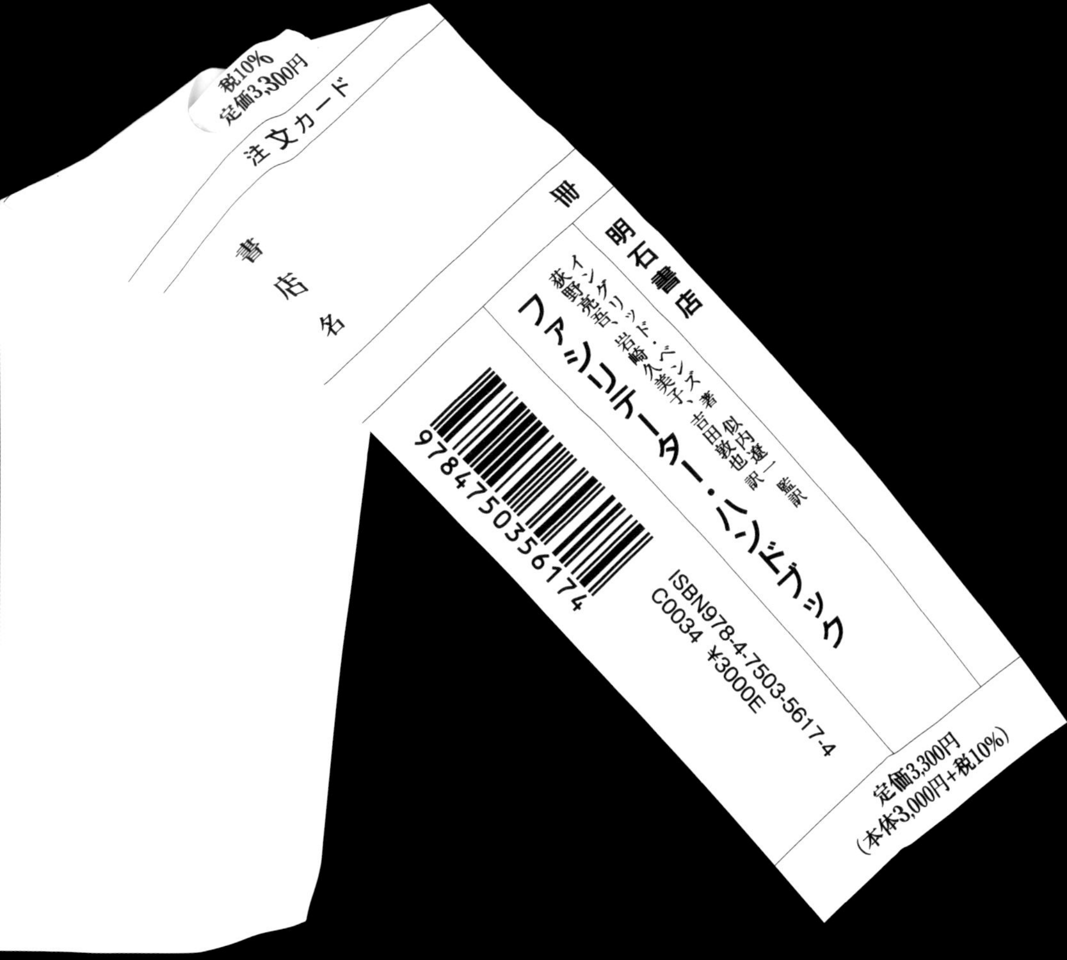

税10%
定価3,300円
注文カード
書店名
冊
明石書店
ファシリテーター・ハンドブック
イングリッド・ベンズ 著
似内遼一 監訳
荻野亮吾、岩崎久美子、吉田敦也 訳
9784750356174
ISBN978-4-7503-5617-4
C0034 ¥3000E
定価3,300円
（本体3,000円+税10%）

売上カード

明石書店

ファシリテーター・ハンドブック

イングリッド・ベンズ 著
似内遼一 監訳
荻野亮吾、岩崎久美子、吉田敦也 訳

ISBN978-4-7503-5617-4 C0034 ¥3000E

定価3,300円
(本体3,000円+税10%)

効性を低下させるグループ内で起こる現象について、個別に話してもらいます。これらの振る舞いをなくすために適用される具体的な発案やルールを求めます。

ファシリテーションの開始時に、インタビュー中にグループメンバーから発案されたルールを共有します。これらのルールをグループで承認し、違反者が出た場合に介入できるように、目につくところに貼っておきましょう。

ミーティングの細部が計画された案をグループに提示する際、議論の内容は完全に彼らに任せるが、プロセスの管理・運営はあなたが行う必要があることを明確にします。進行状況について意見聴取をすることはあっても、特定の手法や進め方を用いるかどうかは、あなた自身が決定する必要があることを説明してください。このことをしっかりと約束させ、その約束をグループのルールとともに掲示します。もし、参加者が口出しをしてきたら、その意見に感謝しつつ、場の細部の計画はファシリテーターであるあなたの専門分野であることを丁寧に念押ししましょう。

これにより、セッション中にコンテンツリーダーの役割とプロセスリーダーの役割がかち合うことを避けることができます。

上級管理職を相手にするファシリテーション

あなたは、上級管理職のグループのためにファシリテーターを務めるように依頼されました。このグループはあなたの助けを必要としていますが、話し合いを組み立てようとするあなたの努力に抵抗しています。彼らはそのため、ファシリテーターの進め方を終わってから非難したり、ノートパソコンで内職したり、話を脱線させたり、異議を唱えたり、無断で出たり入ったりしています。彼らは皆、あなたより目上の人なので、あなたが介入したり、プロセスを主張したりすることはできません。

何が起きているのか：組織のヒエラルキー（階層的階級構造）が、ファシリテーションの場に波及しています。管理職がファシリテーションの場に参加することに慣れておらず、中立的な第三者の役割についてきちんと理解していません。

どうすれば良いのか：進行案作成段階で、グループメンバーたちにファシリテーターの役割を明確に説明しましょう。あくまで議論の内容については中立的立場であり、プロセスについて主張するのは役割の範囲内であることをグループメンバーたちが理解できるようにします。

前の例と同様に、セッションでの振る舞いを制御するための非常に具体的なルールの設定にメンバーたちにも参加してもらいます。ミーティングの冒頭でこれらのルールについて承認を取り、すぐに自分自身の権限についての取り決めを始めましょう。

以下のように尋ねてみましょう。

- グループが自分たちのルールを守っていないことに気づいたらどのような発言や行動をして良

いのでしょうか。その行動を止めて、注意しても良いですか。何がこの場にふさわしいのかを発案しても良いですか。

- 使用中の手法や進め方がうまくいっていないと感じたらどうしたら良いでしょうか。変えても良いですか。
- 議論の内容の判断はみなさんが担当しますが、ミーティングの進め方は私が管理運営するということで同意できますか。

グループメンバーたちがこのようなことに同意すれば、彼らは基本的に、あなたがグループ・ダイナミクスを管理・運営するために必要な権限を与えたことになります。このように、グループメンバーたちが事前にあなたの行動に同意したため、これが免罪符となり、あなたは後で直接文句を言われる心配はありません。

重要なので指摘しておきますが、ファシリテーターがプロセスを仲介したり管理・運営をしたりするのに、実際には承認は必要ありません。ファシリテーターは職務上、すでにその権限を持っています。プロセスに介入し、その管理・運営をするための具体的な権限をグループに図るのは、単に目上の人を相手に強行姿勢でファシリテーションを行うリスクを少なくするためです。

同僚を相手にするファシリテーション

ひどいミーティングに続いてまた冗長なミーティングに最後まで出席しています。誰かがファシリテーションを行ってくれたらと思うのですが、誰もその気にならないようです。自分がファシリテーターになれば良いのにと思いつつも、自分には正式な権限がないのではと悩んでいます。

何が起きているのか：ミーティングのプロセスがまったくできていません。リーダーが話し合いを組み立てる方法をまったく知りません。ファシリテーションが必要だということを、ミーティングの参加者の誰も知りません。

どうすれば良いのか：あなたは3つのレベルで話し合いを組み立てるために動くことができます。最初のレベルは、最も秘密裏に行われるものです。自分の席で、必要な時にファシリテーションのサポートをすれば良いのです。ことあるごとに時間を言及する、静かな人にアイデアを求める、本音を引き出す質問で問いかけをする、脱線を指摘する、異なる見解を理解するように手助けをする、など。

2番目のレベルでは、グループが困っている際に声をかけ、手助けを申し出ることができます。手法や会議術を紹介します。あなたの手助けが必要であると彼らが同意するまで待ちます。そして、議論を組み立てることを引き受けます。最後に、再びグループに戻ります。一般的なルールとして、あなたがファシリテーションを申し出て、メンバーたちがそれを受け入れた場合、あなたはその役割を与えられたことになります。

3番目のレベルでは、リーダーに近づいて、次のミーティングではすべて、または特定の部分で自分がファシリテーションを行っても良いかと頼みます。リーダーがあまり乗り気ではない場合は、ファシリテーションを学ぶことがあなたの個人的な学習目標の一つであり、練習が不可欠であることを伝えます。

第3章で説明した手順に従って、セッションを運営します。ファシリテーション活動の最後には、あなたの仕事の終了成果をグループで評価するように手助けをしてください。そうすることで、より体系化された進め方でミーティングを行う必要があることについて、彼らの意識が高まることでしょう。

小グループを相手にするファシリテーション

ミーティングには、3、4人しか参加しないものがたくさんあります。もし4人で意思決定を行っている際に、そのうちの1人がファシリテーターの役割を担ってしまうと、貴重な人材が話し合いから抜けてしまうことになります。

何が起きているのか：中立的な部外者がおらず、グループの規模も小さいので、切り回し役に人を出せません。

どうすれば良いのか：このジレンマには、いくつかの解決策があります。ファシリテーターを申し出る人は、以下のいずれかのファシリテーション術を用いることができます。

- プロセスを設定し、開始手筈を整えてから、グループに戻ります。そして、時間を見る人、脱線に気づく人、アイデアを記録する人など、先ほどの分担制ファシリテーション手法を使って、メンバー間でファシリテーターの役割を分担します。
- ファシリテーターに徹しながら、アイデアを書き留め、それを代表する同僚に渡します。
- ファシリテーターに徹するが、他の人が意見を述べた後にのみコメントを加えるなど、ファシリテーターの役割とグループメンバーの役割をバランスよくこなします。
- ファシリテーターに徹するが、ことあるごとにファシリテーターの役割を離れ、コメントを加えます。

グループ内のやり取りのすべては、プロセスに注意を払うことでより効果的になります。ゆえに、条件が悪いからといってファシリテーションを控えないことが非常に重要です。しかし、すべてのミーティングを中立的立場の第三者が運営することは不可能と思われるので、ファシリテーションを理解するリーダーやチームメンバーは、ミーティングにプロセスの要素を取り入れる工夫をする必要があるでしょう。

第5章
参加者を理解する

効果的なミーティングを企画するために、必要不可欠な最初のステップは、ミーティングに参加する人たちがどのような人たちかを知ることです。ファシリテーションを行う前に、ミーティングに参加する人たちのグループが次のどのタイプに当てはまるかを知っておく必要があるでしょう。

____ 面識のない人たちで、この一度きりの特別な目的のミーティングの後、もう会わないであろう人たち

____ 面識のない人たち、あるいは互いに少し知っているだけの人たちで、このミーティングの後にまた一緒に仕事をすることになる人たち

____ 顔見知りで、以前から交流があり仲の良いグループ

____ 定期的に集まっては、イライラして生産的なことをしていなかったり、対立してなかなか解決しなかったりして、混迷するグループ

____ 確実な実績があり、優れた対人関係能力（ヒューマンスキル）を有し、グループ・ダイナミクスを上手に運営できるメンバーで構成された高いパフォーマンスを出すチーム

5.1 現状評価を行う

経験豊富なファシリテーターは、グループや状況を思い込みで捉えることはありません。表出していることがすべてではないこと、そして最初に言われたことが完全に的確だと限らないこともわかっているでしょう。

そのため、入念に背景調査を行い、グループの実態に合ったプロセスの細部を計画することが非常に重要となります。グループに対する背景調査は、次のようなファシリテーション術が使われます。

- **二者面談：**グループの状態やメンバー間のやり取りについて尋ねます。配慮の必要な問題を扱う場合、オープンで率直に答えてもらうのに最適な方法といえます。
- **グループインタビューまたはフォーカスグループ：**テーマが配慮の必要な問題ではなく、また人数が多く単独でインタビューを行えない場合に効果的な手立てです。グループインタビューでは、実際にファシリテーションを行うセッション前に、グループ・ダイナミクスを観察することもできます。
- **アンケート調査：**グループメンバー全員から匿名で情報を収集できます。メンバーたちからの同一の質問に対するそれぞれの回答を集約できます。また、定量的データを得ることができます。
- **グループ行動観察：**グループのミーティングに参加し、人々のやり取りを観察します。メンバーたちの人間関係を知るには最も適した方法です。グループ行動観察は、成熟したグループをチーム化する場合に最も有効です。

現状評価のための質問

二者面談でも、アンケート調査でも、次のような質問は、ファシリテーションを行うセッションを準備する際に役立ちます。

- グループにはこれまでどのような経緯がありましたか。
- メンバーの最も誇れる功績は何ですか。
- メンバー同士はどの程度親しいですか。
- 明確な目標はありますか。
- チームのルールや規範はありますか。
- ミーティングには全員が参画していますか。それとも一部の人が場を支配していますか。
- メンバーの間の率直さと開放性はどの程度ですか。
- メンバーは、互いのアイデアに耳を傾け、それを支持していますか。
- グループは、異なる見解や対立にどのように対処していますか。
- 重要な決定はどのように行われていますか。
- 人々は達成感を持っていつもミーティングを終えていますか。
- グループの雰囲気はどのようなものですか。
- ミーティングは緻密に計画され構成されていますか、それとも基本的に自由に行われていますか。
- グループで、どのように行動しているかを自分たちで評価し、修正するために振り返りを行うことがありますか。
- グループの最も良い点は何ですか。最も悪い点は何ですか。
- このグループの一員となることに人はどのように感じますか。
- メンバーが普段どのようにやり取りしているかを示す最近の出来事をお話し（お書き）ください。
- メンバーが心を開いて本音を言わない理由は何かありますか。
- なぜファシリテーションの支援が必要ですか。反対意見はありますか。
- このミーティングで起こりうる最悪の事態は何ですか。そうならないためには、どうしたら良いですか。
- このセッションを計画する上で、どのようなアドバイスがありますか。特に注意しなければならない落とし穴はありますか。

資料5.1 グループ現状評価調査

以下で紹介するのは、グループが作る場の雰囲気を評価するために活用できるアンケートです。

グループ現状評価調査

1. このグループのメンバーたちは、どの程度互いに親しいですか。

1	2	3	4	5
すれ違う程度である		知っている人が何人かいる		高いパフォーマンスを出すチームである

2. このグループには明確な目標がありますか。

1	2	3	4	5
明確な目標がない		目標はよくわからない		明確な目標がある

3. このグループには、やり取りを管理するための明確なルールがありますか。

1	2	3	4	5
ルールはない		ルールはあるが用いない		ルールがあり用いている

4. 話し合いへの参加の典型的パターンについて、もっともあてはまるものはどれですか。

1	2	3	4	5
少数の人が支配的である		参加できるかはトピックによって異なる		すべての人が発言できる

5. このグループには、どの程度、正直さと開放性が見られますか。

1	2	3	4	5
みな本心を隠している		ややオープンである		非常にオープンで正直である

6. グループのメンバーたちは、互いに意見を聞き取り、支持し、応援し合うことがうまくできていますか。

1	2	3	4	5
まったくできていない		努力はされているがいつもうまくいくとは限らない		常に協力的である

第5章

グループ現状評価調査

7. メンバーたちは意見の違いにどのように対処していますか。

1	2	3	4	5
感情的議論が多い		議論は さまざまである		いつも目的や敬意を 持って討論する

8. 重要な決定は、通常どのように行われますか。

1	2	3	4	5
投票が多く譲歩する		やり方は さまざまである		合意を得るための 努力がなされる

9. グループは、達成感を持って、また行動計画が明確になってミーティングを終えていますか。

1	2	3	4	5
まったくない		時々ある		いつもある

10. メンバー間の雰囲気にもっともあてはまるものはどれですか。

1	2	3	4	5
敵対的で 緊張している		満足している		完全にリラックスし ており協調的である

11. グループのミーティングの状態にもっともあてはまるものはどれですか。

1	2	3	4	5
体系化されていない： 時間の無駄		満足している		計画性があり 生産性が高い

12. グループでは、自分たちがどのように行動しているかを振り返って評価し、改善のための行動を起こすことがありますか。

1	2	3	4	5
まったくない		たまにある		一貫して 行われている

注：第 10 章の 240 ～242ページにあるアンケートのフィードバック方法についての説明を参照すること。

5.2 グループとチームの比較

ミーティングの適切なプロセスの細部を計画するためには、グループとチームの違い、また、チームの形成期、混乱期、統一期、機能期、散会期といった進化していく段階[1]での違いを知ることが重要です。

グループとは何か

グループとは、コミュニケーションを図ったり、問題に取り組んだり、イベントを整えるために集まった人たちの集合体のことです。頻繁に集まっているとしても、その集団に特定の性質があれば、チームではなくグループと呼びます。ほとんどのグループは次のような性質を持っています。

- 個々のメンバーは、それぞれ別の指針の下で働き、個々の目標を達成するために仕事をする。
- グループは通常、伝統的な議事規則[2]など、外の者が示した手順によって運営される。
- グループメンバーたちは、通常、別々の役割と責任を持っており、一人で仕事をする傾向がある。
- グループ内の個人は、組織内での立場によって付与される権限委譲のレベルが異なる。
- 人間関係の構築にほとんどあるいはまったく時間が割かれず、結束力や信頼の問題が取り上げられることはほとんどない。
- グループの有効性を向上させるために、メンバー間のフィードバックに焦点を当てることはほとんどない。
- リーダーシップと意思決定権は、通常、リーダーに委ねられる。

グループメンバーたちは、通常、個人的目標を追求するため、討論の際に「**自己本位**」の行動を取りがちです。そのため、通常、完璧なチームというよりは、競争的で口論が絶えないグループになってしまいます。各人が自分にとって最善のものを得ようとする場合、対立がより敵対的なやり方で処理される傾向があります。

チームはどのような点で異なるのか

グループとは対照的に、チームとは明確で魅力的な共通の目標を達成するために集まっ

訳注1. ここで紹介されている段階は、アメリカの心理学者タックマン（Tuckman, B. W.）によるグループの進化する段階モデルに倣ったものです。グループは、形成期、混乱期、統一期、機能期、散会期と進化するとされます。
訳注2. 円滑な会議の運営を可能とする議事進行規則としては、アメリカの陸軍少佐ロバート（Robert, H.M.）がアメリカ議会の議事規則をもとに一般化した「ロバート議事規則」が有名です。

た人の集団です。完璧なチームのメンバーたちにとっては、チームの目標は個人的目標の追求以上に重要なのです。そのことが、チームの結束力を高めます。

チームにはまた行動規範やルールが作られており、そのことがチームの文化を定義します。グループでは、あらかじめ決められた議事規則に従って議長が運営しがちですが、チームでは、メンバーたちが作成したガイドラインによって運営されます。

また、チームがグループと異なるのは、チームの方がグループよりも共同で仕事を計画し、役割分担を調整することにあります。仕事ぶりは互いに影響し合い、相互に依存する関係です。

意見の相違がある場合、チームメンバーたちは見解の応酬をするのではなく、その意見のアイデアを討論することが多いものです。それは、個人的名誉を得るためではなく、全体の利益のために最善の解決策を見出そうとするからです。一般的に、グループのメンバーは組織内の地位に応じた権限しか持っていませんが、チームはより高いレベルの権限委譲を求め、それを獲得します。より良い意思決定を行うために互いに歩み寄って、チームは通常、より大きな自律性を持ってチームの仕事を管理するように進化していくのです。

チームが高いパフォーマンスを発揮するためには、一定の順番に沿った段階を経る必要があります。しかし、グループはこのパターンには当てはまらないことが多いのです。その理由の一つは、チームの場合、メンバーシップがより永続的であることにあります。そのため、グループであれば、メンバーの出入りがあっても運営できますが、チームのメンバーは一貫している必要があります。実際、あるメンバーがチームを去る場合、新しいメンバーを募集し結束するために、チームは一時的に形成期に戻る必要が生じる場合もあるのです。

数回のミーティングを行うだけのチームであろうが、何年も一緒にいるチームであろうが、チームは一般的なグループよりも信頼と開放性が高まる傾向があります。メンバーたちは、一緒に仕事をするという考えに心から賛同し、共通の行動に積極的に関与します。このことは、多くの人たちが自分のアイデアや懸念を自由に表現する前に求める安心感を生み出しやすくします。

グループ／チーム比較表

A グループ	A チーム
個人（I）に焦点	集合体（we）に焦点
個人の目的	共通の目標
外から持ち込まれる議事規則で運営	チーム独自のルールによる運営
単独で行動する	役割と責任が結びついている
個人が地位による権限を持つ	権限委譲を求め、それを獲得する
不定期に集まる	定期的に集まる
情報共有と調整に重点を置く	問題解決とプロセス改善に重点を置く
議長が固定化されている	リーダーシップを共有する
自分の正しさを認めさせるために論争する	正しい決定をするために討論する
閉鎖的である	開放的で信頼できる
互いに気に入っているときもある	強い絆で結ばれている

すべてのグループはチームになる必要があるか

答えは簡単に言えば「ノー」です。チームにはグループとは異なる利点がありますが、すべてのグループをチームに進化させる必要はありません。次のような場合には、グループはグループのままであるべきといえます。

- メンバーたちが短期間しか一緒にいない場合
- 1つの簡単な作業を行うだけで良い場合
- 情報の共有だけが目的である場合
- 毎回同じ人が集まるわけではない場合
- ミーティングのパターンに高い規則性がなかったり、頻度が高くない場合
- 実質的な共通の目標やニーズがなく、役割分担をする必要がない場合
- 仕事は、単独の個人によって計画され、管理されるのが最善である場合
- 権限を与えようとする意図がない場合
- 組織内でチームワークをサポートするものがない場合
- リーダーシップのスタイルが**「場を管理し、指示を出す」**方式である場合

反対に、次のような場合は、どのようなグループでもチームづくり（チーム・ビルディング）が有利になります。

- 共通の目標に対して、高いレベルの結束力と積極的な行動力を生み出す必要がある場合

- グループに達成すべき継続的なタスクがある場合
- 長期間にわたり、一貫したメンバーで密接に仕事をする場合
- メンバーたちがそれぞれの役割を密接に連携する必要がある場合
- より高いレベルでの権限委譲がグループの有効性やパフォーマンスを向上させる場合

ファシリテーターを引き受けた場合、チーム・ビルディングのプロセスを経た実質的なチームよりも、おそらく体系化されていないグループと仕事をするであろうことを知っておく必要があります。このことは、ファシリテーションを難しくしている要因の一つです。トレーニングを受けていないグループは体系化されておらず、より口論が絶えず、効果的な対人行動の能力が低い可能性が高いからです。

グループがチームのような行動をするようになる

あるグループがチーム化に向いていない場合でも、チーム・ビルディングの基本からヒントを得て、少なくともそのグループのメンバーたちが一緒に活動している間はチームのように行動するよう方向づけるのは得策でしょう。そのためには、次のような重要なチーム・ビルディング活動を進行案に組み込むと良いでしょう。

- ミーティングの明確な目標や議論すべきトピックの作成に参画させること
- 行動を導く規範やルールを設定し、それらを掲示し、効果的な振る舞いを維持するためにそれらを使用するようメンバーたちに奨励すること
- グループで作成されたすべての行動計画について、役割と責任を明確にすること
- 期待される結果を明確にするために、すべての説明責任を明確にすること
- メンバーたちに、対立処理や意思決定の方法などの効果的な振る舞いについてトレーニングを行うこと
- メンバーたちが責任を持ってグループの機能を向上させることができるようにするため、プロセスチェックを行ったり、フィードバックループやその他の評価の仕組みを構築したりすること

5.3 チームの段階を理解する

完璧なチームワークを目指すなら、チームは4つの異なる段階を経て進化していくことを理解する必要があります。これらの段階はそれぞれ固有の特徴を持っており、ファシリテーションはそれぞれ異なるやり方で行われます。

5.4 形成期：順調な滑り出し段階

形成期は、チームが進化する最初の段階です。それは、メンバーたちが初めて一堂に会した時から始まります。この段階では、メンバーたちは楽観的になりがちで、一般的には期待値も高いものです。しかし、その一方で、チームになじめるか、タスクを達成できるかという不安もあります。このような初期の不安はあるものの、ほとんどのチームにとって、形成期の多くは新体制直後に特有の順調な滑り出しをする期間です。

形成期にあるメンバーたちは、遠慮がちなものです。互いのことをよく知るまで発言は控え、自分の発言に慎重になります。新しいチームに自分がどのように溶け込めるのか、正確には誰もわからないからです。

この段階はまた、特徴的なこととして、リーダーへの過度な依存が見られます。メンバーは、明確な任務、話し合いの組み立て、指針を提示されることを望むものです。

形成期は、チームのミーティング頻度やチーム形成の進行案をどれだけ早く完了させるかによって、数週間から数か月続くこともあります。

形成期のファシリテーション

新しいチームを相手にファシリテーションを行う場合、不安を和らげるために楽観的で励ますような態度が必要です。また、次のことも必要です。

- 新しいチームの任務と指針を明確にすること
- メンバーたちが協力して、定められた任務を達成するための目標設定をするように手助けをすること
- 居心地の良さと自己開示の場を創出できるようアイスブレイクを行うこと
- メンバーたちが行動規範やルールを考案するように手助けをすること
- タスクを明確にし、役割と責任を明確にすること
- すべての議論を組み立てること
- 全員が平等に発言できるよう、参加の場を運営すること
- 意思決定や効果的な振る舞いに関するトレーニングを行うこと

チームルールの作成

グループとチームの大きな違いは、チームには、メンバーたちによって設定された明確なルールがあることです。これらのルールは、メンバーたちが自分自身や仲間の振る舞い

を制御するために用いられます。

ルールを考案することは、グループの形成期には不可欠です。ルールが出来上がったらそれを掲示し、振る舞いが好ましくない場合には参照し、チームが成熟するに従って修正することになります。

ルールは常にチームメンバーたちによって作られるものです。外部からガイドラインを持ち込んでそれを順守してもらっても、当然ながらほとんどその効果はありません。むしろ、自分たちで作成したルールの方が、メンバーたちは順守しやすいでしょう。

ルールはチームによって多少異なりますが、最も一般的なものを下に紹介します。一連のルールを生み出すための議論のファシリテーションを行う際には、メンバーたちに尋ね、これらのルールに継ぎ足すことを検討させると良いでしょう。

- この場では、どのようなアイデアも傾聴する。
- みんなの意見を大切にする。
- 誰かが話している際には割り込まない。
- 休憩の必要を感じたら、誰でもタイムアウトを要求できる。
- この場では、オープンでありながら、プライバシーを尊重する。
- チームでの議論はすべて守秘義務がある。
- この場では、違いを尊重する。
- この場では、批判的ではなく、支援的である。
- この場では、有益なフィードバックを直接、かつ率直に行う。
- チームメンバー全員が、自分のアイデアや持っている資源を提供する。
- メンバーそれぞれがチームの仕事に対して責任を持つ。
- この場では、時間通りに開始し、休憩時間から速やかに戻り、不必要な中断を避けることとし、チームのミーティング時間を尊重する。
- この場では、自分たちの目標に集中し、脇道にそれないようにする。
- この場では、意見の相違があった場合、その人となりを批判するのではなく、状況における事実に基づいて討論する。
- この場では、根回しをしないようにし、すべての問題や懸念が、すべてのメンバーたちによってオープンに扱われるように努める。

一旦、ルールが出来上がれば、ルールに基づき介入することができるようになります。グループメンバーたちが設定したルールに違反した場合には、そのことを注意し、同意された内容を順守してもらうことができます。このような介入の仕方の発案は、第8章の170～172ページに記載されています。

5.5 混乱期：チームが崩壊する危険のある段階

混乱期は、チームの進化の中で当たり前にある段階であり、必ずしもリーダーが非効率的であることのサインではありません。この段階で、メンバーたちはチームに対する当初の希望と、一緒に仕事をする現実との間にあるギャップを経験します。対立が生じ、誰もが順調な滑り出し期間が終わったことを認識することになります。混乱期は、次のようなさまざまな理由で起こる可能性があります。

タスクの問題：メンバーたちにとって仕事のある側面がとても難しい場合や仕事量が非現実的な場合があります。メンバーたちが権限と責任をさらに負うことに抵抗しているかもしれません。タスクそのものが不明確であったり、メンバーたちがそのタスクに納得していない可能性があります。

プロセス／組み立ての欠如：仕事の進め方が体系化されていな場合です。ミーティングがプロセスを欠き、効果的でなくなります。

能力不足：仕事をする上で必要な能力が不足している場合です。その結果、自分の役割を果たせなかったり、他の人が仕事の一部を代行することになったりします。また、チームに基本的な問題解決能力やミーティングを運営する能力が欠けていることがよくあります。結果として、複雑な意思決定ができなかったり、対人関係に悩まされることになります。

非効率的なリーダーシップ：メンバーたちがその力を発揮しようとしている際に、チームリーダーが過度に支配的であれば、メンバーたちは権限を獲得しようとリーダーに対して異議を唱えるかもしれません。リーダーがいい加減で、意思疎通に欠け、積極的な行動を継続しない場合、チームに混乱をもたらすことがあります。さらに、従来のリーダーの多くは、できるだけ高いパフォーマンスを達成できるチームを作り上げ、かつ維持するノウハウを知らないため、チームの成長段階を管理することができないのです。

対人関係上の対立：あるメンバーは好きだが、他のメンバーは嫌いということは往々にしてあることで、そのことに気づかされることがあります。派閥のような排他的グループを作ることもあるでしょう。また個人の流儀をめぐって衝突するかもしれません。自分の役割を十分に果たせない人もいるかもしれません。話しすぎる人もいるでしょうし、または場を支配しようとする人もいるかもしれません。これらの対人関係上の難題はあまねくチームを混乱させる原因となるのです。

組織的な障壁：チームの争いを引き起こすさまざまなシステム上の障害や障壁が想定されます。資金不足、人員不足、優先事項の変化、チームの取り組みに対する真っ当な支援の欠如、物事を成し遂げるための適切な権限委譲の欠如などが挙げられます。

氷山に気をつけよう

多くの人は、混乱の原因は基本的に対人関係上の対立にあると誤解しています。対立は間違いなく混乱期のサインですが、それは原因ではなく、むしろ兆候として考えると良いでしょう。つまり、タスクの問題、プロセス／組み立ての欠如、能力不足、非効率的なリーダーシップ、組織的な障壁などの結果として、人々が対立しているのです。

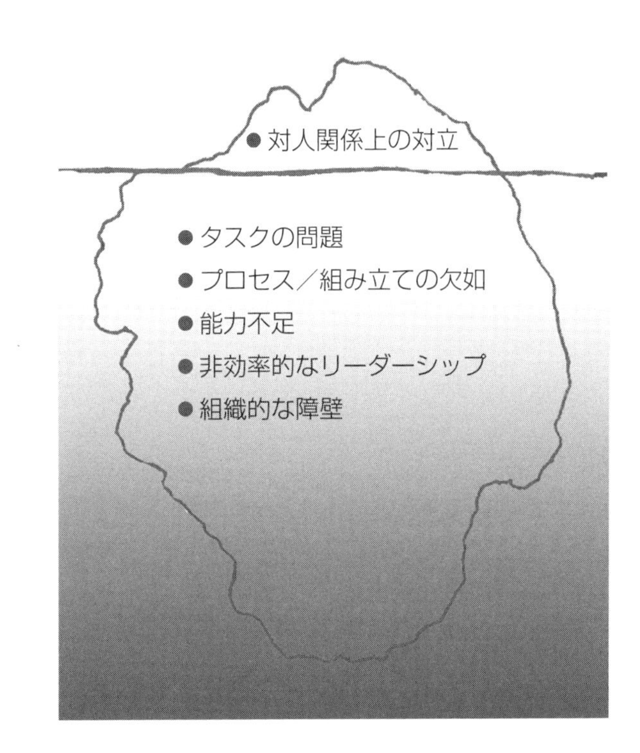

混乱期への対応

チームが混乱期の段階に入ったことを示す最も確実なサインのひとつは、メンバーたちが誰か他の人、特にチームリーダーの権威に依存することに不満を感じ始めることです。この段階になると、メンバーたちはリーダーに異議を唱えたり、リーダーを拒絶したりすることも珍しくありません。また、権威をめぐって勢力争いが起こることもあります。

このような勢力争いによって、チームメンバーたちの集中力が下がることがあります。このような人間関係のストレスに巻き込まれると、生産性が低下し、イライラとした不満が溜まります。それに伴い、士気も低下します。非効率さに対する嫌な感情が蔓延し、ミーティングのパフォーマンスが上がらなくなるかもしれません。あまりに無駄な時間が多くなると、チームでやることが得策なのかと思い始める人も出てくるでしょう。

混乱期にあるチームを相手にファシリテーションを行う場合には、その状況を自分のせいとして受け止めないように注意すべきです。自分が次のように考えているかどうか、確認してみましょう。

- これはあまりにひどい。あらゆることがバラバラだ！
- 好意的な人たちではないな。
- こんな人たちを相手にファシリテーションをすることはできない！

このような混乱を乗り切るには、次のように信じることが必要となります。

- 混乱は承知の上。通るべき道である。
- お互いを嫌っているわけではない。ただ混乱状態にあるだけだ。
- これこそが私が解決すべき取り組みなのだろう。

混乱期のサイン

次に掲げたチェックリストを使って、混乱期に対する認識を高めましょう。一緒に活動しているチームが、この配慮の必要な状態にあるかどうかを判断するのに役立ちます。

____ チームの目標が達成されていない。

____ 障害や障壁にイライラとした不満を表す。

____ チームにいることでエネルギーが消耗するとの言葉が出る。

____ チームでいることが得策だと思っていない。

____ プロセスに対してやチームがどのように機能するかに関心が向いていない。

____ アイデアについて討論するのではなく、互いの見解をぶつけ合う傾向がある。

____ 互いのアイデアを傾聴したり支持したりすることがない。

____ チームが派閥のような排他的グループに分かれている。

____ メンバーたちが互いに権力をめぐって競い合う。

____ リーダーに対する敬意のなさが露呈している。

____ ミーティングは堂々巡りし、業績が上がらない。

____ 不平不満が多く、決定事項を後で批判する傾向がある。

____ 遅刻、欠席、事前準備をしない人が多い。

____ 誰も責任を取ろうとしないし最後までやり遂げようとしない。

____ 参加しなくなった人がいる。

____ ミーティングの後、メンバー同士が互いの悩みを打ち明け合っている。

混乱期のチームを相手にファシリテーションを行う

混乱期は、感情が高ぶっているため、ファシリテーションが最も難しい段階です。そのため、ファシリテーターは混乱期を慎重に扱わなければなりません。完全に中立的立場を保ち、どのような討論でもどちらか一方の側につかないように心がける必要があるでしょう。また、混乱期では、自信を持って強く立ち向かう態度が要求されます。ファシリテーターは次のことに留意する必要があります。

- 緊張関係は通常起きるものとして予想し受け入れること
- 完全に中立的立場で冷静でいること
- 人々が安心して気持ちを表現できるような環境を作ること
- 正直、かつ率直に対立があることを認めること
- メンバー自身が問題を洗い出し、協力して解決するように手助けをすること
- 情報提供とフィードバックを促すこと
- 度を越した振る舞いを正すために介入すること
- 激しい議論の応酬に対し積極的に仲裁すること
- チームワーク力のトレーニングをメンバーに施すこと
- コミュニケーションを円滑にすること

チームが混乱期にある場合

混乱期の間、最も望ましい行動と最も望ましくない行動とを考えてみましょう。

最も望ましい行動	最も望ましくない行動
→ すべての問題を洗い出し、解決するため議論の対象として取り上げる	→ 問題を無視する
→ 問題の議論を安心して行うためのルールを作成する → メンバーに自己主張するのではなく、アイデアを討論するように促す	→ すべての自己主張を避ける
→ 明確な選択肢を提示し、メンバーが主導権を握るように促す	→ 主導権を奪い返す
→ メンバーが手立てや行動計画を明示するように手助けをする	→ 何をすべきかを伝える
→ メンバーが問題を洗い出し、それを解決するように手助けをする	→ 懲罰的な態度を取る

混乱期におけるファシリテーターの役割

混乱期にあるグループのファシリテーターを行っている場合には、介入すべきタイミングがあります。このことは、チームの仕事を中断させ、メンバーたちの注意をプロセスに引きつけることになります。

この状況にあっては、完全に中立的立場を保ち、グループ自身で問題を解決できるような手法の提示が一層重要となります。また、フィードバックを受けたり、問題に対処したりすることは、人によっては怖さを伴う活動であることを十分認識することが重要です。したがって、ファシリテーターが最初にしなければならないことのひとつは、全員が安心して過ごせるように、フィードバック活動におけるルールをメンバーたちに確認させることです。安心ルールと呼ばれるものの制定の詳細については、第6章の124～126ページを参照してください。

ファシリテーターの取るべき主な手立ては次のとおりです。

- 全員が安心していられるようなフィードバックのやり取りができる基本ルールをメンバーが作るように手助けをする。
- フィードバックを提供し、客観的意見を求める。
- 問題の特定と問題解決を促す。
- チームメンバーへのトレーニングやサポートを提供する。
- 権限の分担を促進する。
- 人格的な衝突を調停する。

- 個人へのコーチングとカウンセリングを行う。
- リーダーシップの役割を引き受けるように相手に働きかける。
- メンバーたちの振る舞いが改善する間、彼らをサポートする。

5.6 統一期：ターニングポイント

ここまでで、チームのルールを設定する活動であるルールづくりの目的は理解してもらえたと思います。加えて、統一期は、それまでの混乱期を経て機能期につながる過渡的時期でもあります。統一期では、チームは問題に向き合い、それを解決するようになります。新しい一連のルールや規範が設定されます。メンバーたちがこの新しいルールを順守することで、チームは混乱期を乗り越えるようになります。

統一期では、メンバーたちは自分たちの問題に向き合い、フィードバックを受け入れ、それに基づいて行動します。その結果、チームのパフォーマンスが向上します。残念なことに、ほとんどのチームリーダーは、チームの進化していく段階を理解しておらず、それゆえチームが混乱期に陥った際、それが、ルールづくり活動を行い、混乱を乗り越えてチームが高いパフォーマンスに到達するように手助けをする合図であることに気づくことができないのです。

混乱期に入ったチームの手助けをするためのルールづくり活動には、4つのタイプがあります。

1. **サーベイ・フィードバック**：グループが経験している問題を探るためのアンケートを作成し配付することなどが挙げられます。この調査には、ミーティングの効果に関する調査、チームの有効性に対する調査、または、プロジェクトの進捗に関する調査などがあるでしょう。調査結果はメンバーたちに返却され、分析されます。メンバーたちはそのデータをもとに問題を洗い出し、その解決のための手立てを生み出します。
2. **フォースフィールド分析**[3]：チームメンバーたちが率直に議論し、何がうまくいっていて、何がうまくいっていないのかを分析します。そして、「うまくいっていない」項目に対して、解決策を導き出します。
3. **個人間のフィードバック**：チームメンバーたちは、自分たちの活動の何が効果的で、もっとうまくできるために何をすべきかについて、建設的なフィードバックを互いに行います。その際には、安心してフィードバックが行えるように工夫された手法を用います。これには、仲間からのフィードバックやリーダーとの対話が含まれます。

訳注3. グループ・ダイナミクスを提唱した社会心理学者レヴィン（Lewin, K.）の「場の理論」（field theory）における分析手法です。「力の場の分析」（force field analysis）と訳されることもあります。抵抗により組織の変革が進まない場合、現状の「推進力」と「抵抗力」を書き出し、「抵抗力」を減少させる、「推進力」を増加させる方法を検討するものです。詳しい方法は第10章を参照してください。

4. **新しいルールの考案：**場合によっては、チームメンバーたちは、既存のルールを見直し、より効果的な活動に役立つ新しいルールを追加することに取り組みます。この場合、既存のルールを調査票に反映して、各ルールがどの程度うまく適用されているかをメンバーに採点させる方法も一案でしょう。

5.7 機能期：チームが成長する究極の段階

ルールづくりがうまくいけば、チームメンバーたちは、より効果的にパフォーマンスを発揮するための新しいルールと行動ステップを作り上げることができます。主要な障害や障壁が取り除かれると、メンバーは周りに惑わされることなく仕事に集中できるようになります。ここで誰もが利益を獲得し、生産性は向上し、士気も上がります。

チームがパフォーマンスを発揮する段階になると、次のようなことに気づくでしょう。

- 時間と資源が効率的に使われ、より多くの仕事がなされていること
- 全員が協力的に振る舞っていること
- リーダーシップの役割を交代で行うことで、全員が権限を分担していること
- メンバーたちが交代でファシリテーターを務めていること
- メンバーたちは同士意識と絆を感じていること
- 公式なリーダーが貴重なメンバーとして扱われていること
- チームは評価・修正を継続的に行っていること
- 多くは質の高い意思決定がなされていること
- 対立は建設的討論のひとつとみなされ、激昂したり感情的になったりすることはほとんどないこと

ここで重要なのは、機能期に到達したすべてのチームは、次のような10の特徴的要素を必ず備えていることです。

1. チーム自身が作成し、かつ組織の達成目標とも一致する明確なチームの目標
2. チームを見守り、改善するための確たる基本ルールや規範
3. タスクの明示、役割と責任の明確化、イベントスケジュールの計画、チームのパフォーマンスへの期待といったものを明記した詳細な工程表
4. メンバーがどのような決定を下すことができるかがわかる明確に定義された権限委譲
5. メンバー間およびチーム外の人たちとの明快でオープンなコミュニケーション

6. チームがどのような意思決定の進め方を用いるべきかを知ることができる意思決定の明確な手順
7. 優れた対人関係能力とチームを成功させようという積極的な意思を反映したチームとしての有益な振る舞い
8. 全員の意見に耳を傾け、チームの意思決定が一人や二人の強い個性に支配されないようにする公平な参画
9. チーム機能を向上させるための定期的な取り組みとともに、グループのプロセスに対する認識
10. 綿密な進行案のもとに計画され実施されるミーティング

パフォーマンスの高いチームを相手にファシリテーションを行う

最もファシリテーションをしやすいグループは、パフォーマンスの高いチームであることは容易に想像できるでしょう。そのようなチームは、メンバーたちが自分たちの対立を対処することを学び、高い対人関係能力を有しています。しかし、そうであってもファシリテーションの仕事がなくなるわけではありません。パフォーマンスの高いチームを相手にファシリテーションを行う場合には、ファシリテーターは次のことを目指します。

- メンバーたちから客観的意見を引き出すために協力すること
- ファシリテーションの役割を分担すること
- チームに専門知識を提示すること
- チームが報酬を与え、成功を称え合うように手助けをすること
- チームをさらに向上させるために、行動観察を行い、フィードバックを提示すること

5.8 散会期：最終段階

進展が速い現代社会では、プロジェクトのためにチームはいつでも参集し、またすぐに解散することになります。チームが仕事を終える際、その経験に何らかの総括を行うことは不可欠です。この段階は、チームリーダーとメンバーが経験から学び、次のプロジェクトでより良いチームメンバーになれるようにする機会ともなります。

チームを成功裏に終了させるには、次のことが必要です。

- チームが成功するための重要な要因を特定できるように、メンバーたちが振り返りを行うように手助けをすること
- 今後のベンチャービジネスに活かせる教訓を得るためにチームの弱点や失敗を明らかにするよ

うに手助けをすること

- メンバーたちが自分の経験についてチーム全体に話したり、仲間への感謝の気持ちを伝えたりできるようにすること
- チームメンバーたちが成功を称え合うように働きかけること

散会期のファシリテーションを行う

散会期におけるファシリテーターの主な役割は、チームがこれまでの経験を振り返ることができるようなプロセスツールを提供することにあります。このことには、次の活動の一部またはすべてのファシリテーションを行うことが含まれます。

- 第11章の294～295ページに記載されているようなチームの振り返りミーティング
- メンバーが別れを告げ、成功を称え合う、チーム解散のためのミーティング

資料5.2　ファシリテーション手立て

次に掲げている早見表を活用し、グループやチームが経験しているチーム進化の段階に合わせたファシリテーションを進めましょう。

段階	主要要素	ファシリテーターの手立て
グループ期	互いをあまりよく知らない 自分本位の個人 魅力のある目標の欠如 ルールの欠如 役割の甘い連携 個人の説明責任	場をほぐす作業 共通の目標作成 ルールの作成と活用 役割の明確化と関連づけ 説明責任の明示 明確なプロセスの提供 参加への働きかけ ミーティングの有効性に対する評価

主たる手立て：話し合いの組み立てと支援

段階	主要要素	ファシリテーターの手立て
形成期	メンバーが不確定 不確実性 低い信頼感 指示の必要 積極的行動の低さ 洗練されていないチームワーク力 リーダーへの過度な依存	心からの賛同を得ること 自己開示演習 共通目標の作成 ルールの設定と活用 説明責任の明示 役割と責任を明確化 明確なプロセスの提供 参加への働きかけ

主たる手立て：チームスピリットと快適さを築きながら、活動のための多くの組み立てを提供

段階	主要要素	ファシリテーターの手立て
混乱期	タスクの問題 プロセス／組み立ての欠如 能力不足 非効率的なリーダーシップ 障害と障壁 派閥のような排他的グループの形成 対立の発生 イライラとした不満の発生 憎悪の形成 リーダーに対する拒絶 勢力争い	ファシリテーターの手立て 緊張関係の予測と受け入れ 中立的立場で冷静でいること 対話のための安心を確保すること 対立があることを正直に認めること メンバーたちの問題解決の手助け 情報提供やフィードバックの要請 介入すること 対立を積極的に仲裁すること コミュニケーションの奨励

主たる手立て：聞き取り、対立に取り組み、積極的に仲裁し、協力的に問題を解決すること

段階	主要要素	ファシリテーターの手立て
統一期	メンバーたちは問題を「自分たちで」解決 対立の解決 権限の問題の解決 チームによるルールの再定義 パフォーマンスの問題の修正 権限委譲案の作成	フィードバック方法の提示 問題解決の手助け 個人的なフィードバックの促し さらなるトレーニングの提供 メンバーたちの振る舞いが改善する間の支援 権限の分担 人格的な衝突の調停 個人に対するコーチングとカウンセリング リーダーシップの役割の分担

主たる手立て：グループが集中力を取り戻す手助けをし、チームの改善努力に向けた支援を行うこと

段階	主要要素	ファシリテーターの手立て
機能期	高い生産性 メンバーたちによる対立の対処 目標に向けた行動への高い積極性 明確化された役割と責任 メンバーによる場を円滑にする振る舞い チーム自体の継続的改善 メンバーの同士意識と絆	プロセスに関するメンバーたちとの協働 ファシリテーションの交代 自分の専門性の提示 チームが成功を認識し称え合えるための手助け

主たる手立て：進行案を一緒に作成し、ファシリテーションを分担、協働し、
資源としての有効活用してもらうこと

段階	主要要素	ファシリテーターの手立て
散会期	終了成果のレビュー フィードバックの共有 成功を称え合うこと チームの称賛を享受すること	メンバーたちが素直になれるための支援 謝意の表現 安心してフィードバックするための手法の提供

主たる手立て：率直であることを促し、レビューとフィードバックのための安心な手法を提供し、
メンバーたちが成功を称え合うように手助けをすること

資料5.3　チームの有効性に対する調査

チームの有効性に対する調査

現在のあなたが所属する職場のチームに関する各質問項目の五段階評価について、あなたの気持ちにもっともあてはまる数字に丸をつけてください。名前を書く必要はありません。回答しましたら、調査票を所定の封筒で返送してください。

1．目標の明確さ
目標や目的が明確に理解され、メンバー全員に受け入れられているか。

1	2	3	4	5
目標や目的が不明、理解されていない、または受け入れられていない。				目標や目的が明確であり、受け入れられている。

2．参画
グループの議論に全員が参画し、意見を聞いてもらえているか。それとも一部の人の意見だけが支配的か。

1	2	3	4	5
少数の人の意見が支配的になりがちである。				全員が積極的に発言している。

3．意思決定
グループは、客観的かつ効果的に意思決定を行っているか。

1	2	3	4	5
チームはまったく効果的に意思決定を行っていない。				チームは非常に効果的に意思決定を行っている。

4．役割と責任
行動が計画される際、明確な役割分担がなされ、受け入れられているか。

1	2	3	4	5
役割分担の定義が不十分である。				役割分担が明確にされている。

5．手順
チームには、メンバーを導く明確なルール、方法、手順があるか。問題解決のための同意された方法があるか。

1	2	3	4	5
ほとんど仕組みがなく、手順がない。				チームには明確なルールと手順がある。

チームの有効性に対する調査

6. コミュニケーション
メンバー間のコミュニケーションはオープンで率直か。メンバーは傾聴しているか。

1	2	3	4	5
コミュニケーションは オープンではない。				コミュニケーションは オープンである。

7. 困難への向き合い方
困難な問題や不快さを伴う問題は、オープンに解決されているか。あるいは対立が回避されているか。

1	2	3	4	5
困難は回避されている。 直接の対立処理はほと んどない。				問題はオープンで直接的 な方法で熱心に取り組ま れている。

8. 開放性と信頼
チームメンバーはオープンにやり取りしているか。根回しは行われているのか。

1	2	3	4	5
個々人が警戒心を持ち、 動機を隠している。				誰もがオープンであり 自由に話している。

9. 積極的な行動力
チームメンバーは、期限、ミーティング、その他のチームでの活動にどの程度熱心に取り組んでいるか。

1	2	3	4	5
まったく積極的な 行動力に欠ける。				完全に積極的な 行動力がある。

10. サポート
メンバーは互いにサポートしあっているか。一人がミスをした場合はどうするのか。メンバーは互いに助け合っているか。

1	2	3	4	5
サポートはほとんどない。				サポートはたくさんある。

11. 雰囲気
チームの雰囲気は、堅苦しくなく、居心地が良く、リラックスしているか。

1	2	3	4	5
チームは緊張している。				チームは居心地が良く リラックスしている。

チームの有効性に対する調査

12. リーダーシップ
リーダーシップの役割は分担されているか。それとも決まった人が場を支配・管理しているか。

1	2	3	4	5
少数の人が支配している。				リーダーシップは等しく分担されている。

13. 評価
チームは日常的に振り返りを行い、自分たちがどのように行動しているかを評価し、改善につなげているか。

1	2	3	4	5
評価することはほとんどない。				定期的に評価を行う。

定期的にチームアンケートを実施し、アンケートからフィードバックまでのプロセスを経て、改善策を見出すこと。

■ 第6章 ■

参加の場を生み出す

知らない人の集まりでミーティングを行っていて、何もかもがうまくいかないといった状況に陥った場面を想像してみましょう。誰も質問に答えようとしない、何人かの人は退屈そうにしている、明らかに居心地が悪そうな人もいる、あなたが真剣に繰り返し尋ねるたびに緊張した面持ちでみんながリーダーとしてのあなたに視線を向けます。こんな状況の中で、あなたは、このセッションをどうやって乗り切ろうかと考え始めるでしょう。

今日の職場におけるプレッシャーを考えると、みんなが当たり前に熱意をもってミーティングに参加してくれるとの前提に立つのは難しいことでしょう。

ミーティングに積極的に参加してもらうためには、なぜ参加することを面倒に思っているのかを理解することが必要なのです。参加への障壁として次のような状況を想定してみましょう。

- あまりにも多くのミーティングに出席して疲れている状況
- 過労で疲労困憊している参加者がいる状況
- 議論されているトピックについて、一部のメンバーたちが混乱している状況
- ミーティングのトピックに対する行動の積極性が不足している状況
- 人前で話すことに不安を感じている人がいる状況
- おしゃべりな人が静かな人を黙らせてしまっている状況
- 部下が上司の前で発言するのをためらっている状況
- グループ内の信頼度や開放性が低い状況
- 最近、ストレスや距離を置きたく感じるようなトラウマ的な出来事があった状況
- 組織がこれまで社員・従業員の発案に耳を貸さなかった、あるいは支援してこなかった状況

ファシリテーションを行うミーティングを計画する際には、参加者がどの程度参加しやすいかを事前評価することは重要なことです。ミーティングやワークショップの前に、次のことをまず確認してください。

____ 参加者がグループの議論に慣れているかどうか。

____ メンバーたちが、人の話を聞く、議論する、意思決定を行うなどのチームワーク力を十分に身につけているかどうか。

____ そのトピックに対して、相手がどのように積極的に行動しているか。

____ リーダーや他のメンバーの前で話すことについてメンバーたちがどのように感じているか。

____ 参加者間の人間関係が健全か、あるいは緊張をもたらすものか。

____ 最近、解雇や個人的な不幸など、参加者の気が動揺するような出来事があったかどうか。

＿＿ 組織がグループのアイデアを支持する可能性があるかどうか。

6.1 十分な参加のための条件づくり

ファシリテーターは、参加者が十分に参加できるための基本的な前提条件を理解することが必要です。一般的に十分に参加してもらうには、次のような条件が揃うことが必要とされます。

＿＿ 他の参加者と互いにくつろいだ気持ちになれる。

＿＿ 議論されているトピックを理解している。

＿＿ 事業計画作成段階での発言力を持っている。

＿＿ そのトピックに熱心に取り組めている実感がある。

＿＿ 実りある議論に必要な情報や知識を有している。

＿＿ 安心して自分の意見を述べることができる。

＿＿ 妨害されたり、不当に影響を受けたりしない。

＿＿ ファシリテーターを信頼し、信用することができる。

＿＿ 会議室で快適にくつろげる。

＿＿ 組織が自分のアイデアを支持してくれるであろうと思えている。

グループの抵抗感が強ければ強いほど、事前にメンバーたちへのインタビューやフォーカスグループを行い、メンバーたちに懸念を表明させることが必要です。それはあなたが障害は何なのかに気づくためにもなります。

6.2 参加への障害を取り除く

ファシリテーターの主たる責務は、人々が積極的に参加できるようにすることにあります。数人が場を支配するミーティング、あるいはグループの半分が無言で座っているようなミーティングを管理・運営することは望ましくないわけです。ここでは、参加を促すための手立てをいくつか紹介したいと思います。

アイスブレイク

メンバー同士が顔見知りのグループであったとしても、温かく協力的な雰囲気を作るためにアイスブレイクを行う必要があります。知らない人ばかりのグループであればなおさらのこと、場をほぐす作業は重要になります。この作業は、皆が互いを知るのに役立ち、知らない人の前で話すことへの障壁を取り除くのに役立つものです。アイスブレイクを紹介した本はたくさんあります。少なくとも4つから6つの簡単な場をほぐす作業をいつでもできるように、下調べをしておくと良いでしょう。

自分の役割を明確にする

参加者が外部のファシリテーターと一緒に活動した経験がない場合、彼らはファシリテーターの役割に戸惑い、尻込みしてしまうかもしれません。ファシリテーションを始める前に、なぜあなたがそこにいるのか、何をするのかを参加者に伝えましょう。自分が中立的立場であることを明確にして、自分の役割は参加者全員がグループの仕事に専念し、議論が軌道に乗るようにすることにあると説明してください。そうすることで、参加者は、あなたが自分たちの手助けをするためにそこにいるのだと理解できることでしょう。

ミーティングを成功させたいとのあなたの希望を伝え、生産的なセッションにするための手助けをするつもりであることをみんなに知ってもらいましょう。自分のことを少し自慢げに話すことに遠慮はいりません。参加者の中には、あなたの能力を信頼することでもっと発言しやすくなる人もいるはずだからです。

トピックを明確にする

議論を始めるにあたって、それぞれのトピックが明確に設定されているよう最大限努めましょう。例えば、問題解決のために招集されたミーティングであれば、はっきりした問題提起があるようにします。どのような種類のセッションであっても、ミーティングの目的をわかりやすく解説した言葉が必要です。わかりやすい開始手筈の概要については、第1章の31ページを参照してください。

各議論のはっきりした終了成果を言葉にすることは、トピックの輪郭をより明瞭に提示することにつながります。このことは、グループが達成したいことの同意を作るように手助けをすることであり、それによって参加者の足並みが揃うことになります。

トピックを明確にするには、次のような方法があります。

- ミーティングの必要性を全員が理解するためにこれまでの経緯を振り返ること
- アンケート、フォーカスグループ、インタビューなどでメンバーたちが出した情報を共有し、進行案を作成する際にメンバーたちの参加を重視すること
- 理解と積極的な行動を確実にするため、解説する目的に対し参加者の承認を得ること
- ファシリテーションの目標を述べ、望ましい終了成果をすべての人が理解すること

ガラスのように明瞭な目的が当初あっても、すぐにぼやけてくることが常なので必ず注

意を払いましょう。メンバーたちが脱線したり、新しい要素を持ち込んだりして、ミーティングの目的がわからなくなることがあります。自分の役割を効果的に果たすには、メンバーが目標を明確に持ち続け、混乱していないことを頻繁に確認することが重要なのです。

ファシリテーターがセッションの途中で当日の時間を組み替えなければならないことはよくあります。そのときこそファシリテーターの腕の見せ所なのです！ 賢明なファシリテーターは、状況に応じた変更を躊躇しません。進行案に沿っているからといって、もはや意味をなさない議論を無理やり続けるのは、確実に失敗のもとなのです。

心からの賛同を生み出す

今日の職場環境を考えれば、参加者の心からの賛同を得ずにミーティングを管理・運営するのは愚の骨頂です。

多くの組織では、レイオフに関する憶測が飛び交っているとしましょう。また、新しい取り組みが次々と行われ、みんなは疲れ切っているかもしれません。さまざまな波乱に満ちた環境の中で、みんなはシニカルになり弱気になっているかもしれません。また、過去に比べ長時間労働が問題になってきています。組織の中には、社員・従業員の士気は低く、不信のレベルが高いということもあるでしょう。

何もしなくてもみんなが熱心にセッションにやって来ると愚直に信じているファシリテーターがいるとしたら、現実にショックを受けることでしょう。最近は、特に次のような厳しい現実が事実としていくつあり得そうか、グループに確認することは大事な作業です。

- みんな残業が多く、セッションに参加する時間をどう捻出すれば良いかわからない状況
- ファシリテーションを伴うミーティングでは多くの行動計画が通常立案されるが、これは誰も望んでいない余分な仕事であると思われている状況
- 社員・従業員が出したアイデアを組織が支持しない可能性がある。つまり明日には優先事項が変わっているかもしれない状況
- 改善されたとして、それは組織にとってのみ有益なことだと思われている状況

最も単純なレベルで考えれば、**「私に何の得があるのか」**といった心からの賛同を測る普遍的な質問に答えてもらうことで、参加者は積極的に行動をするようになるものです。心からの賛同を得るために行う最も基本的な作業は、セッションの開始時に参加者をペアにして、ミーティングの目的に関連する2つの質問について数分間議論してもらうことです。

- 組織にとって何が有益なのか。
- あなた個人はどのような利益を得るのか。

ペアで議論した後、参加者には自分自身、そのパートナーの回答を詳しく語ってもらい

ます。すべての発言をフリップチャートまたは電子ボードに記録します。

2番目の質問に対する回答は、参加者のセッションへの心理的・論理的賛同を意味します。このやり取りは簡単なようで、実はとても効果的なのです。

状況に応じて、賛同についての質問を変える必要があります。プロセス改善への心からの賛同を得るには、次のようにメンバーに尋ねてみるのが良いかもしれません――「このプロセスを簡略化できたら、あなたの仕事はどのように楽になりますか」。

チーム加入に対する心からの賛同を生み出すためには、次のようにグループメンバーに尋ねてみてください――「このチームのメンバーになったら、あなたにとってどんなメリットがありますか」。

新しい能力を学ぶことへの心からの賛同を生み出すためには、次のようにグループメンバーに尋ねてみてください――「新しいソフトウェアの操作を学ぶことは、あなたにとってどのような利点がありますか」。

ワークショップの事前診断で、参加者が「参加しない理由がたくさんある」と感じている場合、心からの賛同づくり活動により多くの時間をかける必要があります。

このように抵抗感が強い場合には、賛同づくりのためのペア作業に2つの質問を追加すると良いでしょう。

- 私自身の参加を妨げているものは何か。なぜ私は消極的なのだろう。
- その障壁を克服するためには何が必要か。どのような条件下で、どのようなサポートがあれば、私はこの活動に全力を尽くそうと思えるか。

上記の2つの質問に対するメンバーの回答を記録している時、あなたは実際にはグループメンバーの参加について協議しているのです。参加者は、「経営陣のサポートが得られるなら参加する」「研修や必要な支援を受けられるなら積極的に参加する」と答えるかもしれません。このような条件を提示することで、参加者がどの程度閉塞感を抱いているかを評価することができます。

もちろん、障壁を特定したとして、問題はこれらの項目すべてを取り決める立場にないということにあるかもしれません。強い抵抗が予想される場合には、最善の策は事業計画作成段階で障壁を表面化させることです。そうすることで、セッションの前に、サポートの問題を取り決める時間を確保することができます。この取り決めの結果をセッションの最初に提示することで、人々の懸念を取り除き、深く関わりながら前に進む手助けができます。それでも、抵抗が強い状況では、経営者や管理職がミーティングの開始時に同席して、メンバーたちが表明するニーズに応える必要があるかもしれません。

抵抗への対処については、第8章の177ページを参照してください。

組織的支援を把握する

ワークショップ前のインタビューで、このセッションが無駄なものになるのではないかと心配する人がいたら、必ずその心配する声を該当する管理職に伝えておくべきです。自分のアイデアが支持されないと感じるために、ワークショップの開始時にメンバーが尻込みしている姿を見るほど辛いことはありません。組織的障壁をセッションの前に取り除くことができれば、より前向きな環境を作ることができることでしょう。

また、キックオフのミーティングに上級管理職を出席させ、グループの頑張りを個人的に支援することを申し出てもらうことも、一般的な手立てです。これが難しい場合には、上級管理職から強い応援を表明するメモや手紙を出してもらうと良いでしょう。

上級管理職のサポートがなく、また障壁が大きな懸念事項である場合、これらの問題をないものとして考えるのではなく、表面化させて議論することが重要です。ワークショップの最後には、障壁を把握し、それを分析し、障壁を回避するための解決策を生み出す時間を設けましょう。そうすることで、メンバーたちは正直な議論ができたと感じ、自分たちが直面している現実に対処する手立てを講じることができるのです。

リーダーの参加を管理する

外部ファシリテーターとして仕事をする場合、グループのリーダーが参加するミーティングの企画・運営を依頼されることがよくあります。このリーダーは、あなたにコンタクトを取った人であり、あなたの依頼主とみなされる場合もあります。

リーダーは、ミーティングの終了成果に影響を与えることに慣れています。そのため、リーダーがファシリテーターに、自分が望む終了成果になるように事前確定的に議論を誘導するように依頼することは、よくあることです。厳しい現実ではありますが、他人を操るための高度な道具としてファシリテーションを考える人もいるのです。

そのような誤解を避けるためにも、ファシリテーターとリーダーは、事前にいくつかの重要な点について話し合う必要があります。リーダーには、差し障りがなく次のことを伝えなければならないでしょう。

- リーダーはとても重要な存在ではあるが、ファシリテーターの依頼主は、常にリーダーも含むグループ全体であること
- ファシリテーションは民主的な取り組みであり、リーダーはグループ全体が行った決定を受け入れることに同意するものであること
- ファシリテーターは、セッションの前にインタビューやアンケートで参加者と接触し、彼らからの情報を取得する必要があること

セッション前のスタッフへのインタビューの結果、リーダーが高圧的なことや、リーダーがいるところではスタッフが発言しづらいことがわかった場合、セッション前にリーダ

ーと話をし、自制してもらうようお願いするのが賢明な手立てです。経験豊富なファシリテーターであれば、休憩時間にグループリーダーを脇に呼んで、参加を控えて欲しい状況を伝えることでしょう。

ひとつの手立てとしては、リーダーがキックオフのセッションに出席し、支援を約束した後、スタッフが活動する間は、その場を離れてもらうのも良いでしょう。そして、その最後に、再び戻って最終的な提言を聞き、必要とされる承認を与え、メンバーの活動への継続的なスポンサーとして行動することを申し出てもらいます。

幸運にも、リーダーがオープンで、チームメンバーから貴重な同僚とみなされているグループであれば、そのリーダーにも議論全体に積極的に参加するように働きかけることはできます。リーダーがファシリテーターを招聘する理由のひとつは、彼らがグループに参加し、専門知識を提供することにもあるのです。

参加者の準備の手助けをする

ミーティングでは、参加者が準備不足のために尻込みしてしまうことがよくあります。セッション中にこのようなことが起こらないように、事前に各ミーティングの目的を明確に伝え、参加者が準備できる時間を確保するようにしましょう。ミーティングの作業数が多くなることが予想される場合は、作業のどの部分の下準備を誰がすべきなのかを明確にしましょう。十分な事前準備をすれば、人は自信を持ち、より積極的に参加するようになるものです。

特定目的型ルールを作成する

どのグループにおいても、場の雰囲気が協力的で支援的になるようにするためのガイドラインが必要です。本書で何度も述べているように、どのグループでも、メンバー全員からの情報を取り入れて作られた一連の基本ルールを持つべきです。しかし、基本ルールがあっても、配慮の必要な話し合いの場を切り抜けるには十分ではないこともあります。

グループが行おうとしている話し合いが、本質的に配慮の必要なものである場合、グループは、メンバーたちが自由に参加できるような安心感を持てるように、特定の目的に応じたルールを作成する必要があります。このような安心ルールは、特定目的型ルールの一例です。この場合、ルールは参加者が発言することによるリスクを減らす目的で作成されることになります。

次のように尋ねて、メンバーたちが安心ルールを作成するように手助けをしてみましょう。

「今日の話し合いを振り返って、誰もが自信を持って心の中にあることを話せるようにするには、どんなルールが必要だと思いますか。」

「どのような条件下であれば、自由に発言できるようになりますか。」

安心ルールの例としては、次のとおりです。

- すべての発言は、チームと職場を改善するための積極的な意図を持ってなされる。
- すべてのアイデアは尊重され、聞き入れられる。
- すべての議論は守秘義務があるものとして扱われる。つまり、ここでの発言はその場に留まるものである。
- 相手に対し、また課題について誠意をもって対応する。
- このミーティングでの発言に基づく仕返しは当然しない。
- 個人攻撃をしない。
- すべてのフィードバックは、建設的な方法で、相手またはチームを助けることを目的としたものでなければならない。
- 感情的なストレスを感じたら、タイムアウトを取るか、トピックの扱い方を変えるよう要求できる。
- 誰もが中立的立場を示す所作を使い、指差ししたり、目を回したり、ため息をついたりするようなことは避ける。
- 個人的な観点を主張するのではなく、まず互いのアイデアを聞き認め合う。
- 困惑するトピックや、議論が脱線していると感じたら、誰でもタイムアウトを要求することができる。

これらのルールは、当然ながらグループのメンバーたち自身が発案した場合、最も効果的なものになるでしょう。しかし、この一般的な法則には例外が一つあります。

その例外とは、ミーティングがまったく動いていないだけでなく、効果的なルールを自ら発案することができそうもない人々のグループに介入しなければならない場合です。この場合には、ファシリテーターが自らルールを発案しなければならなくなります。このような状況の場合には、発案したルールを各メンバーが受け入れないのであれば、ファシリテーションを行えないとはっきりと伝えましょう。まずはセッションの最初にルールを声に出して読み上げ、グループ全体を回って、ルールを順守する意思があるかどうかを一人ひとりに尋ねます。このような介入は、あるべき場の雰囲気を維持するのに役立ち、人々が不適切な行動を取った場合の介入に必要不可欠な力となるでしょう。

他のさまざまな状況においても、特定目的型ルールが必要な場合があります。対立が予想される場合、次のようにルールづくりについて尋ねましょう——「激しい議論ではなく、健全な討論をするために、今日はどのようなルールが必要でしょうか」。

あるグループのメンバーの中に、参加を渋っている人がいたら、次のように尋ねてみましょう――「どうすれば参加する気になり、参加者全員に自分のアイデアが重要と感じてもらえるでしょうか」。

そのグループの話し合いが真っ直ぐに進まない場合は、次のように尋ねてみましょう――「どうすれば、このミーティングを進行通りに、時間通りに進めることができるでしょうか」。

アイコンタクトを取る

シンプルながらも参加率を高めるために非常に重要なコミュニケーション術があります。ファシリテーターは、積極的な参加者だけでなく、全員とアイコンタクトを取る必要があります。静かな人に目を向けることで、その人の存在が忘れさられていないことを伝えられます。視線を向けたことをきっかけに、発言してくれることもあるかもしれません。もちろん、アイコンタクトは親しみやすく、励ますようなものでなければならず、突き刺すような威圧的なものであってはなりません。

ユーモアを使う

誰しもが大笑いするのは楽しいものであり、ユーモアは自由な雰囲気を作り出すのに最適な方法です。ユーモアをセッションに取り入れるには、自分の面白い逸話を披露してもらったり、ポンチ絵を見せたり、定期的にチーム戦を行うなどの方法があります。適切な頻度で、またセッションの焦点から外れない限り、ジョークを繰り返す、面白いコメントを言う、といったことはすべて有用なことです。

参加を促す会場設営を行う

一見すると重要でないように思われるかもしれませんが、部屋の配置によって、グループメンバーたちがどのようにやり取りをするかが大きく左右されます。劇場型の階段教室のような座席は、双方向的な議論を活性化したい場合には最も良くない配置です。メンバーたちは自動的に自分が一方的に話しかけられると思い込みがちです。また、互いに顔を見合わせることもないため望ましくないのです。

役員会議室用の大きなテーブルは、特に人を抑圧する効果があります。このことは非常に残念なことですが、多くの大企業では最高の会議室の真ん中に巨大な会議室用テーブルがどっしりと置かれているものです。役員会議室の大きなテーブルのある場所以外にセッションを行える選択肢がないなら、できるだけ頻繁に参加者を2人組、3人組、4人組に分け、全員が話し続けられるようにすることです。

座席配置について選択の余地がある場合は、小さめで組み合わせ自由の会議テーブルがある広い部屋を選んでください。12人以上のグループでは、グループ全体のセッションのために小さなテーブルを大きな馬蹄形に並べ換え、使用するのが良いです。

12人以上のグループになったら、5〜6人の小グループに分けることが大切です。グループ全体のセッション中であっても、小グループのままで座っていることができます。少人数のグループでは人は打ち解けやすく、プライベートな議論の場も容易に作り出すことができます。

6.3 参加率の高いファシリテーション術

どんなに消極的で内気な参加者でも、積極的に参加させることができる優れたファシリテーション術はたくさんあります。これらの術は、メンバーに匿名性を保証しつつ、場を盛り上げます。

ディスカッションパートナー

ディスカッションパートナーは、あらゆる議論の開始方法として使用できる簡単なやり方です。グループ全体に質問を示した後、その質問やトピックについて数分間話し合うパートナーを見つけてもらいます（2人組のことをダイアドと呼びます）。その後、話題になったことを報告してもらいます。これは、3人組（トライアドと呼びます）でも使えます。

ミックスサラダ

テーブルの上か部屋の中央に、空の段ボール箱か安価なプラスチック製のサラダボウルを置きます。小さな紙を配り、1枚の紙につき1つのアイデアを書いてもらいます。紙を折りたたみ、段ボール箱やサラダボウルに投げ入れてもらいます。書き終えたら、誰かに「ミックスサラダを作って」とお願いします。ボウルを回して、各自が投げ入れた枚数だけ紙を取り出せるようにします。テーブルを回り、各自が引いた紙に書かれてあるアイデアを読んでもらいます。その後、グループで話し合い、アイデアを練り直します。

井戸端問答

取り組むべき課題について書かれたリストを見た際に、そのリストが長いと、グループ全体で問題を解くと時間がかかりすぎるかもしれません。そのため、リストにある問題を部屋のあちこちに貼っていきます。フリップチャートの各用紙、または電子ボードのセクションごとに、問題をそれぞれ一つだけ書きます。

メンバー全員に、いずれかの課題用紙のところに行き、そのトピックに引き寄せられた人とその問題について議論してもらいます。一つの課題につき、少なくとも3人が集まるようにし、全体的に均等に参加者が分散するようにします。椅子に座って行っても良いですが、立って歩き回って行う方がより効果的でしょう。

小グループに状況を分析するための時間を5分間与えます。各フリップチャートの用紙の上半分に要点を筆記します。頃合いを見計らって、全員に別の用紙のところに移ってもらいます。移動したら、最初のグループが行った分析を読み、さらにアイデアを追加してもらいます。1周に費やす時間は、大体5分より短いです。全員がすべての用紙にアイデアを書き込むまで一巡します。

分析のための時間が終了したら、全員に最初の課題用紙に戻ってもらいます。それぞれの課題に対する解決策を考え、その用紙の下半分に記録してもらいます。もう一度、全員がすべての用紙にアイデアを書き込むまで一巡します。

最後に、全員に各用紙のそばを通り、すべての解決策を読んでもらい、最も良いと思うアイデアに3つまでチェックを入れてもらいます。

トークサーキット

このファシリテーション術は、大勢の人が集まっている際に最も効果的で、強い話題性を生み出し、人々が互いを知ることができるものです。まず、グループに対して質問を投げかけ、静かな時間の中で各自が自分の回答を書くようにします。全員にパートナーと「膝を突き合わせて」座ってもらい、アイデアを共有してもらいます。一人が発言し、もう一人がファシリテーターとなります。2～3分後、やり取りを止め、パートナーに役割を逆転してもらいます。さらに2～3分経ったら、議論を止めます。

全員に新しいパートナーを見つけてもらい、短時間で同じことを繰り返してもらいます。作業を停止させ、3人目の相手と同じことを繰り返させます。

最終ラウンドでは、一人当たり1分となります。パートナーとの議論が終わったら、グループ全体でアイデアを共有し、記録します。

封筒リレー

白紙の紙が入った封筒を各自に渡します。グループに対して質問または課題を出し、与えられた時間内にできるだけ多くのアイデアを書き出し、封筒に入れるように求めます。封筒を次の人に渡すか、周りの人に適当に渡すように伝え、渡すのが止まったら、受け取った封筒の中身を読んでもらいます。

参加者を2人1組にし、封筒の中のアイデアについて議論してもらいます。どのようなアイデアを受け取ったのか、それぞれのアイデアの長所と短所は何か、他にどのようなアイデアを加えるべきか、といった感じです。2人組を4人組にし、それぞれの封筒の中身を実践的な行動計画としてさらに練り上げてもらいます。全体会議を開き、アイデアを収集します。

資料6.1　グループへの参加度調査

次の記述を見て、みなさんのグループが現在どのようにメンバーの参加を管理しているかをありのままに評価をしてください。このアンケートは匿名です。結果は評価のために集計され、グループにフィードバックされます。

1. ミーティングでは、どんな人がいても自由にアイデアを言うことができる。

1 まったくそうでない	2 そうでない	3 どちらでもない	4 そうである	5 非常にそうである

2. 誰もが完全にリラックスしている。

1 まったくそうでない	2 そうでない	3 どちらでもない	4 そうである	5 非常にそうである

3. グループのメンバーはいつでも議論の目的を理解している。

1 まったくそうでない	2 そうでない	3 どちらでもない	4 そうである	5 非常にそうである

4. みんな常に下調べをし、準備してミーティングに臨んでいる。

1 まったくそうでない	2 そうでない	3 どちらでもない	4 そうである	5 非常にそうである

5. メンバーは互いの意見を聞きそれぞれの意見を尊重し合う。

1 まったくそうでない	2 そうでない	3 どちらでもない	4 そうである	5 非常にそうである

6. メンバーは、互いの異なる強みを認め合っている。誰もが自分の特定の能力を評価されている。

1 まったくそうでない	2 そうでない	3 どちらでもない	4 そうである	5 非常にそうである

7. メンバーは個人差を認識し受け入れる。

1 まったくそうでない	2 そうでない	3 どちらでもない	4 そうである	5 非常にそうである

8.組織としてグループの仕事を全面的に支援している。

1 まったくそうでない	2 そうでない	3 どちらでもない	4 そうである	5 非常にそうである

6.4 効果的なミーティングのための振る舞いを促す

時には、まるで何でも許されるような振る舞いをするメンバーがいるグループと仕事をすることもあるでしょう。話に割り込む者がいると思えば、無断で出入りするメンバーもいるし、アイデアを理解しようとする前にすぐに否定する者もいるという状況です。

このような状況では、終了成果を上げるのは至難の業です。場合によっては、ミーティングを中断し、効果的なミーティングに向けた振る舞いへとメンバーの意識を高めることが最も賢明なやり方となります。このミニトレーニングのセッションは、シンプルで、即効性があり、驚くほど効果的です。それは次に掲げるステップで構成されます。

1. ある種の振る舞いは、他の振る舞いより効果が低いという考えを紹介します。次の2ページにわたるシートを配り、ミーティングの効果を上げる振る舞いと効果を阻害する振る舞いを説明します。その後、各振る舞いについての確認をします。質問があれば答えます。

2. ミーティングの間、全員にオブザーバーとして行動してもらいます。各自に観察シートを渡し、記載されているすべての振る舞いを記録してもらいます。人の名前と具体的な言動の両方を記録させます。

3. このトレーニング時間の最後に、観察結果を共有する時間を設けます。

   「効果を上げる振る舞いと効果を阻害する振る舞いのどちらが多く見られましたか。」

   「どのような効果的でない振る舞いが見られましたか。」

4. この議論の最後に、次のように尋ねて、グループメンバーたちが新しいルールを書くように手助けをしましょう。

   「これらの振る舞いを克服するために、既存のルールにどのような新しいルールを加えるべきだと思いますか。」

資料6.2　グループ行動に関する配布資料

効果を上げるための振る舞い

行　動	内　容
傾聴する	話している人を見て、うなずき、本音を引き出す質問で問いかけ、要点を言い換えて内容を理解する。
支持する	他の人がアイデアを出し、発案できるよう支援する。自分のアイデアを認めてもらう。
丹念に検討する	表面的な感想だけでなく、チームの仲間に問いかけをすることで、隠れている情報を明らかにする。
明確にする	メンバーに対して何を意味しているのか、より詳しい情報を求め、混乱を解消する。
アイデアを提示する	発案、アイデア、解決策、提案を共有する。
他者を取り入れる	静かなメンバーに意見を求め、誰一人取り残さないようにする。
要約する	多くの人からアイデアを引き出す。グループの現状と課題を把握する。
調整する	対立する見解を調整する。似たようなアイデアを結びつける。アイデアが同じであることを指摘する。
対立を処理する	他者の見解に耳を傾ける。問題点や反対者の主張を明確にする。解決策を模索する。

効果を阻害する振る舞い

行　動	内　容
「うん、でもね」といった言葉が出る	他者のアイデアを否定する。
妨害する	我を張る。妥協を許さない。チームの進化を邪魔する。
目立つプレーがある	個人の能力に注目する。鼻にかける。
トピックからそれる	話し合いを他のトピックに向ける。
支配的である	指図したり、いじめたりすることでグループを動かそうとする。
距離を置く	参加しない、または他の人に手助けやサポートを申し出ない。
わざと反対する	相容れないことを得意がる。
批判する	人あるいはそのアイデアについて否定的に発言をする。
個人的中傷をする	他の人をひどく悪く言う。

活動中のグループの行動観察

効果的	非効果的
傾聴する	「うん、でもね」といった言葉が出る
支持する	妨害する
丹念に検討する	目立つプレーがある
明確にする	トピックからそれる
アイデアを提示する	支配的である
他者を取り入れる	距離を置く
要約する	わざと反対する
調整する	批判する
対立を処理する	個人的中傷をする

6.5 ピアレビュー（仲間同士のフィードバック）の手順

グループメンバーは、互いにフィードバックを受ける必要が生じる場合があります。そのような場合とは、対立が起きている時や、個人がチームを失望させている時です。

仲間同士のフィードバック（すなわちピアレビュー）の形式は、2つから構成され、どちらも肯定的な意図があります。一つは、互いを褒め合うものであり、もう一つは、相手の振る舞いを改善させるために互いに助言を行うものです。これらの2つは次のとおりです。

「あなたがやっていることは、本当に効果のあることですね。続けてやってみましょう！」

「それができたということは、今よりもっと効果的になれることですよ。」

この効果的なフィードバック作業として、誰もが参加できるやり方を紹介しましょう。

ステップ1：各メンバーに、白紙の上の方に自分の名前を書いてもらいます。その用紙に直線を引き、片方の面の上の方に**「あなたの得意なこと」**、もう片方の面の上の方に**「より効果的になるためにできること」**を書いてもらいます。そして、各自が自分の紙を右隣の人に渡してもらいます。

ステップ2：各メンバーは、各用紙の一番上に書かれている名前の人に対し、先ほどの2つの質問に答えます。

ステップ3：全員が他のメンバー全員についてのコメントを書くまで、テーブルで用紙を回します。

ステップ4：最終的に各メンバーは、自分の名前が書かれ、他のメンバー全員からのコメントが完全に記入された用紙を受け取ることになります。

ステップ5：各自が自分のフィードバックを秘密にしたまま、このプロセスをここで止めることもできますが、次のいずれかを行うこともできます。

- 完成した用紙をもう一度回し、相手について書いた肯定的なコメントを声に出して読んでもらいます。これは、**「強みの寄せ書きワークショップ」**[1]と呼ばれています。
- パートナーを選び、フィードバックから学んだことを話し合い、自分を変えるための行動計画を作成してもらいます。最後に、メンバーたちが自分の行動ステップをグループ内で共有します。

このピアレビューの形式は、どちらのフィードバック質問も前向きで肯定的なものであ

訳注1. 原文ではStrength Bombardmentと名づけられています。白紙に相手への肯定的なコメントを寄せていく作業は、日本的には色紙の寄せ書きと非常に近しいため、「強みの寄せ書きワークショップ」と訳しました。なお、人材育成やコーチングの分野では、「強み中心のアプローチ」（strengths-based approach）が用いられています。

り、否定的なコメントを受け取る人がいないため、恐れを感じさせないものです。

この作業は、仲間からのコーチング・アドバイスであるため非常に効果的です。互いのニーズや期待に応えることの大切さを、さりげなく思い返させてくれるものです。もしメンバー間に緊張が走ったとしても、このフィードバック方法を使えば、互いに必要なものを安心して要望することができます。仲間同士のフィードバックを用いると、対人関係上の対立が悪化する前に解消されることが多いので、対人関係の予防策として定期的に行うのが良いといえます。

資料6.3　ピアレビューワークシート

ピアレビューワークシート

名前 ______________________　日付 ______________________

本当に効果があることは何でしょうか。続けてみよう！

さらに効果を上げるためにできることは何でしょうか。

■ 第7章 ■

効果的な意思決定とは

グループで質の高い意思決定を行う手助けをすることは、ファシリテーターの最も重要な役割の一つであり、最も難しいことの一つでもあります。意思決定を難しくする状況はいくつもあります。

- 下調べをしないまま、あるいは重要な事実をすべて把握しないまま、意思決定をするかもしれない状況
- 要となるステークホルダー、あるいは意思決定権者が出席しない状況
- それ以上の情報が受け入れられることなく、ある主張の擁護に時間が費やされ、グループ内の個々人が考える解決策やスタンスが心のうちにとどまっている状況
- 少数の者が場を支配し、他の者は自分たちのアイデアを控えて言わない状況
- 意思決定を伴う話し合いの目的、あるいはグループが議論中の問題を決定する権限を与えられているかについて実際上の混乱が生じている状況
- 話し合いを組み立てるプロセスが機能していないため、事実や客観性よりも感情や主観に任せ、組み立てもなく一方的な論争が行われている状況
- イライラとした不満が溜まると、解決策を探すのをあきらめて、安易に多数決に走ったり、終了成果もなく次のトピックに移ったりしてしまうことがある状況

常に質の高い決定プロセスのファシリテーションを行うためには、次のような効果的な意思決定を行うグループの特徴を意識することが大事です。

- 全員が意思決定を伴う話し合いの目的を理解していること
- グループは、議論されていることの意思決定を行うための権限の範囲を知っていること
- 適切な人が参加していること
- 取るべき進め方を理解し、それに従って進めることを望んでいること
- アイデアが自由に交換され検討される客観的でオープンな雰囲気があること
- すべてのアイデアが等しく重要であるとみなされ、個人や一部の派閥が場を支配しないこと
- 決定プロセスが行き詰まった場合、グループメンバーは立ち止まり、なぜ行き詰まったのかを考え、行き詰まりを解消する方法を模索すること
- 議論の総括を行い、次のステップが明確になること

7.1 話し合いの4つのタイプを知る

効果的な意思決定を支援するための最初のステップは、話し合いが次のいずれかのカテゴリに分類されるかを意識することにあります。

情報共有：これには、最新レポートの提供、調査結果の共有、後日行う順位づけ作業のためのブレーンストーミングなどが含まれます。注意すべきことは、このタイプの議論では、意思決定が伴わないことです。情報共有の議論は、通常、ファシリテーターではなく、議長が担うもので、参加者間の協働はほとんど行われません。

事業計画作成[1]：この議論の特徴は、ビジョンづくりと目標の明文化、目的と期待される結果の解説、ニーズの事前評価、優先事項の特定、詳細な行動ステップの作成などの活動を伴っていることです。予算計画やプログラム計画の議論もこのカテゴリに入ります。また、事業改革も、事業計画作成活動の一つです。事業計画作成をする中で交わされる話し合いでは多くのことが決定されるため、メンバーからの情報を確実に得るための話し合いの組み立て、及び積極的なファシリテーションが必要です。

問題解決：参加者と共に問題を洗い出し、解決するための活動を含みます。主な活動は、データの収集、問題の特定、現状分析、基準を用いた解決策の候補の選別、そして行動計画の策定です。カスタマーサービスやプロセス改善プロジェクトがこのカテゴリに入ります。このようなタイプの議論は、結果的に変化を生み出す行動につながるため、問題解決は慎重に組み立てられ、体系的に進められる必要があります。

関係構築：人々が互いを知り、結束力を高めるための活動が含まれます。これには、アイスブレーク、ルールづくりの時間、対立の調停などの活動が含まれます。体系化されたチームビルディングの時間は、関係構築のための議論の一例です。関係構築のための議論で重要な合意・総意がなされることがあるため、慎重に組み立て、周りに惑わされずに断固としたファシリテーションを行う必要があります。

各話し合いの開始時に、ファシリテーターは、4つの議論のタイプのうちどれが行われているのか、そしてグループが意思決定を行っているのかどうかを判断しなければならないでしょう。

訳注1. 原著では、planningとしか表現されていないのですが、ここでは「事業」と付け加えました。それは、本書がビジネス書として書かれているためと、制度に埋め込まれていないplanningのみを指しているからです。

情報共有、リスト作成、ブレーンストーミングの場合

- 決定がなされない
- ファシリテーションは重要ではない
- 相乗効果は重要視されない
- 総括は必要ない
- 次のステップは任意

事業計画作成、問題解決、関係構築の場合

- 決定がなされる
- 明確なプロセスが必要である
- ファシリテーションは重要である
- 互いの発想を積み上げる必要がある
- 総括と明確な次のステップが必要

7.2　権限委譲の4つのレベル

すべての意思決定の話し合いにおいて、議論を始める前に、どのレベルの権限委譲が必要かを明確にし、グループメンバーたちに伝えることが非常に重要となります。

権限委譲の連続体

経営者・管理職による管理・運営 → 社員・従業員による管理・運営

Ⅰ	Ⅱ	Ⅲ	Ⅳ
経営者・管理職が決定しスタッフに伝える	**経営者・管理職は社員・従業員の客観的意見を聞いてから決定する**	**社員・従業員が決定し提言する**	**社員・従業員が決定し行動する**
・伝えられる ・指示される ・経営者・管理職が説明責任と責任を負う ・経営者・管理職が管理する ・チームメンバーたちは、決定事項を伝えられ、その指示に従うことが期待される	・アピールされる ・意見聴取される ・社員・従業員の客観的意見を意思決定の材料にする ・チームメンバーたちは意見聴取され、その情報が意思決定に反映される	・参加する ・ファシリテーションが行われる ・責任の所在が明確に共有される ・チームメンバーたちは、行動する前に経営者・管理職に意見聴取をし承認を得なければならない	・委任される ・連携する ・社員・従業員が説明責任と責任を負う ・チームメンバーたちは、承認を得なくても方向性を定め、行動することができる

権限委譲のレベルが明確でないことほど、大きな混乱と不信を招くものはありません。あるグループが自分たちに最終的な決定権があると思い込んでいたところ、実は経営者・管理職側は単に自分たちの意見を求めていただけだったということを知らされることはがっかりすることです。幸い、次に掲げる4つのレベルの権限委譲モデルを用いれば、権限委譲は混乱する概念ではなくなるでしょう。

7.3　4つの権限委譲レベルの明確化

レベルI：社員・従業員からの客観的意見を聞かずに経営者・管理職が決定します。社員・従業員はその決定を知らされ、その指示に従うことが期待されます。

レベルII：社員・従業員からの客観的意見を求めた後に経営者・管理職が決定を行います。社員・従業員は意見聴取をされますが、最終成果に対する実際の発言権はなく、指示に従うことが望まれます。社員・従業員対象のフォーカスグループは、レベルIIの決定プロセスの一例です。

レベルIII：このレベルの意思決定では、社員・従業員は行動展開策について議論し提言しますが、最終的な承認を得なければ行動することはできません。問題解決のためのワークショップは、レベルIIIの活動として設定されることが多いものです。

レベルIV：このレベルの意思決定では、グループには意思決定と行動計画を実行するための完全な権限が与えられており、さらなる承認を求める必要はありません。

各決定活動において、グループメンバーたちが自分たちの権限委譲の程度を判断するように手助けをするのが、ファシリテーターの役割です。このことは、ファシリテーションのプロセスにおける現状評価と進行案作成の段階で行うのが理想的ですが、議論の開始時に権限委譲を明確にすることもよくあります。明確化するには、次のように尋ねることもあります。

「誰がその決定の終了成果に責任を持つのでしょうか。」

「専門知識の観点から、誰がその決定を下すのに最適ですか。」

「意思決定に対して心の底から賛同が得られることはどの程度重要でしょうか。」

「意思決定と行動を実行するそれぞれの段階に、グループメンバーたちが積極的に関与することはどの程度都合の良いことですか。」

特定のトピックに関連する権限委譲レベルについてグループの想定や思惑を試す場合、次のように尋ねることができるでしょう。

「どこか他の場で決定されていますか。」（レベルI）

「みなさんは提言を求められていますか。」（レベルII）

「みなさんの提言は行動に移す前に承認を必要とされていますか。」（レベルIII）

「グループ内でどんな決定がなされたとしても十分に実行に移る権限を持っていますか。」（レベルIV）

権限委譲レベルを調整する

グループのメンバーが間違ったレベルで意思決定が行われていると感じる場合、メンバーが必要と考える権限委譲のレベルについて議論を行うべきです。これは、より多くの権限委譲を得るためのものであることが多いのですが、グループが決定に対する説明責任のレベルを下げる必要性を感じる状況もあります。

権限委譲を高めるために、次のように尋ねることにより、議論のファシリテーションを行うようにしましょう。

「この活動にはどの程度の権限委譲のレベルが適切でしょうか。」

「なぜ、このグループにはこれらの権限が必要なのでしょうか。」

「グループがこれらの権限を持つことのリスクは何でしょうか。」

「経営側はどのような懸念を抱いているのでしょうか。」

「経営側からの権限付与をさらに促すために、どのように組織内で領分を設定し、相互に監視し調整し合う関係を設けることができるでしょうか。」

「グループメンバーは、より大きな権限を得るために、個人として、またグループとして、どのような説明責任を負う用意がありますか。」

グループに権限委譲の拡大を受け入れるように働きかける

グループメンバーたちは、自分たちがあまりにも大きな権限の執行を担わされていると感じる場合があるでしょう。これには、次のようないくつかの根本的な原因があります。

- グループによって計画された行動が、自分の職務の範囲外であると感じていること
- メンバーたちの中には、権限を与えられることに不慣れで、リスクを取ることを恐れている人がいること
- 多くの人がすでに過度の関与をしているかもしれないこと
- 参加者の中に、自信や能力が不足している人がいるかもしれないこと
- 作成された行動計画に建前で賛同をしていること
- 組織がグループの取り組みを支援するという信頼の欠如に正当な何かがあること

権限委譲を低くする必要性を探るためには、次のことを尋ねる議論のファシリテーションを行ってみましょう。

「この活動には、どのような権力や権威がふさわしいでしょうか。」

「なぜ権限委譲のレベルをもっと低くする必要があるのでしょうか。」

「グループメンバーたちが準備を要しないで果たせる説明責任は何ですか。」

「経営者側が認識すべきリスクは何ですか。」

ここで注意しなければならないのは、グループのメンバーたちは、より大きな責任を持つべき時に、それをためらう状況があるということです。一般的な例は、問題を分析したり、解決策を考え出したりするのは楽しいけれども、行動に移すのは嫌だというグループです。

ファシリテーターは、消極的な社員・従業員に新しい仕事を「命じる」立場にある経営者・管理職とは異なり、人々が抵抗を克服するように促すプロセススキルに頼らざるを得ません。権限委譲に対する不当な抵抗に遭遇した場合、次のような問いかけが有用です。

1. **抵抗を認める：**無視したり否定したりしてはいけません。

   「みなさんの反応を見ると、この決定やプログラムに対して責任を負いたくないのだとわかります。」

2. **メンバーたちに自分たちのためらいを言葉で表現するように促す：**人々が恐れや懸念を吐き出すことを促しましょう。

   「なぜ、責任は他の場にあるとお考えなのでしょうか。」

3. **相手の状況に共感する：**同意せずに共感しましょう。

   「今、これ以上責任を負うことに不安を感じていることは理解できます。」

4. **メンバーたちに手立てを講じてもらう：**抵抗を克服するための条件を特定してもらいましょう。

   「どのような状況であれば、もっと責任を負うことを考えますか。」

   「どのような保証、研修、サポートがあれば、挑戦してみようと思いますか。」

5. **表明を言い換え、要約する：**自分たちの提言を全体で承認することで、より大きな権限委譲に同意するように促します。

   「つまり、トレーニングやコーチングがあれば、やってみても良いということでしょうか。」

ほとんどの場合、グループメンバーたちは、実現可能で現実的なことを提示するでしょうし、それらが形になれば、彼らはさらに賛同をするようになるでしょう。一方、グループメンバーが、給料を2倍にしたいなど不合理な条件を述べても、そのことに反応を示してはいけません。理不尽な条件も、他の条件と一緒に、リストが完成するまで記録しましょう。そして、グループメンバーたちに、どの条件が実現可能で、どの条件が非現実的かを確認するために、リストの見直しを手伝ってもらうのです。ほとんどの場合、他のグループメンバーたちは、仲間のより法外な要求を削除することになります。

このような進め方はいつもうまくいくのでしょうか。実は、どんな状況でもうまくいくわけではありません。しかし、ファシリテーターがグループに対する実質的な権限を持たないことを考えると、この進め方が唯一のプロセスツールであると言えます。この進め方がうまくいかない場合は、説明責任を負いたくないというグループの問題をリーダーに伝え、権限委譲の強化を指示することが最善の行動かどうかを判断してもらいましょう。

ただし、リーダーがメンバーたちに権限委譲を命じると、心からの賛同の度合いが少なくなり、グループの成熟度が下がる可能性があることに注意しなければなりません。このようなマイナスの状況を避けるために、まずはメンバーたちが抵抗を克服することを目指した話し合いにしっかり参加するよう常に心がけなければなりません。

7.4　意思決定のパラダイムを転換する

これまで経営者・管理職が行っていた意思決定にグループを参加させるようになってきた場合、組織の文化的価値観に大きな変化が生まれていることを、すべてのファシリテーターが気づく必要があります。

多くの経営者・管理職は、客観的意見を聞いてから重要な決定を下すことに慣れています。このようなパターンの人がいることは、すべてのファシリテーターが理解しなければならない現実です。スタッフからの客観的意見を意思決定に反映することが従来の権力構造の大きな変化を意味する場合、ファシリテーターはリーダーやメンバーたちが参加型意思決定の価値を理解するように手助けをし、人々が自由に考えを述べることができるような適切な環境を整える必要があります。

初対面のグループと仕事をする場合、グループやリーダーが参加型意思決定を理解し、実践しているとの前提に立たない方が良いでしょう。その代わりに、その組織が通常どのように意思決定を行っているかを探る質問をし点検すべきです。次のように尋ねてみましょう。

「この組織では、この種の決定は通常どのように行われているのですか。」

「従業員は、この種の意思決定にどの程度慣れていますか。」

「メンバーたちの決定がリーダーによって覆されることは多いのですか。」

加えて、指示型スタイルに慣れているリーダーは、管理を放棄することに不安を覚えるかもしれません。このようなリーダーは、意思決定に参加を求める考え方に心から賛同するには時間がかかることが多いです。また、社員・従業員の参加を促すことで、自分たちにどのようなメリットがあるのかを理解する必要があるかもしれません。グループでの意思決定が増えることをリーダーが受け入れるように促すには、次のような点が有用です。

- グループでの意思決定は、より多くのアイデアを生み出し、積極的な行動力を構築し、メンバーがより大きな責任を負うことを促す利点があります。
- グループでの意思決定により、リーダーは多くのタスクから解放され、組織内でより戦略性の高い仕事に従事することができるようになります。
- ある程度のリスクを伴う事項は、権限委譲レベルIIIで取り扱い、メンバーの決定が実行される前にリーダーが承認するようにします。
- グループメンバーたちに権限を完全に委譲した権限委譲レベルIVの決定には、明確な指針を与え、予算ガイドラインの順守、全体の戦略的計画のサポートなど、主要な成功基準を満たすようにします。

ファシリテーターはしばしばレベルIIにおける意思決定を伴うセッションを主導しますが、それがグループの力を十分に発揮するものではないことを、常にリーダーたちに明言しておく必要があります。長年の経験から、レベルIIIとIVでの意思決定がなされると、グループメンバーたちの才能と持っている資源をより十分に活用し、社員・従業員の行動が十分に積極的な組織を一層作ることができると断言します。

7.5 決定のあり方

グループの意思決定の手助けをする際、5つの異なる決定のあり方があります。それぞれ異なる進め方をし、それぞれに長所と短所があります。決定のあり方は、最も適切な方法であることを確認するために、常に慎重に選択されるべきです。5つの選択肢は、次のとおりです。

コンセンサス[2]形成

コンセンサス形成とは、決定すべき状況や問題を全員が明確に理解し、関連するすべての事実を一緒に分析し、そして最適な決定についてグループ全体の最善の考え方（総意）を示す解決策を共同で作ることです。これは、多くの人の意見を聞き、健全な討論を行い、候補を試すことを特徴とします。コンセンサスは、誰もが「これなら納得できる」と思えるような決定を生み出します。

訳注2 コンセンサス（consensus）は合意と訳されることもありますが、コンセンサスの本来の意味としては、みんなで意見を合わせようと働きかけて至った考えや意見であり、日本語としては「総意」の方が近い意味となります。本章でも後半で解説がありますが、必ずしもコンセンサスは意見が完全一致していることではないので、意見の一致が強調される「合意」は少々誤解をもたらします。ビジネスシーンではあまり総意という言葉は使われていないと考え、本書では「コンセンサス」と訳すことにしました。

長所：グループを団結させる共同作業であり、高い関与が求められます。体系的、客観的、事実が重視されます。心からの賛同と終了成果に対する高い積極的な行動力がもたらされます。

短所：時間のかかる点と、適切なデータ収集なしに行われた場合やメンバーの対人関係能力が低い場合、質の低い意思決定が行われることになる点があります。

用途：決定事項がグループ全体に影響を与える時、メンバー全員の心からの賛同とアイデアが不可欠な時、適切にみんなの意見を合わせるプロセスを完了するのにかかる時間に見合うほど重要な決定を下す時に行います。

手順：課題、トピック、あるいは問題を選択します。既知の事実をすべて共有し現状に対する理解を共有します。行動展開策・解決策の候補を洗い出します。行動展開策・解決策を分類するための基準を検討します。

その基準を用いて、洗い出した候補を分類します（決定マトリクス分析、多数決、または複数投票）。決定事項を明文化します。その解決策に納得できることを全体で承認します。

複数投票

これは優先度を設定する手法です。グループ内に長い候補リストがあり、その候補を一定の基準に基づき順位づけします。この手法は、最適な行動展開策を明確にする場合に有用です（第10章の235ページを参照）。

長所：体系的、客観的、民主的、非競争的で参加型の手法です。誰もが多少は意見を反映でき損失感も少ないです。複数の煩雑な候補を素早く整理することができます。多くの場合、総意的であったと感じられるものです。

短所：議論が制限されることが多く、それゆえ候補の理解も制限されます。このことは、人々が満足しない候補を彼らに選ばせることになりかねません。なぜなら、本当の優先事項が埋もれてしまったり、投票が電子的あるいは投票用紙によってではなく、みんなが見ている前で行われる場合には、人々は互いに影響されたりするからです。

用途：代替案や選択すべき項目が多数ある時に行います。

手順：グループでさまざまな解決策が出された後、投票基準を明確にします（最も重要、最も簡単、最も安価、最も影響が大きいなど）。シールを使用する場合は、小さい丸のシールのシートを配布します。マーカーを使う場合は、いくつ印をつけるかを伝えます。点数制にする場合は何点までなら配分できるかを明確にします（100点満点中10点など）。票を貼る際には全員が自由に動き回れるようにします。

集団的妥協

交渉による方法は、2つ以上の明確な候補があり、メンバーたちが強く対立している（どちらの側も相手側が提示した解決策や立場を受け入れようとしない）場合に適用されるものです。そこで、両者のアイデアを取り入れた中間的な立場を設けることにします。交渉の過程では、誰もが気に入った点をいくつか取り入れてもらえますが、気に入った点のいくつかは取り入れてもらえないこともあります。その結果、誰も完全に満足することはありません。集団的妥協の場合、誰しも自分がもともと欲しかったものを完全に手に入れたとは思わないので、感情的には「本当は望んでいなかったけれど、我慢しなければならない」という反応になることが多いと言えます。

長所：多くの議論を生み出し、結果的にある解決策につながる点です。

短所：自分の有利な立場を押し付けるような交渉は敵対的になりがちで、そのためこの進め方はグループを分裂させます。最終的には、誰もが何かを得ますが、誰もが何かを失う結果になります。

用途：2つの対立する解決策が提案され、どちらもみんなに受け入れられるものではない時、あるいはグループが極端に二極化し、集団的妥協が唯一の選択肢となる時に行います。

手順：当事者に、自分たちの好む解決策や行動展開策を述べてもらいます。もう一方の当事者に要点を筆記してもらい、相手のグループが支持する解決策や立場を短く要約してもらいます。提案された各施策の長所と短所を特定することに、グループ全体を巻き込みます。両施策の長所を提示します。すべての長所を生かした第三の候補あるいは折衷案を作成します。各グループに、中道となる施策の決定に向けて、元の施策のいくつかの側面を進んであきらめてもらいます。中道的施策を明確にし、要約し、承認します。

多数決

これは、明確な候補がある場合に、その候補の中から自分が好ましいと思うものを選んでもらう方法です。通常の方法は、挙手か無記名投票です。投票の前に考えを出し合う議論をしっかり行えば、投票の質は必ず高まります。

長所：投票の前に徹底的な分析が行われれば、迅速かつ質の高い決定が可能となります。

短所：互いの発想や事実を聞くことなく、個人的な感情に基づいて投票する場合、時期尚早で、質が低くなることがあります。勝者と敗者を生み出し、グループを分断してしまいます。挙手方式は、人に同調圧力をかけるかもしれません。

用途：2つの明確な候補があり、どちらか一方を選ばなければならない時、迅速に決定しなければならずグループ内の分裂が許容される時、あるいはコンセンサスの形成を試みたものの到達できなかった時に行います。

手順： メンバーたちに両方の候補について詳しく解説してもらい、共通理解を図ります。どちらがより効果的かを決定する基準（タイムリー性、コスト、影響など）を明確にします。全員が両方の候補と判断基準を理解したら、挙手または紙による投票で、どちらの候補を実行するかを決定します。

単独決議

これは、グループが、グループを代表する一人の人間に判断を一任し、決定するものです。チーム内でよくある誤解は、すべての決定はグループ全体で行う必要があるということです。実は、一人で決めた方が、より早く、より効率的に解決できることが多いということもあります。もし一人の意思決定者が、他のグループメンバーたちからアドバイスや情報を得られれば、その決定の質はかなり高まります。

長所： 迅速であり、説明責任が明確です。自分たちの意見が反映されていると感じれば、積極的な行動や心からの賛同を得ることができます。

短所： 決定する人が他の人との意見聴取を実施しなかったり、他の人が納得できる決定をしなかったりした場合、グループを分裂させる可能性があります。単独決議は、通常、グループでの決定プロセスから得られる心からの賛同と相乗効果の両方が欠落します。

用途： 問題が重要でない、または小さい時、グループ内に明確な権限を持つ人がいる時、一人だけが意思決定に必要な情報を持っていて共有できない時、あるいは一人だけが終了成果に対して責任がある時に行います。

手順： 決定を行うのに最も適した専門家を特定します。心からの賛同を得るために、意見聴取を実施し、グループメンバーたちが検討事項に関するニーズや懸念をその専門家に伝えます。専門家の決定を全員が受け入れるという同意を得ます。

資料7.1 決定のあり方の整理表

選択肢	長所	短所	用途
コンセンサス形成	・協働的 ・体系的 ・参加型 ・議論重視 ・働きかけ ・積極的な行動	・時間がかかること ・データやメンバーの能力が必要なこと	・重要な問題の場合 ・全員の心からの賛同が重要な場合
複数投票	・体系的 ・目的的 ・参加型 ・勝ち組感	・対話の制限 ・影響を受けた選択 ・本当の優先事項が、表面化しない可能性	・長い候補リストを選別する場合 ・長い候補リストに優先順位を付与する場合
集団的妥協	・議論 ・解決策を生み出すこと	・敵対関係 ・明確な勝ち負け ・グループ分断	・立場が二極化、合意が得られない場合
多数決	・迅速 ・対話による高い質 ・明確な終了成果	・時期尚早の可能性 ・勝者と敗者 ・対話なし ・影響を受けた選択	・瑣末なことの場合 ・明確な候補がある場合 ・グループ分けが許容される場合
単独決議	・迅速可能 ・明確な説明責任	・意見の欠落 ・低い賛同 ・相乗効果なし	・専門家がいる場合 ・単独で責任を負うことをいとわない個人がいる場合

7.6 拡散／収束モデル

どの手法を用いるかにかかわらず、ファシリテーターが理解する必要がある一般的なパターンは、次に示す「拡散／収束モデル」[3]です。このモデルによれば、ほとんどの決定プロセスの初期段階は、細かなレベルでアイデアが拡散あるいは増加し、後半になるまでアイデアは収束あるいは減少しないことを示しています。これは、現状分析、データ収集、根

訳注3. アイデア創出・検証の2つのモードを表すモデルです。形状からダイヤモンド・モデルと呼ばれることもあります（図は次ページをご覧ください）。

本原因の解明、ブレーンストーミングなどの初期段階においては、さまざまなアイデアはすべて、より良い情報のために取り上げられる傾向があるためです。収束するのは、収集されたデータがすべて行動可能な項目に分類された後になります。

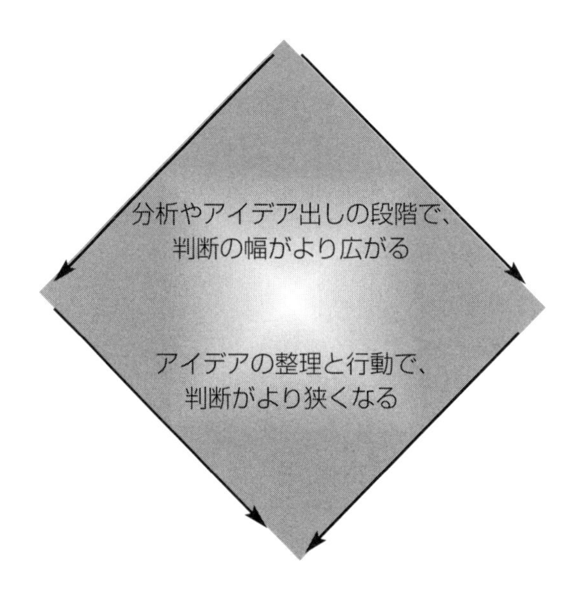

このモデルは警告を与えます。議論されているトピックや問題がもともと非常に広がりを持った内容の場合、拡散の段階でさらに広がる可能性が高いのです。例えば、分析段階で共有されたデータに対して、グループメンバーたちが複数の解決策を見出した場合、グループ内の情報量が2倍、3倍になる可能性があります。

このモデルを理解することは、ファシリテーターが進行案を企画するのに役立ちます。収束型の話し合いは詳細にわたり、拡散型の話し合いよりも時間がかかるのが一般的です。また、ファシリテーターは、あまりにも漠然とした、あるいは一般的な問題にグループが取り組むことを容認した場合、拡散の段階で運営が不可能なレベルまで拡がっていく可能性があることに注意を払う必要があります。

7.7 コンセンサス形成の重要性

コンセンサス形成の重要性はいくら強調してもし過ぎることはなく、すべてのファシリテーターが十分に理解しなければならないことです。実際、ファシリテーションとコンセンサス形成は、同じ価値観と信念に基づくものです。

コンセンサス形成はすべての重要な意思決定を行うための第一の選択肢であることに加え、ファシリテーターは、常にすべての行動においてコンセンサス形成を目指すものです。次に示すのは、みんなの意見を合わせるための活動の例になります。

- グループメンバーたちが満足するように、複数の煩雑な一連のアイデアを要約すること

- セッションの目的や目標について、メンバー全員の心からの賛同を得ること
- 明確な目標と目的について全員から客観的意見を得ること
- みんなが共通のアイデアを形成できるよう、発想同士を関連づけていくこと
- 各メンバーが自分の意見を聞いてもらえたと感じ、記録された内容に満足するように、フリップチャートに要点筆記を作成すること

すべてのファシリテーション活動は、協働的、参加的、相乗的、統一的であるべきでしょう。その意味では、すべてのファシリテーション活動は本質的にはコンセンサス形成といえます。

コンセンサスプロセスの代表的特徴

多段階のプロセスで意思決定を行う場合でも、ファシリテーターがグループの意向を合意文にまとめる場合でも、いずれにしても、このプロセスには常に同じ代表的な特徴が見られます。

- たくさんのアイデアを共有している。
- 全員のアイデアを聞いている。
- アイデアを明確にするために、傾聴し、言い換えている。
- 互いのアイデアを積み上げている。
- 誰も事前に決められた解決策を押し付けようとせず、オープンで客観的な新しい候補を丹念に検討している。
- 最終的な解決策は、確かな情報に基づいている。
- 最終的な解決策に到達した際、人々は自分もその決定の一部を担ったという満足感を味わうことができている。
- 最終的な解決策が自分たちだけで選んだものでなくても、意見聴取をしてもらったや関われたと感じ、**「納得した」**と思えるようになっている。

意思決定が非常に重要であるため、コンセンサス形成が唯一の方法であるような解決策も多く存在します。グループ内の分裂を引き起こすような投票などの会議術を用いると、反対者はグループの重要な終了成果に対する責任を放棄することになります。このような場合、グループは、全員がその終了成果を受け入れたとの意思表示がなされるまで、その問題を議論し続けることに同意しなければならなくなるのです。

また、コンセンサスのための作業の最後に、全員が満足したか、全員が終了成果に同意したかを問わないことも重要です。コンセンサスとは、幸福感をもたらすものや完全な同

意のことではありません。どんなに素晴らしいコンセンサス形成プロセスの終わりでも、人々はたいてい譲歩し、望んでいたものをすべて手に入れたわけではないのです。

- **聞いてはいけないこと：**「全員賛成でよろしいですか。」「全員が満足したということで良いですか。」
- **代わりに聞くべきこと：**「十分に考え抜かれた成果を得られましたか。そしてそれは、誰もが受け入れることができて、全員で実行に取り組めるものですか。」

ファシリテーターの大きな役割の一つは、グループが反対者に圧力をかけて賛同を得ようとする誘惑を克服するように手助けをすることです。ファシリテーターは、意見の相違を率直に受け止めて議論することで、メンバーたちが客観的に検証された意思決定に到達するように手助けをすることになります。

コンセンサスは、みんなに幸福感をもたらしたり、みんなを100%の一致状態にさせたりすることではありません。その目標は、状況を鑑みて最善の行動展開策を示す終了成果を生み出すことです。

コンセンサスを阻むものを打開する

グループメンバーたちの中に、ある決定を支持したくない人がいることはよくあることです。このような場合、反対者に圧力をかけて譲歩させようとする誘惑に決して負けないで欲しいです。それは、「集団浅慮」[4]を助長することになるからです。

その代わり、反対者は、グループで見過ごされている重要なアイデアを持っている可能性があると考えましょう。これは、反対意見を認め、受け入れ、それを利用して意思決定を改善することです。そのためには、反対者が自分たちの懸念を具体的な言葉で表現し、その問題に対する解決策を見出す責任を負わせることが必要となります。

これは、次のような意見です。

「見解の相違があることに気づきました。」

「異なる見解は常に決定の質を高める可能性を秘めています。ですから、見逃されているかもしれないアイデアに注意深く耳を傾けましょう。」

「グループの決定に対してあなたが持っている具体的な問題点を教えてください。この決定の欠点は何だと思われますか。何が見落とされているのでしょうか。」

「グループの解決策にどのような変更を加えれば、あなたにとって受け入れやすいものになると思いますか。あなたが挙げた問題に対する解決策は何ですか。」

訳注4. 集団で考えることによって一人で考える際よりも優れた発想や結論が期待されますが、集団圧力により判断能力が損なわれ、好ましくない結論が導かれる傾向のことです。アメリカの心理学者ジャニス, I. L.によって提唱されました。

意思決定で気をつけるべきこと

- 用いるプロセスについて、前もって明確にしておきましょう。用いる手法や会議術を説明しましょう。
- 問題や組織の制約について、どのような想定や思惑に基づいて行動しているか、人々に尋ねてみましょう。それらの要点筆記を作成し、グループの他のメンバーと一緒にその想定や思惑を試してみましょう。
- 意思決定を伴う議論には対立がつきものです。常に積極的かつ協調的に相違点に向き合いましょう。仲良くなってもらって、対立を避けようとしたり、譲歩させようとしないでください。
- 重要なアイデアを持っていると感じている人がいたら、気後れしたり屈服したりしないように呼びかけてください。物事を円滑に進めるだけに全員が同意してしまうと集団浅慮に陥ります。これは、ただ終わらせることやみんなが友達のままでいられるように考えることで誤った決定を行うことになります。
- もし、その問題が重要でありグループでコンセンサスを作ることを選んだのであれば、たとえ困難な状況であっても、それを堅持しましょう。物事を簡単にするために、投票やコイントス、交渉などを始める傾向に陥るので注意が求められます。
- 決定した項目については、最後までやり遂げることにこだわりましょう。グループが他のトピックに移る前に、コンセンサスが作られたかを試してみて、物事が最終的に決定されたことを確認しましょう。
- 物事が「空回り」し始めたり、やることなすことが効果的でない場合は、行動を一旦停止します。そして、**「何がうまくやれているでしょうか。何がうまくいっていないでしょうか」「それに対して何が必要でしょうか」**と尋ねてみましょう。そして、すべての発案に対して行動を起こします。

7.8 効果的な意思決定のための振る舞い

決定プロセスをうまく機能させるのに、グループメンバーたちは特定の振る舞い方を求められます。意思決定を伴うセッションに先立ち、そうした振る舞いをグループに発案してあげたり、ルールとして生み出したりします。次の表を共有することで、グループの有効性を高める手助けができるでしょう。

役立つ振る舞い	妨げになる振る舞い
たとえ同意できない場合でも、他の人のアイデアを丁寧に聞き取ること	人の話を途中で遮ってしまうこと
特に、相手のアイデアに反論しそうな場合は、その要点を言い換えること	他の人が出したアイデアを認めないこと
他の人のアイデアを褒めること	他の人のアイデアを批判し、有益なフィードバックを与えないこと
他の人のアイデアに積み上げること	他の人からの情報を無視して自分のアイデアを押し通すこと
自分のアイデアを他の人に批評してもらい、その意見を受け入れること	自分のアイデアを評価されると、身構えること
代替案としての行動展開策を受け入れる姿勢を持つこと	自分のアイデアだけに固執し、代替案の発案を阻害すること
事実を取り扱うこと	感情に基づいた議論を行うこと
同僚に対して冷静で友好的であること	過度に感情的になり、意見の相違に対して敵意を示すこと

7.9 良くない意思決定の兆候、原因、対処法

グループが良くない意思決定をする場合、次のような兆候が見られることがあります。

兆候1：無目的な漂流と漫然とした議論が行われています。同じトピックが次から次へと出てきて、解決しません。グループが空回りしているように感じられます。

原因：決定に導くための計画またはプロセスがないのです。グループメンバーたちは、どの手法を用いるのかについて何の発想もなく、ただただ議論に突入してしまっています。体系的な進め方がないため、状況を十分に分析する前に解決策を提案し始めています。適切な情報がありません。誰もが自分の好きな解決策を俎上に載せています。誰も要点を筆記しません。解決策が決定的に同意されることはありません。詳細な行動計画が書き留められていないです。

対処法：グループが意思決定のための体系化された方法を必要とし、適切な意思決定手法を用いて、周りに惑わされずに断固としたファシリテーションを行いましょう。

兆候2：全体の心からの賛同が求められる重要な項目は投票で決め、些細なことはコンセンサスで決めています。

原因：決定のあり方を理解していないのです。グループは、5つの重要な決定のあり方と、

その使い分けが理解できていません。

対処法：5つの主な決定のあり方を理解し、意思決定の議論に入る前に、意識的にどのあり方を用いるかを決める必要があります。

兆候3：重要な決定をする際に限って、いつも時間切れになることがあります。

原因：時間管理が悪いのです。時間配分がなされていない、または計測されていません。重要な事項を処理するのに十分な時間を確保した詳細な進行案が作成されていません。そのため、重要度の低い議論に無駄な時間が費やされてしまいます。ミーティングの開始が遅れたり、長引いたりすることもよくあります。

対処法：毎回、ミーティングの前に詳細な進行案を作成する必要があります。議論の間、ファシリテーターはグループを軌道に乗せ、時間通りに進めるように周囲に惑わされることなく、断固とした態度を取りましょう。

兆候4：重要な議題がある際、人々は熱くなり、口論が激しくなります。誰も反対派の見解に耳を貸しません。誰もが自分の主張を押し通し、「勝とう」とします。一部のメンバーが場を支配し、他のメンバーが黙っていることに無頓着です。

原因：グループにおいてやり取りをする能力が不十分なのです。その場の人たちは立場を気にし、競争的です。誰も他の人が言っていることに耳を貸さず、ただ自分の主張を押し通しているのです。ファシリテーションが存在しないか、それが弱いのです。その結果、人々が互いのアイデアに基づいた相乗効果を発揮することができていません。このような対立的なスタイルは、人間関係を緊張させ、事態を悪化させるだけです。

対処法：グループの有効性に対する能力のトレーニングが必要で、それによって、よりよく聞き取り、支持をし、アイデア構築ができるようになります。ファシリテーターがいる場合は、話し合いを中断し、人の話を聞き取り、言い換えるようにすることを説明しましょう。話し合いが再開された際、ファシリテーターは、人々が互いの主張を認めていることを確認する必要があります。

兆候5：長時間の議論の末、問題が何であるか、制約や可能性は何かについて、誰もがそれぞれの微妙に異なる想定や思惑で動いていることが明らかになってきています。

原因：想定や思惑を確認していないのです。全員が状況について異なる見解を持っており、その見解に基づいて情報を提供しています。想定や思惑の内容が共有や試行のための対象として取り上げられることはありません。

対処法：本音を引き出す問いかけをし、メンバーが発する言葉の根底にある想定や思惑を明らかにしましょう。この質問は、状況、組織、または関係者に関連するものです。想定や思惑が明確になり、正当なものとして認められれば、メンバーは同じ枠組みで活動することになります。

兆候6：議論が堂々巡りになっているにもかかわらず、誰も事態を収拾するために行動を起こしません。

原因：プロセスチェックが行われていないのです。議論が行き詰まり、みんなが疲労をしているにもかかわらず、誰もタイムアウトをとって状況を把握し、立て直そうとしていません。これもまた、ファシリテーションの不在を反映しています。

対処法：ことあるごとに議論を中断し、物事がどのように進んでいるか、ペースは適切か、人々は進展していると感じているか、人々は正しい進め方が取られていると感じているか、などを尋ねましょう（第1章33〜34ページのプロセスチェックの議論を参照）。

資料7.2　決定の有効性に関する調査

チームの決定プロセスについて、匿名でご意見をお聞かせください。

1. みんなは下調べを徹底してやってきたか

1	2	3	4	5
まったくそうでない	そうでない	どちらともいえない	そうである	非常にそうである

2. トピックを取り巻く想定や思惑が明らかであったか

1	2	3	4	5
まったくそうでない	そうでない	どちらともいえない	そうである	非常にそうである

3. 決定プロセスの目標は明確だったか

1	2	3	4	5
まったくそうでない	そうでない	どちらともいえない	そうである	非常にそうである

4. 争点となる項目に対処するために、効果的な振る舞いを取ったか

1	2	3	4	5
まったくそうでない	そうでない	どちらともいえない	そうである	非常にそうである

5. 現状分析が徹底できたか

1	2	3	4	5
まったくそうでない	そうでない	どちらともいえない	そうである	非常にそうである

6. 生み出したアイデアは創造的で革新的だったか

1	2	3	4	5
まったくそうでない	そうでない	どちらともいえない	そうである	非常にそうである

7. 検討中の選択肢の評価は客観的でバランスが取れていたか

1	2	3	4	5
まったくそうでない	そうでない	どちらともいえない	そうである	非常にそうである

8. 最終的な解決策が誰もが納得できるものとして満足できたか

1	2	3	4	5
まったくそうでない	そうでない	どちらともいえない	そうである	非常にそうである

9. 行動に対する潜在的な阻害や障壁は十分に予測されていたか

1	2	3	4	5
まったくそうでない	そうでない	どちらともいえない	そうである	非常にそうである

10. 決定プロセスの質について総合的な評価点は高くつけられるか

1	2	3	4	5
まったくそうでない	そうでない	どちらともいえない	そうである	非常にそうである

次の意思決定を伴うセッションを改善するために何をしたら良いと思いますか。

（メモ）

■ 第8章 ■

対立のファシリテーション

ファシリテーターにとって、対立への対処を行うことは日常茶飯事のことです。次のようなシナリオを考えてみてください。あなたは重要なミーティングのファシリテーターであるとします。3つ目の議題に入るまでは、すべてがうまくいっていました。突然、2人のメンバーが口論を始めてしまいました。それぞれが自分の考えを押し通すので、誰もが聞く耳を持たなくなってしまっています。2人はますます感情的になり、他のメンバーたちは居心地が悪くなっていきます。議論は堂々巡り、どうすれば良いでしょうか。

初学者のために断っておきますが、意見の相違は、人間関係上のやり取りがある場では当たり前のことです。人々が口論しているからといって、ファシリテーターとしてのあなたの仕事ぶりが悪いというわけではないのです。しかし、このことは行動を起こしなさいとの呼びかけでもあります。ファシリテーターは、グループの有効性を取り戻すために力を尽くす必要があります。人々が争うのを傍観しているわけにはいかないのです。

8.1 討論と口論を比べてみよう

すべてのファシリテーターは、討論と口論の違いに目を向ける必要があります。健全な討論は当然不可欠なのですが、一方、度を越した口論は破滅への道です。

健全な討論では	度を越した口論では
→ みんなが他の人のアイデアを聞くことにオープンである。 → たとえ同意していなくても、その考えに耳を傾け、それに応じる。 → みんなが相手の見解を理解しようとする。 → みんなが客観的で事実を重視する。 → 状況を分析し、解決策を探すための体系的な進め方がある。	→ みんなが自分は正しいと思い込んでいる。 → 他の人が話し終えるのを待ってから話しはするが、その考えに反応することなく自分の考えを述べてしまう。 → 誰も相手が状況をどう見ているかに興味がない。 → 誰かが攻撃され、非難される。 → 意見のわかれる話題が、議論の組み立てがないまま論争され、決着にやたら時間がかかる。

健全な討論を行う会議術	度を越した口論を許してしまう会議術
→ 完全に中立的立場を保つ → 相違点を指摘し理解できるようにする → 人々が礼儀正しく聞くように主張する。ルールを決めてそれを使う → 互いのアイデアを言い換える → 懸念事項を尋ねる → 事実を重視させる → 懸念事項の問題解決をする → フィードバックを求め向き合う → 積極的にファシリテーションを行う → 総括をし、次に進める	→ 誰もが口論に参加する → 相違点を無視し、ただそれがなくなることを祈る → 人々が無作法であることを許し、ルールを設定しない → 誰も他の人の話をちゃんと聞いていないという現実を無視する → 重要課題を避ける → 個人的なことを言わせる → 防御的になる → 反対意見をつぶす → 受動的に傍観する → 話を長引かせる

ここで重要なヒントを教えましょう。対立について取り上げて書いているものの、グループの状況について、実際には「対立」という言葉を口にはしてはいけません。たとえ現実に起こっていることが「対立」と言う言葉に合致するものであっても使ってはいけないのです。対立は意味深な言葉です。また、立場の違いをより深刻に感じさせ、問題を悪化させる可能性があります。

そのため、代わりに、何が起こっているかを意識させない言葉を使います。「**対立があるようですね**」と言う代わりに、「**このテーマについて異なる見解があるようですね。一旦立ち止まって、それぞれの見解に耳を傾け、理解されているか確認してみましょう**」と言いましょう。このように扇情的でない表現にすることで、その立場の違いを通常のやり取りのように見せることができます。

8.2 対立を取り扱うためのステップ

対立を取り扱う際、知っておくべきこととして役立つのは、2つの独立した異なるステップで処理する必要があるということです。2つを混合したり、あるいは最初のステップを完了することなく次のステップに飛んでしまったりするのは、誰もが犯しがちな間違いであり避けるべきです。対立を取り扱うための2つのステップは次のとおりです。

ステップ1：ガス抜き[1]——相手の話に耳を傾けることで、相手に話を聞いていると感じさせ蓄積された感情を発散させます。人は、自分の気持ちを完全に吐き出すきっかけを得るまでは、解決策に進む準備ができないものです。

ステップ2：問題の決着——気持ちが押し出され、すべての異なる見解が聞き入れられ、認められたら、メンバーたちが問題に決着をつけるように手助けをします。つまり、グループメンバーたちが解決策に到達するように体系的な進め方をすることです。決着は、問題解決のための共同作業を通じてもたらされます。それは、メンバーたちが納得できる妥協点を見出すように手助けをしたり、一部のメンバーがその話題を一時的に避けるなどにより、感情が冷静になるための時間を確保できるように支援したりする作業です。それでは、これらのステップを詳しく見ていきましょう。

ステップ1：ガス抜き

次のような場合、ファシリテーターは人の感情を吐き出させる必要があります。

- 他の人の考えをまったく聞かずに、自分の見解を押し付ける場合
- 場にいる人が怒り、防御的になり、互いに個人主義的態度を取る場合

訳注1. 日本では，政府や行政の方針や計画、事業に対する市民の不満を吐き出させ、その方針や計画、事業をとどこおりなく進める策として使われ、否定的なニュアンスを伴うことがあります。その問題はここで指摘されているように、次のステップである「問題の決着」の段階をスキップすることにあるのです。

- にらみつける、指をさすなどの悪印象をもたらす所作が見られる場合
- 皮肉や見下したような批評をする場合
- 互いの考えを「そうはいうけれど（こうでしょう）」と批判し合う場合
- 人によっては、心を閉ざし、引きこもってしまう場合
- 極端な怒りが見られる場合

否定的な感情が目に見えて明らかな場合、ファシリテーターはその気持ちがグループ・ダイナミクスに影響を与えないように素早く行動する必要があります。対立が生じている場合にガス抜きをするためには次のような対応が考えられます。

- **応酬速度を遅らせる**：行動を中断し、ペースを落としてもらい、グループメンバーたちの注意を引きます。その言い訳として、みんなの話に対し要点筆記をすることが追い付かないという方便を使うこともできます。発言者に発言をやり直してもらい、重要なアイデアを再び言ってもらうように指示します。
- **完全に中立的立場を保つ**：あるアイデアやある人を支持していることをほのめかしたり、所作で示したりはしてはいけません。
- **言葉遣いに気をつける**：「口論」「対立」「怒り」といった含みのある言葉は使わないようにします。これらの言葉は事態を悪化させる可能性があるからです。
- **冷静さを保つ**：冷静沈着さを維持し、声を荒げないようにしましょう。平坦な声色でゆっくりと話します。感情的な所作を使わないようにします。
- **聞くように仕向ける**：重要な点を言い換えて、他の人の発言から何を聞き取ったかをグループに伝えてもらいます。
- **ルールを再確認する**：既存のルールに注意を向けさせ、みんなが以前に同意したことを思い出させます。健全な討論と口論の違いを質問し答えてもらい、どちらに取り組むと良いかを尋ねてみましょう。そして、健全な討論を可能にするためのルールを話してもらいます。これらの新しいルールを既存の一連のルールに追加します。
- **周囲に惑わされることなく、断固とした態度を取る**：レフリーモードに移行します。一度に一人ずつ話すように求めます。邪魔をする人がいたら制止しましょう。人が感情的になっている間、受動的に傍観してはいけません。
- **介入する**：効果のない振る舞いや度を越した振る舞いを無視してはいけません。振る舞いを正す介入をするための適切な言葉遣いについては、本章の後半の「介入する」の節を参照してください。
- **重要なアイデアを記録する**：重要な点を見失わないように、また、グループメンバーが同じことを何度も繰り返し口にするのを避けるために要点筆記を作成しましょう。グループを制御する力を取り戻したい場合は、いつでもこの要点筆記を読み返すことです。

- **次に進む許可を得る**：相手に自分の見解が聞き入れられ、認められたと感じたかどうかメンバーたちに尋ねてみてください。また、問題に決着をつけるために先に進む準備ができているかどうかも尋ねましょう。

聞く－共感する－明確にする－許可を求める－解決する

1. **聞く**：自分が同意できない点を耳にした際には口論するのではなく、相手の要点を聞きましょう。そして、相手の意見を邪魔しないようにして見解を共有させます。興味深そうにこう言ってください。
   - どうぞ、もっと話してください。それは面白いです。
   - ちゃんと理解できたか心配です。もう一度教えてもらえますか。
2. **共感する**：たとえ同意できなくても、相手の見解を受け入れます。相手の気持ちを理解していることを伝えましょう。その際は、こう言ってください。
   - あなたがそう感じることは仕方がないと思います。言いたいことはわかります。
   - あなたがどんな風に感じているか理解できます。私もきっと、……だったら同じように感じると思います。
3. **明確にする**：相手が言っていることを明確に理解するために、深く掘り下げましょう。
   - ご発言が正しいかどうか確かめたいのですが、おっしゃられたいことは……ということですか。
   - ……ということで合っていますか。お話しされている考えは、……ということでよろしいですか。
4. **許可を求める**：相手が懸念のすべてを表明し、明確に理解されたと感じた後で、自分の立場を伝えます。その際は、こう言ってください。
   - 今、みなさんの見解を理解したので、今度は私の見解を説明しても良いですか。
   - みなさんが述べていないいくつかの点をお話しするのに良いタイミングかと思います。
5. **問題に決着をつける**：互いの意見を聞き終えたら、今度は一緒に問題に対処し始めることになります。

ステップ2：問題の決着

感情が吐き出され認められたら、根底にある問題に対処するために、次のような5つの基本的な方法があります。

1. **回避**：メンバーにその問題をいったん保留し、後で対処するという選択肢を提示します。ただし、回避することは何の解決にもなりません。

2. **個人的譲歩**：双方に、どちらか一方が相手の考えを受け入れ、譲歩することができないか尋ねてみます。

3. **集団的妥協**：それぞれの元々の立場から要素を汲み取り、合わせた中間的な立場をメンバーが創り出せるように手助けをします。このことは、各人が元々望んでいたことの一部を得るために、他のことはあきらめてもらうという決着の形のひとつです。

4. **競合**：一方の立場の者たちが勝利するまで討論する対立決着の形のひとつです。結果として、勝者と敗者が生じることになります。

5. **協調**：両方の立場の者が一緒に問題や難局を打開する方策を探すやり方です。両者は事実の分析を受け持ち、解決策を提案します。解決策を選ぶ基準を共同で洗い出し、行動を実行する支援に同意することになります。その結果、全員が納得し、解決策が得られ、win-winの感覚がもたらされます。

8.3 対立のための5つの選択肢：長所と短所

前述のそれぞれの方法は、特定の状況で機能します。ファシリテーターは、それぞれを理解し、状況に合ったものを選択する必要があります。

1. **回避**：対立を回避した場合、何も解決されません。しかし、用いるのが正しい場合もあり、それは渦中の問題が非常に些細な場合、解決できない場合、あるいはグループの完全なlose-loseの状況になる場合です。回避は、問題に取り組む前に人々に落ち着く機会を与えるための、賢明な暫定的な手立てになる場合もあるからです。

   回避の主な逆効果は、問題に決着がつかず、解決策を見出すための創造性が発揮されないということにあります。その結果、問題は膿み、後々まで尾を引くことになります。回避も時に必要ですが、回避しすぎるとかえって非効率になります。

2. **個人的譲歩**：これは問題を解決するというよりは、波風を立てないことを目指した社会的対応です。このやり方では、ただみんなが仲良くなってもらったり、反論している一方の立場の者たちに譲歩してもらったりすることに留まります。

   個人的譲歩が適切な方法となる状況は、ある一人がその問題にほとんど興味がなく、他の人たちは深く気にかけているような状況です。また、問題を追及した結果、一方が間違いであるとわかった場合にも、このやり方が適しています。このやり方は、家族などの集まりで、正しい答えを見つけることよりも、寛容さや礼節を重んじる場合に最も適しています。

   個人的譲歩の逆効果は、波風を立てないために、根底にある問題が未解決のままよく放置されることです。

3. **集団的妥協**：これは、2人または2つのグループが強い立場を常態的に表明している場合に用いられるもので、対立に対処するための仲介的なやり方です。どちらの立場の者も他の立場を受け入れることができないと考えるため、中間の中立的な選択肢を考案する必要があります。

集団的妥協の良い点は、その結果に解決策をもたらすことです。問題は、両者が何か他のことを得るために、あるものを諦めなければならないことにあります。また、妥協のプロセスは敵対的になりがちです。自分の欲しいものがわかっている場合、自分の提案の一部を諦めなければならないと人は不満に感じるものです。

集団的妥協の果てに、人は勝ちもせず負けもしなかったような両義的な感情を持ちます。また、提案の重要な要素をあきらめたことに憤りを感じることも多いため、相手に対して否定的な気持ちを抱くこともあります。妥協は、**「我慢しなければならない！」**といった気持ちを抱かせます。

4. **競合**：競合は、相手から勝ちを得るために、自分を守り、自分の見解を討論する手立てです。競合は、スポーツや戦争など競い合うことが明らかに定義されている場面でなされます。

   このような状況では、勝者は敗者の気持ちを気にすることはありません。競合は闘争的で敵対的であるため、ファシリテーターは問題を解決するためにこのやり方を決して用いないものです。

5. **協調**：この方法は、グループがコンセンサス形成に努めるためのものです。問題を挙げて、グループメンバーたちが現状の事実を分析し、創造的なアイデアを出し、可能性のある解決策を客観的に整理し、行動展開策に同意します。

   協調とは、みんなが協力して問題を丹念に検討し、全員のアイデアの結果としての解決策を生み出すように手助けをすることです。傾聴し、互いの要点をもとに話を進めます。解決策は、ブレーンストーミングのような非競争的なプロセスによって生み出されます。最善の行動展開策は、利用可能な選択肢に対し、一連の基準を適用することで決定されるのです。

   協調した最後には、誰もが自分の意見を聞いてもらえたと感じ、最終的な手立てに自分の考え方が反映されていると感じることができるものです。最終成果は、誰かが一人で決めたものとは異なるかもしれませんが、メンバー全員が自分は発言したと感じることができます。協調は、win-winのために協力することに重点を置くため、コンセンサスを作り出せます。協調によって決着がついた対立の終わりには、その解決策についてみんなは、**「これなら納得できる！」**と感じます。

   協調の主な欠点は、非常に多くの時間がかかるため、取るに足らない問題の場合には、エネルギーの浪費になるかもしれません。

5つの選択肢の実際

次のような対立状況を考えてみましょう。

フレッドとビルは、導入予定の新しいソフトウェアについて、コンピュータ教室での研修を行うかどうかについて話をしていました。そのうちに話が非常に白熱してきました。

フレッドは、人々がシステムを直接操作する時に、実際の職場で手取り足取り教えることが望ましいと考えています。2日間のコンピュータ教室での研修は、コストがかかりすぎますし、社員が長時間仕事から離れることになると考えているからです。

ビルは、新システムは複雑すぎて、職場で学ぶには無理があり、試行錯誤をしながら学ぶと間違いが多くなると反論しています。

では、対立に際して取られる5つの選択肢をそれぞれ用いて、取りうるファシリテーターの対応を考えてみましょう。どれが効果的でしょうか。また、効果的でないものはどれでしょうか。それはなぜでしょうか。

回避を用いるファシリテーター

- 二人とも行き詰まってしまったようですね。残りの時間で他のことを話し合いましょう。

個人的譲歩を働きかけるファシリテーター

- ビル、フレッドは部下をいつまでも休ませるわけにはいかないと言っています。スタッフのほとんどは彼の部署にいるので、教室での研修案は忘れてもらえないでしょうか。

競合することを助長するファシリテーター

- どちらかが正しいとわかるまで、討論を続けてはどうでしょうか。

集団的妥協を発案するファシリテーター

- 両方の方法を掛け合わせたメニューはないでしょうか。

協調術を用いるファシリテーター

- すべての事実をもとに検討しましょう。仕事の内容や時間的なプレッシャーはどうなっていますか。相手はどのようなスキルを求めていると考えられますか。研修のために考えられるすべてのメニューは何でしょうか。最適なメニューにはどんな特徴がありますか。どのメニューがその基準に合致しそうでしょうか。最適な行動展開策は何か挙げられますか。

5つのシナリオを提示しましたが、おわかりになったでしょうか。

回避は、問題に対処できません。	→ 問題に決着がつかない場面で用いること（10％）。
個人的譲歩は、単に物事の体裁を繕います。	→ 波風を立てないことが解決策を見つけることよりも重要である場面でのみ用いること（5％）。
競合は、グループを分断し、勝ち負けを生みます。	→ ファシリテーターは人を競わせてはいけない！ 適用できる場面はない（0％）。
集団的妥協は、中道を探し出します。	→ 二者択一を迫られた際、その場面で用いること（20％）。
協調は、すべての人にとって最適な解決策を見出すために、人々が協力し合います。	→ これは、すべてのファシリテーターのためのナンバーワンの望ましいやり方です。すべての対立状況の場面で用いること（65％）。

協調は、人々が協力して、誰もが納得できる解決策を客観的に模索する働きかけです。協調は、コンセンサスに基づくものであるため、団結して解決策は生み出され、実行することに全員が積極的に行動するべきと感じるものです。これは、ファシリテーターにとって優れた対立処理の選択肢でしょう。

協調の根底にある前提

協調は、ミーティング中に問題が解決する優れた方法ですが、終了成果をうまく出すためには、いくつかの条件が揃っている必要があります。それは次のような条件です。

- メンバー同士が心を開き、必要な時に支え合うことができる十分な信頼関係があること
- win-winの解決策に向けて努力する前向きな意思をメンバーたちが持っていること
- 適切な判断をするための情報がメンバーたちの手元にあること
- メンバーたちに意思決定をするための時間があること
- そのトピックが、時間をかけるに値するほど重要であるとメンバーたちが考えていること

8.4 対立処理ルール

セッションが険悪になる可能性があると予想される場合や、過去に混乱するミーティングがあった場合、対立する状況に特化した新しいルールを作成することが重要となります。他のルールと同様、これらのルールは、メンバーたちによって作られるのが最善です。これらのルールは、セッション開始時に設定することも、現状評価段階でのインタビュー時に設定することもできます。議論のきっかけとして、次のように尋ねてみましょう。

- 深刻な意見の対立に陥った場合、この場はどのような振る舞いやルールに順守すれば良いでしょうか。
- この場で白熱した口論をするのではなく、健全な討論をするためには、どうすれば良いでしょうか。

対立状況に的を絞ったルールの例としては、次のようなものがあります。

- 一度に一人しか発言しない。
- 話す際は互いの顔を見る。
- 常に相手の正当な指摘を認める。
- 他の人のアイデアに積み上げる。

- どんなアイデアでも否定せず、まずは検討する。
- 一部の人だけでなく、すべての人の意見を聞くようにする。
- 感情的にならない、口論を仕掛けない、個人的なことは言わない。
- 個人攻撃はしない。
- 状況が熱を帯びてきたらタイムアウトを取り、状況がどのように行われているかを確認する。
- 個人的な見解を押し通すのではなく、体系的手法で問題を解決する。
- グループが前に進むよう、前向きに周りに合わす。

8.5 フィードバックのやり取り

どのファシリテーターもフィードバックが必要となる状況に遭遇することがあります。ミーティングが長引いている、休憩が必要である、グループがミーティングに流れる空気感と向き合う必要があるなど状況はさまざまです。しかし、フィードバックを管理・運営することは、ファシリテーターにとって重要で責任ある仕事です。フィードバックでは、グループの議論を中断し、どのように進んでいるかの現状評価を行います。フィードバックの内容は次のとおりです。

- ミーティングはどのように進行しているか
- メンバーたちは節度ある振る舞いをどの程度行っているか
- 目標は達成に向かっているか
- 意思決定がどのように行われているか
- ファシリテーターの働きはどうか

良いフィードバックの一般的な原則

フィードバックは、常に建設的であるものとして意図されなければなりません。目標は、現在の状況やパフォーマンスを改善することであり、決して批判したり人を怒らせたりすることではありません。フィードバックを与える組み立ては、この肯定的な意図を反映したものになります。どのような形でのフィードバックであっても、次のような一般的な原則が常に適用されます。

- **相手を評価するのではなく、その場を描写すること**：気づいたこと、起こったことを伝えます。相手について個人的なことを言うのは避けます。
- **一般的なことではなく具体的であること**：何が起こったかを正確に言葉で描写し、印象ではなく、事実をフィードバックの基礎とします。

- **フィードバックを押し付けるのではなく、願い出ること**：個人相手にフィードバックを与えて良いかどうかを尋ねます。相手がノーと言った場合、タイミングが悪いと考え、尊重します。より都合の良い時を決めるために協調します。
- **タイミングを見計らうこと**：フィードバックは、状況が言葉で描写された後、できるだけ早く行うべきです。
- **変えることができることに焦点を当てること**：その人が実行できる改善策を発案します。
- **フィードバックを確認すること**：自分の理解が的確で公平であることを確認します。相手に確認するか、あるいは他の人たちに確認し、状況の判断を誤らないようにします。
- **思いやりを示すこと**：相手を助けようという前向きな意図でフィードバックを提示します。

フィードバックのパターン

フィードバックには、さまざまなパターンがあります。この本には、いくつかのパターン例が掲載されていますが、手始めにその一部を紹介します。次のようなパターンです。

- 休憩時間にアンケートを配り、メンバーたちに記入してもらいます。そして、分析と行動計画を立てるために、その結果をグループに共有します。
- 選択した質問を掲示し、メンバーたちに各項目を採点してもらいます。そして、その結果について議論し、評価の低い項目については解決策を模索します。
- 「どのようなことがうまくいっているか」「さらに効果的になるにはどうしたら良いか」などの質問に対して、グループメンバーたちから書面でフィードバックをもらいます。
- フォースフィールド分析を用い、うまくいっていること、うまくいっていないことを表面化させます。そして、うまくいっていないことはすべて、グループで対処策を考えます。
- メンバーに、シンプルにもっとこうしたら良いという具体的発案をしてもらいます。

フィードバックプロセスの8ステップ

ミーティングに出席している際、誰も本当の問題を議題に出していないと想像してみましょう。誰もが他人行儀で、グループの問題に決着がつかなそうです。このような場合、参加者がその問題に決着をつけて次に進めるようフィードバックを与える必要があります。ファシリテーターは一旦行動を止めなければなりません。直接的にフィードバックをするのは決して簡単なことではないので、適切な言葉を用いて、次に示すステップに従って進めるのが良いでしょう。

ステップ1：フィードバックの許可を得る

許可を得ることで、フィードバックを聞くのに悪いタイミングかどうかを告げてもらい、相手が慎重に注意を払う準備ができているかを確認します。許可を得ることは、あなたがフィードバックを行うつもりであることを示す方法です。

「今からこのミーティングを中断して、みなさんに聞いて欲しい情報を提供したいのですが、よろしいですか。」

ステップ2：観察していることを具体的に言葉で描写する

観察したことを明快かつ具体的に言葉で描写します。一般化したり、誇張したり、感情的な説明をすることは避けましょう。

「半数以上の皆さんと面接をした際、このチームが直面している最も深刻な問題として、一部の人の頑張りが足りないということが全員から挙げられていました。2時間もチームの問題について話しているのに、誰もこの問題に触れていません。」

ステップ3：自分たちの行動の影響について伝える

個人、プログラム、部署への影響について言葉で描写します。客観的に伝えることに努め、個人的なことを言わないようにします。非難することは避けましょう。現状における事実に留めることが大事です。

「頑張りが足りない人の問題に触れないようにしているため、この議論は、チームの最も深刻な問題に決着をつけられない可能性が高いです。」

ステップ4：相手に説明する機会を与える

傾聴し、身振り手振りを交えて注意深く、要点を言い換えます。

「この問題が議論されないのは、あまりにデリケートな問題のため、みんなが互いの気分を害することを心配するからだと、あなたは言いたいのですね。」

ステップ5：他者からアイデアを引き出す

全体を解決すべき問題としてとらえます。相手にアイデアを出すように促します。思い出してください。人は自分たちのアイデアを実行する可能性が高いのです。自分たちで対応策を出せれば、それはより望ましいことでしょう。自己改善の努力を支援しましょう。

「安心してこの問題を議論できると思うには、どうしたら良いと思いますか。どんなガイドラインがあれば、必要とされる安心感を得られますか。」

ステップ6：改善のための具体的な発案を提示する

状況を改善するような発案をします。可能な限り、他の人が発案したアイデアに積み上げます。

「みなさんが考え出したガイドラインはすばらしいと思います。どうしたら配慮をしながらこの問題に取り組めるか、いくつかのアイデアを追加したいと思いますが、良いですか。」

ステップ7：要約し、あなたの支援を表明する

やる気をなくさせることは、パフォーマンスを向上させることにはなりません。励ましの言葉をかけ、気楽で明るい雰囲気で終わらせることは、パフォーマンスを向上させることにつながります。

「この難しいテーマに取り組んでくれたことに感謝します。」

ステップ8：フォローアップをする

フィードバックのための議論の最後には、必ず明確な行動ステップを確認します。そうすることで、これまで述べたステップを後で繰り返す必要がなくなります。

「1時間程度後にミーティングを止めて、本当の問題に取り組めているか、設定したガイドラインが機能しているかを点検したいと思います。」

フィードバックの言葉

ここでは、あなたのツールキットに追加することができるいくつかのフィードバックの言葉を紹介します。

フィードバックの口火を切る言葉

「……についての情報提供をしたいと思います。」

「……について心配があります。」

「みなさんが興味を持ちそうな情報があります。」

「ご関心があれば、発案させていただきます。」

フィードバックの際の文言の例

「……する代わりに、……した方が良いと思います。」

「あなたが忙しいのはわかってはいますが、……が必要です。」

「あなたが……すると、あなたが…している／していないと感じます。」

「……を努力するのではなく、……を試みることを提案したいのです。」

「普通は」や「通常は」といった言葉は、意図した以上に強調されたり、否定的な反応を呼び起こす恐れがあるため避けます。「なまけてる」「軽率だ」「ずさん」など、個人の特徴を表す断定的なレッテルは用いないようにします。その代わり、その人がいつ何をしたのか、例えば、締切に間に合わなかった、決定に際して意見聴取をしなかった、部屋を散らかしたままにしていた、などの具体的な内容を提示することにします。また、振る舞いを正させる際に「〜すべき」という言葉を使うのは避けましょう。代わりに、「〜はどうかな」「〜をやってみたら」「あなたに〜をやってもらいたい」のようなフレーズを試してください。

フィードバックを受けるためのヒント

フィードバック作業に参加したことがある人は、特にフィードバックを受ける側の人間にとって、その作業がどれほど難しいことかわかっていることでしょう。そこで、参加者が身構えることなくフィードバックを受けられるよう、その方法を教えてあげましょう。次のようなコツを伝えてあげてください。

傾聴すること

- 話し手とアイコンタクトを取ります。話の内容を理解するために、本音を引き出す質問で問いかけます。

感情的にならないこと

- 深く呼吸をします。深く座ります。リラックスした姿勢を取ります。声の大きさを低く抑えます。ゆっくり話します。

防御的にならないこと

- それは、あなた個人を標的にしたフィードバックではないです。相手の見方を理解した上で、自分の言い分を伝えます。納得のいかない点は、詳しく尋ねます。

客観的な意見を受け入れること

- すべての発言に同意できない場合でも、良いアイデアもあるので、それを受け入れます。このことは、相手の見方を尊重することでもあります。

改善するために努力すること

- 観察したことに対して異議を唱えるよりも、改善策を見出すことにエネルギーを注ぎます。解決策を見つけるための負担をすべて相手に押し付けてはいけません。自分なりのアイデアを出すことです。

8.6 介入する

ワークショップやミーティングでは、ファシリテーターが介入しなければならない場合があります。介入の定義は、「グループの機能を向上させるために意図的に行われる行動または一連の行動」です。

これは、次のような状況で必要になることがあります。

- 他の出席者を無視し、二人が内輪だけで通じるような話し合いをしている場合
- 話を遮り互いの話の点を聞かない場合
- みんなが過度に感情的になっている場合
- 議論が行き詰まる、あるいは脱線する場合

介入とは、参加者に鏡をかざすようなもので、参加者が自分たちのしていることを見て、問題を修正するためのステップを講じさせます。その長さや複雑さに関係なく、介入というのは物事に割って入る行為です。あなたは、タスクに関する議論をやめさせ、プロセスのある側面にメンバーたちの注意を向けさせます。この行為は議論の流れを中断するものであるため、できるだけ早く済ませ、メンバーたちがタスクに戻れるようにする必要があります。

介入は、個人、2人、あるいはグループ全体が理由で必要となることがあります。グループでは、一般に、メンバー全員が巻き込まれる状況を経験することがあります。例えば、全員が携帯端末を見ていて、議論に注意を払っていない場合や、疲れてボーッとしている場合などです。

ファシリテーターは、介入するかどうかを慎重に判断する必要があります。問題があるたびに介入すれば、頻繁に中断をすることになりかねません。それよりも、繰り返される不適切な振る舞いで自分たちでは解消できないものを注意深く目配りすることが重要です。それらは、介入すべき事柄だからです。

介入するかどうかの決定

次に掲げたのは、介入することが望ましいかどうかを決定する際の自分への問いかけです。

- その問題は深刻か。
- 自然に解消するか。
- 介入にはどれくらいの時間がかかるか。その時間はあるか。
- 介入することで、どの程度の混乱が生じるか。
- 人間関係やミーティングの流れにどのような影響を与えるか。
- 介入によって、場の雰囲気が損なわれたり、誰かの自尊心が傷つくことはあるか。
- 介入がうまくいく可能性と失敗する可能性はどの程度あるか。
- 介入するのにこの人たちを十分理解しているか。
- 介入するのに十分な信頼性を持たれているか。

- 介入するのにこの人たちの開放性と信頼のレベルにおいて介入することは適切なことか。

最後に、もし何もしなかったらどうなるのか、自分に問いかけてみてください。もし、その答えがグループの有効性を低下させるものなら、あなたは行動を起こさなければならないことになります。

8.7 介入のひと言

介入は、状況を悪化させる可能性があるため、常にリスクを伴います。このため、介入には慎重な言葉遣いが求められます。介入するためのひと言には、一般的に、3つの明確な表現の仕方があります。

- **介入表現1**：見たものを言葉で描写する。このことは判断をするものではなく、動機を特定するものでもありません。実際の出来事の観察にのみ基づいています。例：「**気づいたのですが、進行案にないトピックになっています**」。
- **介入表現2**：影響度に関するひと言を言う。メンバーたちの行動が自分たちにどのような悪影響を及ぼしているか、懸念を表明します。例：「**他のトピックに手が回らないのではないかと心配しています**」。
- **介入表現3**：効果のない振る舞いを正させる。これは次のようにして行うことができます。

　(a) メンバーたちに何をすべきか伝えます。例：「**この話し合いを終わらせて、進行案に戻る必要があります**」。あるいは、(b) メンバーたちに発案を求めます。例：「**進行案に戻るには何が必要ですか**」。

介入表現1は、効果のない状況を認識させるために切り出すきっかけを与えるひと言です。このひと言を言っても状況の解消には至りませんが、残りの介入のための段階を設定するために重要です。

介入表現2は、介入を行う根拠となる懸念を表明します。影響度に関するひと言は、介入の対象となる人への懸念を表明する場合に最適です。影響度に関するひと言が、何らかの形で非難したり、状況を悪化させたりするようであれば、介入から省くことができます。介入表現1と同様、影響度に関するひと言は状況を解消するものではありません。

介入表現3は、場の状況を方向転換させるため、介入における最も重要なひと言です。このひと言で状況が解消します。これは、差し障りなく相手に何をすべきかを伝える、あるいは状況を改善するための発案を求めるという形で行われます。

介入する際は、これらの3つのすべての介入表現、介入表現1と介入表現3、介入表現2と介入表現3、または介入表現3のみ、という用い方ができます。肝心なのは、介入表現3、つまり場の状況の方向転換は常に生じるということです。

伝える vs 考えさせる

介入には、ファシリテーターが相手に何をすべきかを伝える場合と、相手に考えさせる場合があります。介入を行う際には、次のルールを覚えておいてください。

- 相手は自らの介入であれば受け入れる可能性が高いため、伝えるよりも考えさせる方が常に良いこと
- グループが成熟した責任ある行動を取れば取るほど、伝えるよりも考えさせる方が効果的であること
- 個人が度を越した振る舞い、あるいは成熟度の低い振る舞いを行っている場合は、指示的介入あるいは指示を伝えてやらせることが適切であること；このような人たちに対しては、考えさせるだけでは効果的な反応を引き出すことはできないこと

具体的状況に応じた言葉遣い

効果的な介入をするための鍵は、批判的に聞こえたり、誰かを貶めたりしないような、極めて差し障りのない言葉を使うことです。次に示す例はすべて、罰するのではなく、支援するように聞こえるよう、非常に差し障りのない言葉遣いになっています。このコミュニケーション術に圧倒されないでください。難しく思うかもしれませんが、日常的に起こる度を越した行為は、実はそんなに多くはありません。ありそうな状況を書き出して、常に使う3つ程度の文章を作り、それを記憶しておくだけで良いのです。そうすれば、とっさに対応できるようになります。

- **二人が隣同士で雑談をしている場合**

  「アラン、スー、陰で議論していては、良いアイデアがあっても、他の人が聞き逃してしまいます。この場の議論に戻ってくださいませんか。」

- **人々がミーティングを無断で出たり入ったりする場合**

  「何人かの人が無断で出たり入ったりしていますね。流れを乱しているのではと心配です。どうしたら良いでしょうか。」

- **一人が自分の主張を何度も繰り返す場合**

  「あなたは同じ主張を何度もしていますね。一旦、こちらでアイデア留め置き場所に記録しておきます。そうすれば、何度も言わなくて済みますから。」

- **一人が議論を支配している場合**

  「ジョー、多くのアイデアを共有してくれるのは構いませんが、他の人の報告が聞けなくならないか心配です。これまでに共有した最も重要なアイデアをまとめてみてくれませんか。

- **二人の人間が言い争いをしていて互いの話を聞いていない場合**

「あなた方はそれぞれ自分の主張を繰り返しているようですね。そのことは、互いの考えをちゃんと聞いていないことではないかと心配しています。もう一度やり直して、今度はあなた方それぞれが相手の言っていることをどう考えているのかを共有しましょう。」

● **ミーティングがすっかり脱線してしまった場合**

「今、進行案に載っていないトピックについて議論していることを指摘しておきます。このままでは、みなさんが他のトピックに移れないのではと心配です。このトピックの議論を続けますか、それとも留め置きしておきましょうか。」

● **誰かが皮肉に物事を言う場合**

「エレン、あなたのアイデアが伝わっていないのではないでしょうか。その声のトーンが原因かもしれません。もっと中立的な言い方で、もう一度あなたの意見を聞かせてください。」

● **ある人が他の人のアイデアを貶める場合**

「ジョー、君はキャロルのアイデアの短所を挙げていますが、君の本領がこの場で発揮できているでしょうか。キャロルに彼女のアイデアの長所を教えてあげるか、彼女の提案をより良くするための何か良い発案を示してあげられないでしょうか。」

● **誰かが他の人に個人的な中傷を浴びせた場合**

「ジム、サリーがいいかげんと決めつけるのではなく、彼女がその状況に対処できるように、彼女がセッションで使用した後の会議室の状況について具体的に伝えてあげましょう。」

● **ミーティングが停滞した場合**

「しばらく何も書いていないことに気がつきましたが、これはミーティングが停滞しているのではないでしょうか。どうすれば、議論が進むでしょうか。」

● **グループ全体が疲れ果てているように見える場合**

「みんながうつむいていて、この場があまり進展していないことに気がつきました。これはどういうことなのか、どうすれば良いのか、思いつくことを教えてください。」

ルールに基づく介入

ルールを作る理由のひとつは、非効果的な振る舞いに対処するために用いることができるからです。グループメンバーたちが自分たちで決めた約束を破った際、そのルールを介入の根拠として使うことができます。

次に掲げたのはその例です。

● **人々がミーティングに無断で出たり入ったりする場合**

「この時間、何人かの人がミーティングを抜け出したようですね。先ほど決めた約束を破っているのではありませんか。ミーティング中に無断で出たり入ったりしないというきまりを思い出してください。」

● **人々が互いに話し込んでいる場合**

「一度に一つの話し合いしかしないという約束を破っているのではありませんか。他の人が話している間は邪魔をせず、傾聴することに同意したことを思い出してください。」

● **人々がノートパソコンや携帯端末を取り出す場合**

「何人かの人がメールを打っているのが気になります。先ほど決めた約束を無視しているのではありませんか。休憩時間まで控えてください。」

● **メンバーたちが自分たちのルールを無視している場合**

「みなさんが決めたルールをいくつも無視していませんか。一度立ち止まって、先週作成したルールを見てみましょう。どのルールに注意を払い、またどのルールに従って進める必要があるでしょうか。」

所作への介入

人は常に非言語的なコミュニケーションを取るものです。腕組みをしたり、目を丸くしたり、困惑した表情をしたりすることがあります。ファシリテーターは、非言語的コミュニケーションについて介入し、相手が自分の投影しているものを表現する手助けをします。

所作への介入は、すでに介入の言葉遣いのところで述べたように、三段介入モデルのバリエーションで、次のようなステップで進めます。

- **ステップ1**：あなたが見たものを言葉で描写します。
- **ステップ2**：それが何を意味するのかを尋ね、選択肢を提示します。
- **ステップ3**[2]：場の状況を方向転換させるために、差し障りなく何をすべきか伝える。

次に掲げるのはその例です。

「顔をしかめるのが見えたけれど、何か意味がありますか。この場で何か見落としがありますか。それとも何か納得のいかないことがありますか。」

「あくびをしている人が何人かいましたが、その理由が気になります。休憩が必要ですか、それともペースを上げるべきでしょうか。」

「戸惑いの表情が見えましたが、何か意味がありますか。今議論していることにわからない点がありますか。それとも、誰かの発言に対して何かもっと聞きたいことがありましたか。」

訳注2. 訳者が文脈から挿入しました。

介入することは簡単ではありませんが、必要不可欠なことです。非効率的な振る舞いが横行する中、ファシリテーターはただ傍観しているわけにはいきません。重要なのは、介入の際に用いる言葉を習得し、あなたのコメントが批判的・懲罰的ではなく、支援的・有益なものになるようにすることです。

人の目のない場所での介入

ある人が、特に上級管理職であったり、情緒的に影響を受けやすい人であった場合、その相手に人前で介入することは危険です。場合によっては、相手を脇に引き寄せてフィードバックを行った方が良いこともあります。残念ながら、効果性が低下した人のために休憩を取って回復するのを待つことは不可能です。

そのため、すべてのファシリテーターは、差し障りのない言葉で介入する技を習得する必要があります。実際、三段介入モデルは、話しかけられている人への懸念を述べることに重点を置きながら、場の雰囲気を損なわないように丁寧に組まれています。

もう一つ重要なことは、たとえ現場から離れて介入する場合でも、先に述べた3ステップの表現を用い行うべきだということです。このモデルを用いることで、みんなの前で介入する場合でも、人の目のない場所で介入する場合でも、肯定的な雰囲気を保つことができるからです。

沈黙を利用する

対立処理について議論する際に言及しなければならないコミュニケーション術のひとつに、沈黙の利用があります。異なる見解の調停をする場合、部屋にある程度の静寂を与えることが非常に有効な場合があります。これは、2つの立場の者たちがそれぞれの見解を共有した後に導入できます。この場合、ファシリテーターは次のように言えるでしょう——「さて、主要な点をすべて聞いたところで、各自が今話されたことを振り返る時間を2分ほど持ちましょう」。

そして、1分間下を向かせます。その後沈黙を破り、発言の再開を認めます。

沈黙はその場の空気を落ち着かせるので、対立の場面で役立つ術です。相手は呼吸を整え、考えることができます。また、あなたが状況を管理し、何か計画を持っていることをグループに示唆します。これは、あなたへの信頼を植え付けます。

具体的かつ建設的な提案で沈黙を破ってみましょう。この提案の例としては、どのような行動展開策を取るのが最善なのか、その判断基準をメンバーたちで洗い出すことを仕掛けることなどがあり得ます。

8.8 抵抗への対処

現代の忙しい職場では、仕事量の多さにストレスを感じることがあります。このような状況では、人々は自分の仕事量を増やすような活動に参加することに抵抗を感じるかもしれません。ファシリテーターは、このことを常に意識し、表立った抵抗にも隠れた抵抗にも対処できるような手立てを用意しておかなければなりません。

グループがファシリテーションの取り組みに抵抗する理由は次のようにさまざまです。

- ミーティングのタイミング、または場所が悪いといった可能性がある場合
- 参加者がミーティングについて十分な通知を受け取っていない可能性がある場合
- ミーティングのトピックが参加者のニーズを反映していない可能性がある場合
- セッションの結果、参加者が追加作業が発生するのではないかと心配してしまう場合
- ミーティングの結果、何も起こらないのではないかと懐疑的になってしまう場合
- 自分のアイデアが組織から支持されないのではと心配してしまう場合

このような抵抗は、率直な意見を言う人が声を上げ懸念を吐き出すと、表面化することがあります。また、あるときは、あまり表面化せず、否定的な所作や欠席で表出されることもあります。

抵抗に対処する方法には、正しいやり方と誤ったやり方があります。誤った方法で対処すれば、抵抗はさらに大きくなってしまいます。逆に、正しいやり方を選べば、抵抗は対処できるものです。

抵抗への対処に慣れるために、次のシナリオを読んで、対応の違いによって、何が良いのかを見分けられるかを考えてみましょう。

抵抗のシナリオ 1

ある人はこう言います――「前回、静養所で2日間の研修合宿を行ったが、その後何も起こらなかったし、決定されたことはすべて忘れ去られてしまった。プロジェクトはサポートされなくなった。こういうのは時間の無駄じゃないか！」。

その際、次のように言うのは間違いです――「さて、私たちはこうして今ここにいて、あなた方はそれぞれこのプロジェクトを行うために選ばれたわけです。上層部は君たちに期待しているのです。組織はままならない厳しい場所であることを受け入れなければならないでしょう。引き返している場合ではないのです」。

抵抗に対応するための正しいやり方は次のとおりです。

A. あなたはこう尋ねるべきです――「なぜそのように感じるのですか。過去に何があったのですか。それはあなたにどのような影響を与えたのですか」。

B. 話を聞き重要な点を言い換え、次にこう尋ねましょう――「今回、あなたが進んで参加する理由は何ですか。どのような状況であれば、あるいはどのような保証があれば、この議題を進めることを検討しますか」。

抵抗のシナリオ 2

ある人はこう言います――「このミーティングは時間の無駄だ。私たちは皆、会社に戻ってやることが山ほどあるのだ。今すぐ閉会すべきだ！」。

その際、次のように言うのは間違いです――「この場に集まっていますし、すでにいくつかの良い進展がありました。この部屋を取ってあります。私たち全員が再びスケジュールを調整するには、数か月かかるでしょう。昼食の注文もしてしまっています」。

抵抗に対応するための正しいやり方は次のとおりです。

A. あなたはこう尋ねるべきです――「このミーティングが時間の無駄だと思う理由を聞かせてください。これまで何があって、このような不満が生じたのですか」。

B. 話を聞き重要な点を言い換え、次にこう尋ねましょう――「あなたの主な心配を払拭するためには、この日にどんな変更を加えると良いですか。どのような状況であれば、この場に居続けようと思いますか」。

抵抗のシナリオ 3

ある人はこう言います――「悪気はないんですが、あなたのことを知らないし、あなたがこのミーティングを運営できるとは思えない」。

その際、次のように言うのは間違いです――「私は組織開発の修士号を持っていますし、このような仕事はまさに私が10年間やってきたことです。それに、私はこのミーティングを運営するために、この部門のディレクターに雇われているんです」。

抵抗に対応するための正しいやり方は次のとおりです。

A. あなたはこう尋ねるべきです――「私のことをよく知らないのですから、今日の私の役割に不安を感じていることはわかります。具体的にどのような心配があるのか、詳しく説明していただけますか」。

B. 話を聞き重要な点を言い換え、次にこう尋ねましょう――「私はこのミーティングで効果的なファシリテーターになりたいと思っています。どうすれば、私に対するあなたの考えを変えることができますか。このセッションで、私にどんなことをして欲しいですか」。

誤ったやり方では、ファシリテーターが防御的になり、話したり売り込んだりするようになっていることに気づいたでしょうか。誤ったやり方では、ファシリテーターは参加者の抵抗に押し返されてしまいます。

では、正しいやり方ではどうだったかを見てみましょう。

8.9 正しいやり方

3つのシナリオを読んで気づいたかもしれませんが、正しいやり方を用いる際、ファシリテーターは一貫したプロセスを順守しています。抵抗に対応するための正しいやり方は、2つのステップで構成されています。

ステップ1:懸念の吐き出し

傾聴し、言い換えをし、共感を与えながら、抵抗する者に自分の抵抗を表現するように促します。彼らが何を言おうが、どう言おうが、あなたは冷静さを保ち、抵抗者を完全にサポートするように行動しなければなりません。そのため、次のように言うことになります。

「なぜそう感じるのか、教えてください。」

「前回は何があったのですか。」

「どう感じましたか。」

「何がいけなかったのですか。」

「なぜ、そうなったのでしょうか。」

「どんな逆効果がもたらされたのでしょうか。」

ステップ2:障壁の解消

すべての懸念が認められた後、抵抗する者が障壁に対する解決策を発案するように促す質問で尋ねましょう。この質問は、抵抗する者が立ち止まって考えなければならないように、意図的に詳細かつ複雑なものでなければなりません。その中心は、次のような質問からなります。

「どのような状況であれば、ここにいても良いと思いますか。」

「どんな保証があれば、あなたの心配は解消されますか。」

「どのようなサポートがあれば、続けることができますか。」

「あなたのために、この場で何ができますか。」

なぜこの方法が有効なのか

ファシリテーション型方式や問いかけがうまくいくのは、抵抗する人が自分のイライラとした不満を吐き出し、それを聞いてもらうことができるからです。そして、次に何をすべきかについての意見聴取の機会を得ます。自分たちの発案を受けて行動することを一般には拒まないため、ほとんどの人は抵抗を捨てて前に進むようになります。

誰かの指示に従わなければならないと伝えることは、たいてい人をより怒らせるものです。アピールは、相手に操られていると感じさせ、一般には抵抗が強まります。

毎日、ミーティングのリーダーが抵抗に対応する際に、選択肢がないことを伝え、「いいからやりなさい」と伝えるような誤った対応をすることがあります。しかし、このようなやり方で抵抗を突破しようとすることの問題点は、人々の積極的な行動を低下させることにあります。彼らはそのような指示に従うかもしれませんが、そのような場合、彼らは全力を尽くしたり、最も創造的なアイデアを出したりすることはないでしょう。そのため、抵抗に対応する際は、指示的に伝える方法よりも、前述のステップ1とステップ2の2つのステップからなるファシリテーション型方式が常に優れているといえます。2つのステップによる方法を用いるもう一つの重要な理由は、ファシリテーターは通常、一緒に仕事をするグループに対して何の権限も持っていないことです。相手を制御できない際に、彼らがやりたくないことをするように命令しても、通常はうまくいかないのです。

8.10　よくある対立のジレンマ

セッションの準備がいかに万全でも、うまくいかないことは常にあります。次に掲げていることは、よくあるファシリテーションのジレンマと、それを解決するための手立てです。

シナリオ 1：グループがファシリテーションに抵抗している

グループは、議論の組み立てを必要としていますが、段階的なプロセスに従って進むことを好んではいない場合です。彼らは、ファシリテーターは必要ないと主張します。メンバーたちは、このような組み立ては堅苦しく感じると口にします。時には、世話役の議長がいて、堅苦しいファシリテーターを入れることを正式に拒否したりします。

手立て：ファシリテーションを申し出ます。拒否されたら、躊躇せず、議論に取り組むための方法をグループに提示します。そして、堅苦しくなくファシリテーションを務めます。つまり、部屋の前方にいる場合と同じように、時間を監視し、質問を提起し、わかりやすく言い換えし、アイデアを統合します。要点筆記を作成し、適切なタイミングで内容のとりまとめをします。

ファシリテーターが犯しがちなミス：グループが進行の手助けを望んでいないことを受け入れ、グループが苦労しながらでも進行するのを許すミスです。「正式に」ファシリテーションを行うことが最善ではありますが、密かに切り回し役を果たすことでグループの手助けをすることは可能です。プロセスへの配慮はないよりあったほうが良いのです。

シナリオ 2：ミーティングの早い段階で、当初の進行案が誤っていることが判明する

データ収集し計画したにもかかわらず、ミーティングの前提が間違っていることが明らかになる場合です。グループは、正当的に他のことを議論する必要が生じます。

手立て：ミーティングを中止し、既存の進行案が意味を持たないというあなたの見立てが正しいのかを確認します。進行案を構築する時間を取ります。メンバーにこのセッションで何を達成したいかを尋ねてみます。そして、課題の優先事項を決め、時間を割り当てます。グループを立て直し、新しいプロセスの細部の計画を行うために短い休憩を取ります。新しい進行案をメンバーたちと共に承認します。柔軟性を持ちつつ、グループのニーズに集中することにします。

ファシリテーターが犯しがちなミス：事業計画作成に費やすエネルギーと準備を思うがあまり、グループに元の進行案に従って進むことを強要するミスです。

シナリオ 3：ミーティングが決定的に脱線してしまう

メンバーたちは基本的には集中力を持続させるのが得意ですが、議論は完全に軌道を外れてしまい、予定された議題に戻ることを拒否してしまう場合です。

手立て：トピックから外れた議論を止め、メンバーたちがトピックから外れていることを自覚しているかどうか、また、この状態に満足しているかどうかを判断します。メンバーたちがこの新しいトピックに留まりたいと判断した場合、議論の組み立てを決める手助けをします。そのために、次のように尋ねます。

「この話題にどれくらいの時間を割きたいですか。」

「この新しい議論の目標は何ですか。」

「どんな手段や方法を使えば良いのでしょうか。」

そして、新しい議論のファシリテーションを行いましょう。メンバーたちが元の議論に戻ることを決めた場合は、現在の議論を留め置き、ミーティングの最後で立ち返るようにします。

ファシリテーターが犯しがちなミス：グループが予定された議論に従って進まないからと言ってファシリテーターの役を降りたり、あるいはこれは自分たちがやりたいことだと慎重に決めることなく、主題から外れた議論を長々とさせたりするミスです。メンバーたちが何か他のことを話したいと感じている際に、無理にグループに対しトピックを戻そうとすると、不必要な対立を生むことになります。

シナリオ 4：グループメンバーたちが、元々同意していたプロセスを無視する

セッションの明確なプロセスがあるのに、メンバーたちはそれを単に無視する場合で

す。同意された方法に従って進ませようとすると、彼らは思いつくままの議論に逆戻りします。

手立て：しばらくそのままにしておいて、「どうですか。何か結論は出そうですか」と問いかけます。グループが進展していないことを認識すれば、メンバーたちはたいていより体系的な方法を受け入れる準備ができるようになります。

ファシリテーターが犯しがちなミス：あきらめて、後退りし、組み立てを提示する機会を図ることをやめるというミスです。メンバーたちが自分たちの進め方にイライラとした不満があると認めた場合、「だから言っただろう」という態度を取ってしまうことです。

シナリオ5：グループが自らのルールを無視する

メンバーたちは振る舞いに関する明確なルールを設定していますが、そのルールを破るような行動を取り始める場合です。

手立て：しばらく度を越した行為を取らせておいてから、こう尋ねてみましょう——「このミーティングは、みなさんが設定したルールに照らせば、どのように進んでいると感じますか」「どのルールが破られつつあるのでしょうか。それはなぜでしょうか」「これらのルールを守るために何ができるでしょうか」。

そして、メンバーたちが発案したことを実行します。メンバーたちが何も発案しない場合は、1人か2人のメンバーに、ルールが無視されたり破られたりしている際に、グループの注意を喚起する役割を担ってもらうように提言します。こうすることで、メンバーたち自身で用心する責任が生じます。

ファシリテーターが犯しがちなミス：振る舞いの管理・運営を行うのに、仲間からの圧力による権限を使わずに、言葉による介入を行うミスです。

シナリオ6：人々が鬱憤を解消するためにセッションを利用する

仕事、他の人、組織に対する愚痴を吐き出し始め、進行案が議論の中身から追いやられる場合です。

手立て：感情が鬱積しているために、グループが目の前のタスクに集中できないことはよくあることです。このような場合、参加者が自分の見解を表明するように働きかけるのは健全なことです。重要なのは、このガス抜きを組み入れ、行動に気持ちを向けさせることです。ガス抜きに有用な質問は、次のとおりです。

「今、この気持ちを共有することがどれほど重要ですか。」

「これをどうやるかについて、何かルールが必要ですか。」

「これはいつまで続けるべきですか。」

ファシリテーターが犯しがちなミス：ガス抜きのプロセスを抑制しようとしたり、時間制限なく、また行動ステップにつながる計画なくガス抜きをさせたりするミスです。

シナリオ7：どんな会議術を使っても結論が出ない

グループで何時間も候補について議論していますが、明確な決定打が出ません。議論は堂々巡りで、貴重な時間を無駄にしてしまう場合です。

手立て：行動を止め、用いられている決定方法に目を向けさせます。多くの意思決定には、コンセンサスが得られないものや投票できないものもあります。競合する候補の個々の側面をより客観的に評価することができる決定マトリクス分析を使用するなど、別の方法を検討します。

もう一つの方法は、グループに最終的な決断を妨げているものを特定してもらうことで、その障壁を分析することです。障壁を記録し、重要な障壁を取り除くことに時間をかけましょう。

ファシリテーターが犯しがちなミス：決定方法を確認したり、決定に至る障壁を調べたりすることなく、ミーティング中ずっとグループを空転させるミスです。

シナリオ8：メンバーたちが議論の結果を報告しようとしない

小グループでの議論の後、誰も前に出て、小グループのアイデアを全体に報告しようとしない場合です。アイデアの一つまたはいくつかがあまりにデリケートな内容で、影響を及ぼすかもしれないと懸念しています。

手立て：発表の場を分割し、各グループから2〜3人のメンバーにスポットライトを当ててみましょう。資料がたくさんある場合は、チーム全体でその一部を全体に発表し返すこともできます。また、全体には、発表内容の可能性を探る前に否定的な反応をせず、固定観念に縛られずに聞いてもらい、発表の場を設定します。

ファシリテーターが犯しがちなミス：メンバーたちから負担を取り除き、彼らのために代弁をしてしまうミスです。これは、提言に対する責任をメンバーたちから自分に移し、メンバーたちがその後の行動に対してほとんど責任を取らないという結果になりかねません。

シナリオ9：メンバーたちが行動計画の責任を引き受けるのを嫌がる

人は問題について議論したり、アイデアを出し合ったりすることは喜んでやるのですが、いざ行動計画作成となると、誰もが突然忙しそうになったり、そのタスクを完了する能力に自信がなくなったりする場合です。

手立て：問題解決作業には行動計画作成が含まれ、メンバーたちには自分たちのアイデアを実行するための大きな責任が求められていることを最初から明確にしておくことです。

現在の能力を超えるようなサポートと励ましがあれば、行動計画を実行することは、多くの場合、成長のための活動になります。成功するかどうか心配な人には、前進するために必要な教材、トレーニング、その他の支援を確認するように手助けをします。

実行に参加するために時間的制約がある場合は、その制約を確認し、問題を解決する必要があります。組織では、どの委員会でも同じように勤勉な人材を求めるものです。活動への参加を依頼する人を選択可能なのであれば、その人たちが活動に必要な時間を確保できるかどうか、十分に検討する必要があります。

ファシリテーターが犯しがちなミス：障害となっていることを解決しなかったり、同じ人にすべての仕事を任せたりして、人々を簡単に解放してしまうミスです。最も良くないのは、自分自身が行動ステップの責任を負うことです。

8.11 ファシリテーションによる対立処理プロセス

意見の相違を協働で対処する手順は、基本的に第7章の意思決定に関する142～146ページに詳しく説明されています。状況に取り巻く感情を吐き出させることができたら、次のとおりに協働的に対立を解決できます。

ステップ1：問題を明確にする――問題が何なのかを明確にする題目を作成します。その内容を確実に全員が理解できるようにします。

ステップ2：適切なルールが運用されているようにする――物事が感情的になりそうな場合は、人々の安心感を保ち、効果的な振る舞いを確保するために必要な特定目的型ルールをチームで持つようにします。

ステップ3：議論の時間枠を設定する――いつまでも長引かないよう、時間制限を設けます。

ステップ4：使用するプロセス（段階的なアプローチ）を説明する――客観性と完全性を保証する手法が使用されることを強調します。

ステップ5：状況の事実を分析する――メンバーたちが状況を共有理解できるように手助けをします。全員の意見を聞き、関連するすべての事実が徹底的に検討されるようにします。

ステップ6：可能な解決策を幅広く生み出す――ブレーンストーミングや筆記式ブレーンストーミングのような参加型の会議術を使って、可能な解決策を幅広く生み出します。また、他の人のアイデアの上に積み上げるように働きかけ、あるアイデアが一個人の所有物であるという考えをさらに払拭するようにします。

ステップ7：解決策を評価する――すべての可能な解決策を選別するための客観的基準を確立します。これは、複数投票や、決定マトリクス分析の形であっても良いでしょう。

ステップ8：最も高い順位を得た解決策の実行を計画する――何を、どのように、誰が、いつ行うかを明確にします。行動計画が実行可能であることを確認するために、トラブルシューティングを行います。

次のワークシートは、対立している2人に詳細なフィードバックを提供したい場合に活用します。

資料8.1 二者間対立ワークシート

対処に役立つ振る舞い	Aさん	Bさん
1. 身をのりだすこと：傾聴する		
2. 言い換えること：「お話されたのはこういうことですか」		
3. 確認のための質問行動：「このことをもっと理解したいのですが」		
4. 相手の意見に対する尊重：客観的意見を大事にする		
5. 落ち着いた雰囲気：低く抑えた声で話し、リラックスした姿勢を取る		
6. オープンで無防備：柔軟性を示す		
7. 立場の明示：芯のあるスタンスを取る		
8. 解決すべきことについての同意の確認		
9. 基本ルールの制定：「何が助けになるか」		
10. 共感の提示：顔色チェックを行う		
11. “I” を使った言葉（自分の言葉で宣言する）：自己開示		
12. 相手の名前を用いること		
13. スキンシップ：適切な場合		
14. 問題解決手法：代替案を検討する		
15. win-winの態度：相手への思いやり		
16. 言動一致：言語的振る舞いと非言語的振る舞いの一致		
17. 相手の目標への配慮		
18. フィードバック：具体的説明の詳細の提供		

対処を妨げる振る舞い	Aさん	Bさん
1. 邪魔をすること		
2. 無礼な態度をとること		
3. 罠にはめるような質問で問いかけること		
4. しゃべりすぎること		
5. 解決策を押し付けること		
6. 私的認識について議論すること		
7. 攻撃的態度		
8. 非難すること、責任をなすりつけること		
9. にやにやする、私情をはさむこと		
10.「あなたが私をそうさせている」といった発言		
11. 発案に応じないこと		
12. 本音を言わないこと		
13. 中途半端で終えること		
14. 言葉と行動の不一致		
15. 防御的であること		
16. 問題を否定し、自分の問題として認めないこと		
17. 阻止する、話をそらすこと：トピックを変えること		
18. 具体的なフィードバックをしないこと		

資料8.2　グループ対立チェックリスト

今日のミーティングで、次のような非効率的な振る舞いがないか念入りに注視してみましょう。

- [ ] **タスクに取り組むための計画やプロセスの欠如**：議論の形式がないため、一つのトピックから別のトピックへとグループが彷徨う。プロセスを確立するための時間がミーティングの始めに取られていない。
- [ ] **傾聴の不足**：自分の意見を言う前に互いの意見を認めるのではなく、互いを認めずに自分のアイデアを押し通す。
- [ ] **個人攻撃**：人々は皮肉な口調を使い、お互いを無視し、邪魔をし、あるいは攻撃し合う。事実に目を向けようとしない。
- [ ] **プロセスチェック作業の欠如**：プロセスがうまくいっているか、修正が必要かを見極めるために立ち止まることなく、グループを前進させる。
- [ ] **支配的なメンバー**：数人が話のすべてを仕切る。一部の人が議論に取り残されていることに誰も気づかないし、気にさえしない。
- [ ] **時間管理の悪さ**：時間の配分管理や監視もされていない。時間が不適切に浪費される。
- [ ] **グループの破綻**：困難な状況に陥った際、人々は諦めただ譲歩する。問題に対して体系的なフォローアップをしない。
- [ ] **能力不足**：メンバーが意思決定手法を持っている確証がない。また、基本的な対人関係能力にも欠けている。
- [ ] **受動的、またはファシリテーションの不在**：場の管理・運営がないため、誰も順番を提示したり、行動を取り締まったりしていない。要点筆記も作成していない。全員がそれぞれの見方を持っている。ファシリテーターがいたとしても、手続き上の選択肢を提示したり、順番を保ったりすることに消極的である。
- [ ] **総括の欠落**：グループは、要約も行動展開策も示さずに、一つのトピックから別のトピックへと移っていく。

次のチェックリストを使って、ファシリテーターがどのように対立に対処するかを観察してください。

資料8.3　対立観察シート

今日のミーティングで、ファシリテーターの対立に対処する振る舞いを観察してください。フィードバックを充実させるために、できるだけ多くの具体的な出来事の要点筆記を作成してください。

役立つ振る舞い	妨げる振る舞い
____ ガス抜き	____ 口論
____ 反対の見解を求める	____ 防御的態度
____ 言い換えを多く行う	____ 罠にはめるような質問で問いかけをする
____ 反対の見解を尊重する	____ 一部の人に場を支配させる
____ アイコンタクト	____ 討論している片方を支持する
____ 効果的な所作	____ 感情的になったり個人的になったりするのを許す
____ 冷静さ	____ 決着をつける前に終わらせる
____ 非防御主義	____ 本当に肝心な問題を避けて進行する
____ 話し手を正当化すること	____ プロセスを用いない
____ 嫌味の矛先を変える	____ ルールを守らない
____ 事実を直視する	____ メンバーへの共感不足
____ 問題解決手法を取る	____ 長引かせる
____ 制御のためにルールを使う	
____ 相手の気持ちを思いやる	
____ 介入を行う	
____ 人々がどのように行動しているかをチェックする	
____ 個人的な気持ちを開示させる	
____ 良い決断がなされるようにする	
____ 適切な総括を行う	
____ 2人の間の対立を調停する	
____ 全員が関与し続けるようにする	
____ 対立の中でチームがどのように行動したかを評価し、失敗から学ぶ	

次の調査を実行し、現在のパターンを認識させましょう。

資料8.4　対立処理の有効性調査

　次の文章を読んで、あなたのグループが現在どのように対立を処理しているかをありのままに評価してください。このアンケートは匿名です。結果は集計され、グループの現状評価のためにグループにフィードバックされます。

1. 聞き取ること

1	2	3	4	5
人々は自分が正しいと思い込んでいる。				人々は新しいアイデアを聞くことに前向きである。

2. 認めること

1	2	3	4	5
人々は他人の指摘を認めずに主張し合う。				人々は、たとえ同意できない場合でも、互いの主張を認め会う。

3. 客観性

1	2	3	4	5
つい感情的になり、自分の好む対立意見を言いがちになる。				冷静になって事実を客観的に見る傾向がある。

4. 構築

1	2	3	4	5
他人のアイデアを認めない傾向がある。				他のメンバーのアイデアを取り入れそれを基に発展させようとする。

5. ルール

1	2	3	4	5
対立する状況を対処するためルールを持たず、また使うこともない。				対立する状況を対処するのにうまく機能する良い一連のルールが作成されている。

6. 信頼と開放感

1	2	3	4	5
思っていることを言わない。				信頼があるからこそ、思ったことを何でも言える。

7. 対立へのアプローチ

1	2	3	4	5
ほとんどの場合、避けるか、猛烈に対立意見を言うかのどちらかである。				全員が納得できる解決策を見つけるために協力する傾向がある。

8. 対人間の振る舞い

1	2	3	4	5
しばしば感情的になり個人攻撃をする。				冷静さを保ち、事実に忠実である。個人攻撃を受けることはない。

9. 組み立て

1	2	3	4	5
体系的な進め方を取らず自分の考えを話すだけである。				議論のプロセスは常に明確に定義される。

10. 総括

1	2	3	4	5
対立の時間のほとんどは、決着することなく終了する。				解決策と明確な行動ステップを得ることに優れている。

11. プロセスチェック作業

1	2	3	4	5
一旦議論が始まったら、タイムアウトを申し出て自分たちを正すことはない。				常に、自分たちがどのように対立を対処しているのかを振り返り、改善できるようにする。

12. 時間管理

1	2	3	4	5
話が熱を帯びてくると時間の感覚を失い、進行案が狂ってしまう。				時間を無駄にしないように注意深く監視する。

13. 対立後の状況

1	2	3	4	5
その後長い間怒りを継続する。				傷ついた気持を晴らすために努力する。

このようなアンケート結果のフィードバックプロセスを利用して、結果報告を行います。

■ 第9章 ■
ミーティングの運営

ファシリテーターの重要な役割のひとつが、ミーティングの細部を効果的に計画し、管理・運営する方法を理解していることです。まずは、次のような効果的でないミーティングの要素について、自身で敏感に気づけることです。

- ミーティングの目標が明らかではないこと
- 進行案があいまいか、存在しないこと
- 議論の時間制限がないこと
- 重要なテーマに取り組むためのはっきりとしたプロセスがないこと
- 議論のファシリテーションをできる人がいないこと
- 人々が事前の課題を終えていないこと
- 議論が脱線したり、堂々巡りになっていること
- 次に進める前に、議論の総括ができていないこと
- アイデアについて討論するのではなく、互いの見解を激しく口論し合っていること
- 一部の人々が場を支配し、他の人々は受け身で座っていること
- 次のステップに向けて同意された詳細な行動計画のないまま、ミーティングが終了していること
- ミーティングが進行していく中で、プロセスチェックの作業が行われていないこと
- 最後に評価を行っていないこと

悪いミーティングには進行案がありません。ミーティングの論点について事前に知らされていないので、誰も準備をしてきていません。ミーティングの運営者は、議論を管理・運営するためのプロセスツールを一切提示していません。トピックやテーマを単に紹介しているか、以前の活動の最新情報を提供しているに過ぎません。

明確な組み立てがないため、会話はふわふわとしたものになりがちです。それぞれが、本筋に関係のない話をして、支配的な人たちがトークを独り占めします。

決定がもしなされた際にも、ミーティングを召集した人が単に解決策を提示するだけで、他の人はその承認をさせられているように感じるかもしれません。

悪いミーティングでしばしば起こるのは、ごく一部の人たちが自分の欲しいものを手に入れたと思う一方で、その他の人たちは、時間の多くを無駄にしたと感じることです。

9.1 効果的なミーティングとは

これと対照的に、効果的なミーティングに共通する要素は以下のとおりです。

- 何を議論するか、議論の目標とは何か、各項目を進めるのは誰か、それぞれの項目の所要時間の見積もりはどのようなものかなどに関して、進行案が詳細に書き出されていること
- 使用するツールや会議術を解説したわかりやすいプロセスノートがあること
- ファシリテーター、議長、議事録作成者、タイムキーパーなどの役割分担がなされていること
- 会議室内にメンバーたちで作成した一連のグループのルールが掲示されていること
- 意思決定の場に図られる候補が明確にされていること
- メンバーたちの振る舞いが効果的であること
- プロセスチェックがことあるごとに行われていること
- 対立処理の手立てが明確であること
- 完璧な総括を作り出すプロセスがあること
- 詳細かつ明快な議事録があること
- フォローアップ計画が具体的であること
- ミーティング後の評価があること

効果的なミーティングでは、誰もがなぜそこにいるかを理解しています。ミーティングはうまく企画され、最初から最後までファシリテーションを行う人がいます。決定がなされる際には、議論に集中し、客観性を保てるようにプロセスツールが提供されます。

良いミーティングでは、参加者は効果的な振る舞いを見せ、グループが決めた行動のルールを順守しています。万が一、話し合いが白熱した場合には、ファシリテーターが素早く介入し、効果的なコミュニケーションへと引き戻します。議論が脱線した場合にも、新たな話題へと方向づけ、その話題に落ち着かせます。

素晴らしいミーティングは、常に次のステップを明確にして終わります。そのようにすることで、全員が期待される終了成果や実施段階における自身の役割を明確に理解できます。

効果的なミーティングでは、参加者が活気に満ちあふれています。自分のアイデアが聞き入れられていると感じ、決定事項に関しても自分の意見が反映されたと感じています。自分たちの貴重な時間をミーティングによって無駄にしたと感じることもまずありません。

9.2 この場のミーティングはひどい！

次の表は、収拾がつかない事態に陥ったミーティングの症状と、それを解決するための処方箋です。これらの症状を修正するのでなく把握するだけならば簡単ですが、チームメンバーたちが自分たちのパターンに気づくように手助けをすれば、彼らが問題の解消に着手することもできます。

症状	処方箋
各人が話し終えると、次の人が新たな話題を始めます。アイデアの積み重ねがなく、議論の継続性がありません。	各自が最後の発言者のコメントを確認するようにしましょう。次の話題に進む前に論点を押さえることをルールにしておきます。
自分たちの見解を主張します。テーマや他の人の客観的意見を理解しようとせず、自分が正しいと他の人を説得しようとするのです。互いに聞く耳を持ちません。	相手の主張に対する返答で、相手が述べたことを言い換えられるように訓練していきましょう。そのテーマに関するすべての側面を記録するためにフリップチャートを使用します。異なる見解を全員が理解できるようにします。
ある問題が提起されるとすぐに誰かが、その問題を理解したことを表明します。ある解決策がとても早く提案され、議論が別のトピックに移ってしまいます。	体系的なアプローチで議論を組み立てましょう。問題解決に徹底的に取り組むようにします。あからさまな解決策にすぐに飛びつかないようにします。
誰かがグループの決定に反対しても、その反対意見は無視されてしまいます。	反対意見を聞き入れる耳を養い、確実に聞き入れるようにしましょう。反対意見を別の人に言い換えてもらうようにします。
グループでは、ブレーンストーミングと投票によって多くの決定を行います。	ミーティングのプロセスを事前に計画し、他の手法も手の内に置いておきましょう。そして現場でそれを用います。
話し合いがダラダラと長続きすることがしばしばあります。苛立ちを感じて、グループで総括をすることなく新しいトピックに移ってしまいます。	議論に時間制限を設け、ことあるごとに進捗状況の評価を行いましょう。総括をするために要約を行うようにします。
参加者はしばしば感情的な口調で話をします。時には、きわめて個人的なことを話題にすることすらあります。	個人的なニュアンスを含まないように、参加者の発言を止めた上で、言い換えをしてもらいましょう。
参加者が雑談の中で自分の発想を披露しています。	すべての客観的意見に重きを置き、誠実であるように働きかけましょう。雑談をする人をグループの話し合いに引き戻すようにします。
グループメンバーたちが、相当長い間、トピックから外れるまで、自分たちが脱線していることに気づきません。	タイムアウトを呼びかけたり、話し合いが脱線していることを示す合図を送りましょう。話を脱線したままとするか、そのテーマを留め置くかを決定します。
外交的な人や、権力を持つ人が多く話します。多くのミーティングで、ほとんど発言しない人がいます。	ラウンド・ロビン方式[1]にして客観的意見を聞く用意をしましょう。メンバーを名前で呼ぶようにします。アイデア付箋を使って、各人に意見を書いてもらいます。
誰も所作に注意を払わなかったり、一部の人は話を聞いていなかったり、ひどい時には怒っているようにさえ見えるのに気づきません。	顔色のチェックを行い、参加者に自らの気持ちを表現してもらいましょう。
ほとんどのトピックにおいて総括がありません。ミーティングとミーティングの間で行動がほとんど起こりません。	総括を強調して述べましょう。明確な決定を下し、それを記録します。行動計画を手軽に作れるようにします。次のミーティングで、行動を進めるようにします。
ミーティング後に評価がなされません。参加者が各職場で報告を行っています。	ミーティングの評価を行い、次回のミーティングまでにその結果について話し合うことにしましょう。新しいルールや改善案があれば、どんなものでも提示します。

訳注1. トーナメントで全参加者と最低1回対戦する総当たり戦をラウンド・ロビン方式と言います。ラウンド・ロビン方式の話し合いとは、参加者全員が1回発言してからでないと、次の発言権が来ないやり方のことです。

9.3 ミーティングの管理・運営の基本原則

詳細な進行案の作成と活用

各ミーティングでは、事前に進行案を作成し、チームのメンバーたちから承認を得る必要があります。進行案を事前に準備しておくことで、メンバーたちが下調べをして、意思決定に向けた準備をすることもできます。

進行案には以下のことを含めるべきです。

- 各トピックの名前、目的、期待される終了成果
- 進行案の各項目の時間的な目安
- 各項目を進める人の名前
- それぞれの議論で用いられるプロセスの詳細

何らかの理由で事前に進行案を作成できない場合には、そのミーティングでまずやるべき業務は、進行案の立案です。このファシリテーションを行う議論で、メンバーたちがその日のセッション進行案の細部を計画します。

段取りを示すプロセスノートの考案

ミーティングについて書かれた本の多くは、プロセスノートについて触れていません。その主たる理由は、これらの本が、ミーティングの議事進行をしやすくするために書かれ、ファシリテーションを行いやすくすることを狙っていないからです。

ミーティングのファシリテーションを行う場合には、進行案の各項目に関する詳細なプロセスノートが必要です。このノートには、議論のファシリテーションをどのように行うかが具体化されています。また用いる手法や、参加者の関わりをどのように管理・運営していくかも具体化されています。

以下の進行案の例では、プロセスノートを追加し、その重要な役割を示しています。ファシリテーターの中には、この（プロセス）デザインノートをスタッフ用にとどめる人もいますが、プロセスノートをグループに開示して共有するのが得策です。

詳細なプロセスノートの例は、第11章で読むことができます。

資料9.1　プロセスノートつきの進行案の例

グループの名前：顧客満足度を上げるためのチーム

メンバー：ジェーン、ムハマド、ジャックス、エレン、カール、フレッド、ダイアン、ジョー

ミーティングの詳細：2005年6月12日（月）　11:00-13:00（ランチを持参）　会議室C

何を、何のために話すか（注）	どのように話すか（プロセスノート）
場をほぐす作業（10分間） →焦点の作成（ジョー）	・メンバーで、最近の顧客とのやり取りに関する話を一つ共有する。
進行案とルールを改めて確認（5分） →文脈の設定（ジョー）	・全体討議を通じて、進行案とルールを承認する。新しい項目を追加し、ミーティングの全体目標が明確であるようにする。
行動項目の提示（25分） →行動の実施状況の確認（メンバー全員）	・前回のミーティングで作成した行動計画を全メンバーが簡単に報告し、新しい計画があれば追加する。
フォーカスグループの最新情報（20分） →改善点の洗い出し（ジャックスとダイアン）	・6つの顧客グループの終了成果を報告する。 ・フォースフィールド分析を用いて、うまくいっているところとそうでないところを区別する。
顧客の課題の優先順位づけ（20分） →優先順位の設定（ジョー）	・顧客の懸念事項を評価するための基準を設定する。 ・決定マトリクス分析を用いて、それぞれの問題を評価し、行動の優先順位を決定する。
優先すべき課題の問題解決（30分） →改善計画の作成（グループ全体）	・2つのサブチームに分かれ、最優先となる2つの課題の問題解決を行う。最優先課題に対する詳細な行動計画を作成する。グループとしてミーティングを行い、アイデアを共有し、承認する。
次のステップの計画作成と進行案の立案（10分） →総括の確認と次のセッションの細部の計画（ジョー）	・参加者が何に取り組むことを期待されているかを理解できるようにする。次回のミーティングに向けて進行案を作成する。
終了時のアンケート（10分） →ミーティングの有効性確認（ジョー）	・解散する前に参加者にミーティングを評価させる。 ・次回のミーティングに持ち越す項目を明らかにする。

注：上記の時間は、完全に推測によるもので、例を示す目的で記載しています。

役割と責任の明確化

効果的なミーティングにおいては、以下に解説するような、明確な役割を果たすことが参加者に求められます。

議長：決められたルールに従って、ミーティングを運営しますが、必要に応じて意見を述べたり、議論に加わったりもします。議長は、従来から中立的な立場ではありません。多くの場合、議長は職務上のリーダーで、意思決定者とオピニオンリーダーの両方の役割を果たします。

ファシリテーター：ミーティングの方法を考え、話し合いの参加を管理・運営し、有用な手法を提示し、グループがニーズを決定する手助けをし、物事を軌道に乗せ、物事がうまく運んでいるか、ことあるごとに進捗状況を点検します。ファシリテーターは、議論の内容に影響を与えるのではなく、その代わりに課題がどのように議論されているかに注目します。ファシリテーターは、グループの有効性を高める手助けをするプロセスの専門家です。

議事録作成者：議論された内容や決定事項について、簡潔かつ正確な要点筆記を作成します。またフリップチャートに要点筆記を追加することも担当します。多くの場合、議事録作成の責任は、ワークグループの正規メンバーの持ち回りで行われます。しかし、特別なミーティングや、資源の許す限り、この役割を中立的な外部の人に割り当てることもできます。

タイムキーパー：時間を管理し、定期的にグループにマイルストーンについて思い出させるために輪番で担当する役割です。独りよがりであったり、議論が長引いた際に重要な議論を打ち切ったりすることを許可する存在ではありません。自動タイマーを使うことで、タイムキーパーも議論に参加しやすくなります。

書記：自発的にファシリテーターを手伝い、グループのコメントをフリップチャートに記録するグループメンバーのことを指します。ファシリテーターの中には、自分がファシリテーションを行っている間、フリップチャートに要点筆記を作成するように他の人に頼む方が進行しやすいという人もいます。これには、要点筆記を作成することでファシリテーターの集中が途切れることを避けられる利点とともに、特有の複雑さも発生します。書記がファテシリテーションを始めてしまったり、正確な要点筆記を取らなかったりする可能性があります。書記を置くことで、議論から一人が抜けることになるので、少人数のグループにとっては非現実的な手立てとなります。そのため、ファシリテーターが自ら要点筆記を作成するのが標準的な取り組みとなります。もし書記を置く場合には、相手にわかりやすさを求める質問[2]を発する際に、書記がメンバーと直接対話するのではなく、常にファシリテーターを通して行うべきです。

第9章

議長とファシリテーターの役割のバランス

議事進行とファシリテーションは、ミーティングの管理・運営における2つの異なった役割を有します。それぞれに目的と位置づけがあります。

議事進行は、過去の議事録を改めて確認し、情報を共有し、メンバーたちによるラウンド・ロビン方式の報告を管理・運営するために、ミーティングの開始時において非常に有用です。

訳注2. 説明が不明瞭であったり、意図がわかりづらかったりする際に、その発言の内容を明確化させるために発する質問を英語圏ではClarifying Questionと言います。

議事進行は従来より、事前に公表された議事規則を用いることを重視します。

議長は中立的立場でないため、大きな欠点として、意思決定に影響を与えてしまい、権力を集中させてしまう傾向があることが挙げられます。また強い権限を持つ議長は、重要事項の最終決定を行うことも珍しくありません。

このような決定様式の逆効果は、議長が終了成果を「**独占する**」ことになることです。また、従来の議長はプロセスツールの活用をあまり重視しません。

ファシリテーションは、すべてのメンバーの客観的意見が必要な案件について、完全かつ平等な参加を促すように設計されています。ファシリテーターは中立的立場であるため、メンバーたちに権限委譲をします。ファシリテーターは、重要な決定に至るまでに、コンセンサス形成と協働を重視します。この結果、グループ全体がその場の主導権を感じるような意思決定ができます。

ファシリテーションは、本から引用した規則を押し付けるのではなく、グループの中からルールを作り出します。また、ファシリテーションによって、相乗効果が生み出され、より良いアイデアに至るために設計されたたくさんの手法や会議術を連想することができます。

非常に一般的な役割の使い分けは、ミーティングのリーダーが、まずは議長方式でミーティングを始め、進行案を改めて確認し、セッションに関する事務連絡や情報共有の時間を済ませた後に、特定のトピックについての意見を得るためにファシリテーションに切り替えるというものがあります。

優れたファシリテーターは、いつどのようにすれば効果的な議長として行動できるのかを知っているはずです。その逆に、すべての議長が熟練のファシリテーターでもあり、参加やオーナーシップを高めるために必要な際にはいつでも役割を替えることができる仕切り役であることが理想的ともいえます。

事前に計画を立てれば、両者の役割がかち合うことはありません。重要なことはそれぞれの立場があることをメンバーたちに伝えること、どのような場面でどのような進め方を取るかを明確にすることです。

まとめると

議長になるのが良い場合	ファシリテーターになるのが良い場合
過去の議事録や進行案の項目を改めて確認する場合	参加してもらいたい時に、場の主導権の転換を図りたい場合
メンバーたちの報告を聞いたり、情報交換をする場合	事業計画作成や問題解決、関係構築に関与してほしい場合
意思決定に対する説明責任を果たす場合	メンバーたちの意思決定の手助けをする場合

ミーティングの明確なルールの設定

グループに振る舞いに向けた明確なルールがあり、そのルールがグループによって作られているようにします。必要であれば、特定目的型ルールの設定にメンバーたちを巻き込んで、グループが特定のミーティングの要請に応じたルールを形作る手助けをします（165～166ページの対立処理ルールを参照してください）。

参加の管理

全員が議論に参加でき、各項目に組み立てがあり、意思決定手法が効果的に用いられ、すべての項目について総括がなされているようにします。

ファシリテーターは、メンバーたちが効果的なグループの振る舞いを理解し、それを実践していることを確実なものにする責任があります。もしメンバーたちにチームワーク力がない場合、ファシリテーターは、第6章119～122ページで発案されているような、簡単なトレーニング作業を取り入れる必要があります。

定期的なプロセスチェックの実施

プロセスチェック作業とは、ミーティングの進行を円滑に進めるための会議術です。これはことあるごとに議論を中断して、メンバーたちの関心をミーティングの進捗状況に向けさせるものです。このようにメンバーたちの意識をミーティングの進行に向けさせることで、必要な改善点を早急に洗い出すことを目的にします。

プロセスチェック作業には、以下の4つの要素があります。

1. **目的の確認**：すべてのメンバーに対して、ミーティングの焦点が明確かどうかを尋ね、その時点でそれぞれが同じ地点に立っているかどうかを確認します。

   目的を確認するタイミング：話し合いが行き詰まりそうな時や、参加者が混乱しているように見える時に行います。1セッションに少なくとも1回は行います。

2. **プロセスの確認**：メンバーたちに対して、用いている手法や進め方が効果的か、変更する必要がないかを尋ねます。「**きちんと進捗があるか**」というものです。別の進め方を求めたり、こちらから案を示したりします。

   プロセスを確認するタイミング：用いているプロセスツールが成果をあげていない時、もしくはプロセスが当初の想定通りに進んでいないことが明らかになった時に行います。

3. **ペースの確認**：物事の進行が早すぎないか、遅すぎないかを尋ねます。ペース改善のために発案をしてみます。

   ペースを確認するタイミング：物事が停滞していたり、早く進みすぎたりしているように見える時や、参加者がイライラしているように見える時に行います。セッションあるいはミーティングごとに少なくとも1回は行います。

4. **人物の確認**：メンバーたちにどう感じているか気持ちを尋ねます。元気があるか、疲れていないか、満足感を感じているか、不満に感じているか。やる気のレベルを変えるにはどうしたら良いかについて発案を求めます。

   人物について確認するタイミング：気が散っているように見えたり、イライラしていたり、疲れていたりするように見える時はいつでも行います。各セッション中に少なくとも1回は行います。

ミーティングにおける最も一般的な困難のひとつに、議論が空回りしたり、行き詰まったりすることが挙げられます。議論の行き詰まりは、プロセスチェックを行う合図となります。この介入は次のように進めます。

- 気づいたのですが、論点が繰り返されていて、何も決まっていないのではないですか。
- 行き詰まっていませんか。なぜ行き詰まりが起きたのでしょうか。
- 議論しているトピックについて、よくわからなくなった人はいますか。
- 今使われている進め方でうまくいっていますか。それとも何か他の方法を試す必要を感じますか。
- 進行のスピードが早すぎますか。それとも遅すぎますか。
- 参加者の皆さん、どのように感じていますか。再び議論が動き出すためには何ができるでしょうか。

プロセスチェックは通常口頭で行われますが、フリップチャート上に貼り付けたアンケートの形で行うこともできます。メンバーたちが休憩のために部屋を出る際に、匿名でミーティングの進行状況を評価するように誘います。メンバーたちが席に戻ったら、アンケート結果を解釈し、残りのセッションを改善するアイデア出しのためのブレーンストーミングを行ってもらいます。実用的な発案はすべて、すぐに実行に移していきます。

資料9.2　プロセスチェック調査の例

プロセスチェック調査の例				
これまでの経過をお聞かせください。				
目的：私たちの目標はどの程度明確になっていますか。				
1	2	3	4	5
まったく明確でない	あまり明確でない	普通	やや明確である	とても明確である
進捗：目標に対してどの程度達成できていますか。				
1	2	3	4	5
まったく達成できていない	あまり達成できていない	普通	やや達成できている	とても達成できている
ペース：ペースについてどのように感じますか。				
1	2	3	4	5
遅すぎる	遅い	ちょうど良い	速い	速すぎる
気分：セッションについてどのように感じていますか。				
1	2	3	4	5
とてもイライラする	疲れる	普通	喜ばしい	活気がある

次のステップの事前決定

次のステップを明確にしないまま、グループをミーティングから離席させてはいけません。これは、いつ誰が何をするのかを明確にすることを意味します。これらの行動計画を、その後のすべてのミーティングで提示し、グループが積極的な行動を続けていけるようにする必要があります。

ミーティングの評価

効果的なグループでは、ミーティングの有効性を定期的に評価することを習慣としています。ミーティングを評価する基本的な方法は3つあります。

1. **フォースフィールド分析の実施**：次のことを尋ねます。
   - 本日のミーティングの優れた点は何でしたか。（＋）

- 本日のミーティングで良くない点は何でしたか。(−)
- 良くない点を改善するには何をすべきでしょうか。(Rx)

2. **終了時アンケートの実施**：フリップチャートの用紙上に3 ~ 4つの質問を書き、出口付近に掲示します。メンバーたちは、ミーティングの退出時にアンケートに記入します。その結果は次回に持ち越され、ミーティングの冒頭で議論されます。次のページに終了時アンケートの要素の例を掲載します。

3. **書面によるアンケート調査の実施**：アンケートを作成し、メンバーたちに配付して匿名で回答をしてもらいます。図表で示した後に、次のミーティングでその結果について議論します。この方法は、進行中のグループやチームに対して、年間3~4回行うのが適切な方法です。本章の204ページに、書面による**「ミーティングの有効性調査」**の例を掲載します。サーベイ・フィードバックのプロセスについては本書第10章の240 ~ 242ページに解説されています。

資料9.3 終了時のアンケートの例

成果物：必要なことをどの程度この場で達成できましたか。

1	2	3	4	5
まったく達成 できていなかった	あまり達成 できていなかった	普通	達成できていた	とても達成できていた

段取り：ミーティングの組み立ては効果的でしたか。

1	2	3	4	5
まったく 効果的でなかった	あまり 効果的でなかった	普通	効果的だった	とても効果的だった

時間の使い方：この場で時間をどの程度うまく使うことができましたか。

1	2	3	4	5
まったく できていなかった	あまり できていなかった	普通	できていた	とてもできていた

参加：全員が平等に参加できるよう、この場をうまく工夫できましたか。

1	2	3	4	5
まったく できていなかった	あまり できていなかった	普通	できていた	とてもできていた

意思決定：意思決定に関してどれほど考え抜かれたものでしたか。

1	2	3	4	5
まったく 考え抜かれて いなかった	あまり 考え抜かれて いなかった	普通	考え抜かれていた	とても 考え抜かれていた

行動計画：行動計画はどの程度明確で実行可能なものですか？

1	2	3	4	5
まったく そうではない	あまり そうではない	普通	そうである	とてもそうである

この次のアンケートも実施し、ミーティング改善の機運を作り出します。

資料9.4　ミーティングの有効性調査

ミーティングの特徴を評価し、あなたの評価を表すと考える適切な各尺度の数字に丸をつけてください。匿名で回答してください。アンケート用紙はファシリテーターに返却してください。今後のミーティングで改めて確認します。

1. **準備**：全員が意思決定するための準備や心構えができていますか。

1	2	3	4	5
しばしば準備が不足している。				常に十分な準備ができている。

2. **コミュニケーション**：ミーティングの前に進行案がメンバー全員に配付されていますか。

1	2	3	4	5
進行案が事前に配付されることはほとんどない。				常に進行案が事前に配付されている。

3. **環境**：十分な空間や支援のための物品が揃った、ミーティングのための静かな場所がありますか。

1	2	3	4	5
ミーティングの場所はあまり適切ではない。				ミーティングの場所は素晴らしい。

4. **ミーティングの目的**：それぞれの進行案の項目について、目的や期待される終了成果が明確に設定されていますか。

1	2	3	4	5
目的や終了成果はまったく明確でない。				目的や終了成果は常に明確である。

5. **開始時間・終了時間**：ミーティングは時間通りに始まり（終わり）ますか。

1	2	3	4	5
ミーティングが時間通りに始まる（終わる）ことはほどんどない。				ミーティングは常に時間通りに始まる（終わる）。

6. **時間制限**：進行案の各項目には時間制限が設定されていますか。

1	2	3	4	5
時間制限は設定していない。				各項目について常に時間制限が設定されている。

7. **役割の明確さ**：タイムキーパーや書記、ファシリテーターなどの役割が明確にされていますか。

1	2	3	4	5
役割は明確でない。				役割が常に明確にされている。

8. **過去のミーティングの振り返り**：前回のミーティングの行動項目は、引き継がれていますか。

1	2	3	4	5
項目が引き継がれることはめったにない。				前回の項目が常に引き継がれている。

9. **プロセス**：各項目がどのように管理されるかが明確にされていますか。

1	2	3	4	5
体系化されたプロセスがほとんど存在しない。				常に体系化されたプロセスが存在する。

10. **妨害**：ミーティングが、離席やポケットベル、電話などで中断されていませんか。

1	2	3	4	5
常に中断される。				中断を管理できている。

11. **参加**：すべてのメンバーが十分に参加し、フォローアップまでの責任を果たしていますか。

1	2	3	4	5
参加者が控えめで主導権を持たない。				全員がアイデアを出し、行動している。

12. **聞き取り**：メンバーは傾聴を実践していますか。

1	2	3	4	5
互いの話をよく聞いていない。				メンバーは積極的に耳を傾けている。

13. **対立処理**：意見の相違は抑制されますか。あるいは対立が効果的に活用されていますか。

1	2	3	4	5
感情的に議論する傾向がある。				客観的に議論している。

14. **意思決定の質**：グループは、いつも質の高い意思決定を行えていますか。

1	2	3	4	5
質の低い決定を行う傾向がある。				質の高い決定を行う傾向がある。

15. リーダーシップ：一人の人がすべてのことを決定していますか。それとも権限を共有していますか。

1	2	3	4	5
少数の人でほとんどの意思決定を行っている。				共同で意思決定を行っている。

16. ペース：ミーティングのペースについてどのように評価しますか。

1	2	3	4	5
とても悪い。				素晴らしい。

17. 軌跡：ミーティングは予定通りに進み、進行案に沿ったものですか。

1	2	3	4	5
ミーティングはいつも予定から外れている。				ミーティングはいつも計画通りに進んでいる。

18. 記録の保持：質の高い議事録が作成され、回覧されていますか。

1	2	3	4	5
いいえ。されていない。				はい。されている。

19. コンセンサス：全員が納得できるような共同決定をするために努力をしていますか。

1	2	3	4	5
早期にコンセンサス形成を諦めている。				コンセンサスに達するため懸命に働いている。

20. 総括：次のトピックに移る前に、効果的にトピックを総括していますか。

1	2	3	4	5
総括を出さずに次に進んでいる。				次に進む前にトピックの総括を出している。

21. フォローアップ：ミーティングで生み出された積極的な行動に対して効果的なフォローアップを行えていますか。

1	2	3	4	5
フォローアップを行わない傾向がある。				一貫してフォローアップを行っている。

注：ミーティングの改善手立てを明らかにするために、第10章に解説されているサーベイ・フィードバックのプロセスを用いて、ミーティングの有効性調査の結果の評価に参加者を関わらせましょう。

9.4 オンラインミーティングのファシリテーション

電話やインターネットを用いて、ミーティングを実施する傾向がますます強まっています。今後数年間で、より多くの新たな技術が利用できるようになるにつれ、この傾向はますます強まるでしょう。こうしたオンラインミーティングにビジュアルな要素が加わり、一体感が増し、より双方向的なものになることを願っています。

まず、オンラインミーティング特有の問題を見ていきます。

- 互いの表情が見えないため、ミーティングで人間味が薄れたように感じ、一体感を感じにくい傾向があること
- 互いの表情が見えないため、やり取りがぎこちなくなり、話し合いが一方向的な情報共有になりがちであること
- 話す機会を待たなければいけないので、ミーティングが停滞し、とても長くかかることがあること
- 自分には関係のない話し合いを、長時間、黙って聞いていることがしばしば起こること
- 所作を読み取ることができないので、非言語的な手がかりを得ることができないこと。その結果、ミーティングが進むにつれて、参加者がどのように感じているか、十分に関わろうとしているのかを特定することが難しくなること
- 意見の相違が生じた場合、対立を効果的に処理したり、他の人を話し合いに参加させたり、異なる立場の者たちが相互に同意できるような解決策を導き出すように手助けをすることが難しくなること
- 議事録が常にミーティング後に送付されてくる一方で、フリップチャートがないため、話し合い中に全員が集中し、話し合いを前進させるように要点筆記を作成できないこと
- ミーティングの参加者が、読書、食事、パソコン上での仕事、机の整理整頓など、セッション中に他の作業をしている可能性があり、集中できていないこと
- オンラインミーティングは、他の参加者に気づかれることなく、簡単に出入りできてしまうこと
- 事前に資料が配付されていない場合、新たな情報を手渡すことが極めて難しいこと

オンラインミーティングにおいて最も重要なガイドラインの一つは、リアルタイムでの対話が必要なものだけを含めるように細部を計画することです。参加者が、インターネット上の共有掲示板に事前に投稿しておけば済むような最新情報を報告したり、共有したりすると、貴重な労働時間があまりにも多く浪費されてしまうことになります。

インターネット上の通話は、知り合いになる、問題について議論する、解決策を共同で

模索する、決定を下す、行動計画を承認する、仕事の割り当てを明確にするといった目的のために使用することにしましょう。

注意事項を確認したり、互いの報告を読んだり、定型的な最新情報を共有したりすることで、通話の時間を浪費しないようにします。あるいは、オンラインミーティングの前に、メールや共有サイトを通じてできることについても同様です。

こうしたことはつまり、ファシリテーターが、事前作業や、通話準備に向けて目を通す必要のあるお知らせは事前に参加者に送る必要があるということです。

対面式のミーティングと同様に、オンラインミーティングでも、事前に進行案を配付することが必要で、その進行案には、ミーティングの目的や期待される終了成果を具体的に解説してあることが求められます。効果的なミーティングの進行案を作成するためのガイドラインやプロセスノートについては、本章の前半を参照ください。

ファシリテーションは、対面式のミーティングのために開発されたものですが、遠隔のミーティングをより効果的なものにするために、ファシリテーターのツールキットから重要な要素を数多く拝借することができます。

オンラインミーティングを最も効果的なものにするためのファシリテーション術は、対面式のミーティングを効果的にするものとほぼ同一です。それは、明確な目的の提供、プロセスの解説、場をほぐす作業の実施、介入すること、参加者を名前で呼ぶこと、定期的なプロセスチェックの実施、重要なアイデアの言い換え、定期的な要約、重要項目の総括の確認、明確な行動ステップの提供などです。ここでは、以上の手立てを用いて、オンラインミーティングをどのように改善できるかを紹介します。

ミーティングの前に

- 電話やEメールで参加者に連絡を取り、進行案に対する客観的意見を求めます。
- 情報共有、事業計画作成、問題解決、関係構築など、さまざまな種類の話し合いの中から何を行うのかを明確にした詳細なプロセスノート付きの進行案を作成します。
- 誰がミーティングのどの部分に参加する必要があるかを明確にします。加えて、各参加者が事前に準備する必要がある情報を明確にします。
- 参加者に進行案を提示します。このことで、割り当てられた事前準備に取り組むことができ、必要な時間に通話にアクセスできます。

オンラインミーティングが始まったら

- 出欠確認を行い、参加者が集まっているか、進行の準備が整っているかを確認します。場合によっては、各自がこのミーティングから何を得たいと思っているかを述べてもらっても良いでしょう。これらの個々人の目標は記録をしておき、ミーティング中に触れることで、参加者が関わりを保つ手助けとなり、あなたが参加者のことを念頭に置いていることを示せます。

- あなたの目の前にある白紙に座席表を作成します。それぞれの名前の横に、その人が述べたセッションの目標を書き留めていきます。ミーティングが進み、発言をするたびに、名前の横にチェックマークをつけていきます。こうすることで、誰がミーティングに参加しているのか、その人たちがこのセッションに求めているものが何かを思い出すことができます。さらに、話し合いに加わってもらうべき人を特定する上でも役立ちます。
- 進行案を改めて確認し、ミーティング全体の目的、個々の部分の目的とプロセス、各部分に要する時間を明らかにします。また、誰が話し合いのどの部分に参加する必要があるかも明確にしておきます。
- ミーティングのルールを明確にします。これはファシリテーションを行う話し合いによって明確にしても構いませんし、一連の基本ルールをファシリテーターが提案し、参加者が修正して承認する形でも良いです。以下に示すルールは、オンラインミーティングの質を高めるのに役立つルールの例です。

オンラインミーティングのルール

このミーティングを建設的なものにするために、私たちは皆で次のことを守ります。

- できるだけ明確かつ簡潔であること
- 質問をしたり、自分の意見を示したりして、相手に関わろうとすること
- 必要であれば、わかりやすい説明を求めること
- 懸念事項や意見は自由に述べること
- 黙っている時間が長すぎたり、話し合いを終わらせる必要があったりする場合には声をあげること
- 集中力を保つよう努力すること。他の作業はしないこと
- 焦点を再度合わせる必要がある際には、いつでも要約を求めること
- ミーティングを離席する際には、その旨を伝えること

オンラインミーティングの間は

- それぞれのトピックの冒頭で、各項目の目的、プロセス、時間枠を改めて確認します。
- 発言する人にも、他の人の発言にコメントする人にも、双方に名前で呼びかけます。誰が発言しているかを常に把握します。

● ことあるごとにプロセスチェックを行い、物事が順調に進んでいるかを確認します。

オンラインミーティングのプロセスチェック

○目的は明確なままか。

○進め方は効果的か。きちんと進んでいるか。

○ペースに問題はないか。速すぎないか。遅すぎないか。

○誰も脱落しなかったか。

● トピックで総括を行うために、重要な点についての要約を示します。意思決定を伴う議論であった場合は、要約は決定事項を述べたものとし、それぞれの名前を呼び、最終決定を受け入れるかどうかを尋ねます。

● 行動計画が必要な項目については、グループ内で行動計画を作成する手助けをします。計画を最後までやりきることに責任を持つよう、参加者に働きかけます。

オンラインミーティングを終わる際には

● 各トピックの要約と、特定された行動ステップについて改めて確認します。

● 各参加者に、それぞれのミーティングの目標が達成されたかどうかを述べてもらいます。あるいは、それぞれがこのミーティングから何を得たのかについて述べてもらっても良いでしょう。

● ミーティング後に簡単な評価を行います。ここでは、何がうまくいき、何がうまくいかなかったか、今後のセッションを改善するアイデアを挙げてもらいます。もしこの方法が現実的でない場合には、評価フォームをオンラインで作成し、Eメールで配布します。

● 議事録が共有されるタイミングと方法についての詳細を共有します。

● 今後のオンラインミーティングについて確認します。

● 参加者に感謝の意を示した上でミーティングを終了します。

より効果的なオンラインミーティングを行うためには、第11章の話し合いの組み立ての解説の一部に示したオンライン進行案を参照してください。

■ 第 10 章 ■

ファシリテーターのプロセスツール

大工が適切な道具も持たずに家を建てようとすることを想像してみてください。完全に不可能ではないにせよ、非効率であることは間違いないでしょう。幸いなことにファシリテーターには、その仕事を助けてくれる豊富な一連の道具があります。

プロセスツールは、複雑な意思決定を伴う話し合いに必要な組み立てをファシリテーターにもたらしてくれます。また、これらのツールは、そのテーマのあらゆる側面について分析的に考えるよう参加者に働きかけるため、議論の客観性を高めることにもつながります。フリップチャートに図表や格子、グラフを描くことで、あなたが事前の準備をしたこと、ミーティングの企画が明確であることを示すことができます。そして話し合いが始まると、プロセスツールは、物事を軌道に乗せる上で役立ちます。このようにプロセスツールは、自分の好きなことを繰り返したり、議論が脱線したりするような、よくある落とし穴を避けるためにも有用です。

プロセスツールは、意思決定にも役立ちます。少数の声高な意見に支配されることなく、複数投票や、影響力－労力マトリクス分析などのツールによって、全員の意見が考慮されているようにします。プロセスツールは数多く存在するため、そのすべてを説明することは不可能です。本章では、最も一般的に使われるツールのみを取り上げることにします。ここに示す一覧は、すべてのファシリテーターがいつ、どのように使うかを知っておくべき基本的なプロセスを示しています。本章では以下のツールの詳細な解説を行います。

- ビジョニング
- 連続質問法
- SWOT分析
- SOAR分析
- ファシリテーター式傾聴法
- 振り返り肯定評価
- ブレーンストーミング
- 筆記式ブレーンストーミング
- 親和図法
- ギャップ分析
- 需給マッチング対話
- フォースフィールド分析
- 根本原因分析
- 5回の「なぜ」
- ギャラリーウォーク
- 複数投票
- 決定マトリクス分析
- 終了時アンケート
- サーベイ・フィードバック
- 体系的問題解決手法
- トラブルシューティング

これらのツールに加えて、すべてのファシリテーターは、質の改善に関わる技術について学ぶべきです。具体的にはプロセス・マッピング、ストーリーボード、ヒストグラム、散布図、クリティカルパスチャートなどがあります。

10.1 ビジョニング

どのような方法か：高度な参加型の目標設定手法です。

いつ用いるか：メンバーたちが自分の発想を明確にし、その発想を相互に共有することによって、望ましい未来の姿を共通のものにすることが必要な場合です。

その目的とは：人々が自分の考えを述べることができるようにすることです。全員が参加し、意見を聞くことができるようにすること、エネルギーを生み出すこと、参加者の足並みを揃えることにも役立ちます。参加者に、グループの目標を相互作用的に見出す方法も提供します。

その終了成果とは：ビジョニングのプロセスは、高度な参加型の方法であり、その場にいる全員を活気づけます。またグループの方向性がメンバーたち自身から導き出されるため、心からの賛同を生み出すこともできます。皆が一度は関与することになります。すべての考えに耳を傾けることができます。これはグループの目標設定を行う上で最適な方法です。

ビジョニングの方法

第1段階：タスクに関わる一連の質問を行い、将来のある時点における最終成果がどうあるべきかを尋ねるものです。言うまでもなく、ビジョンの質問は状況に応じて常に異なります。

顧客サービス改善チームのためのビジョニングの質問例

今日からちょうど2年後のことを想像してください。

- 現在、どのように顧客にサービスを提供しているかを言葉で描写してください。
- これまでどのような改善を行ってきたかを具体的に述べてください。
- このチームについて、現在、人々はどのように述べていますか。
- このグループはどのような問題を解決しましたか。
- どのような具体的な終了成果をあげてきましたか。
- 人々の振る舞いはどのように変わりましたか。

第2段階：各人に質問に対するそれぞれの答えを書き出してもらいます。少なくとも5分間は時間を取りましょう。必要に応じてもっと時間をかけても構いません。この書き出す段階では、互いに話しかけないようにしてもらいます。

第3段階：それぞれパートナーを見つけてもらいます。パートナーは自分があまり知らない人を選ぶことが理想的です。最初のパートナーが自身のビジョンを共有するために3～5分の時間を取ります。もう一人のパートナーにファシリテーションをしてもらいます。3～5分後、パートナーに役割を交代してもらい、2人目の人が話せるようにします。

第4段階：時間が来たら、全員に次のパートナーを見つけてもらいます。第3段階で示したプロセスを繰り返しますが、一人当たりの時間は少しだけ短くします。前のパートナーから聞いたアイデアのうち良いものがあれば積極的に参照し、自分自身のビジョンに取り入れるように働きかけます。

第5段階：新しいパートナーと共に、このプロセスを繰り返します。この回では、一人あたり1～3分程度にやり取りの時間を制限し、重要な点に優先順位をつけた上で共有するように働きかけます。この後、数回でやめても構いませんし、全員が他の人に話しかけるまで続けても良いでしょう。

第6段階：参加者に元の席に戻ってもらい、その後、議論のファシリテーションを始めて、アイデアをまとめてもらいます。この時点で、アイデアがかなり均質化していることに気づくでしょう。非常に大きなグループの場合、本章の後半で解説するギャラリーウォークという方法を用いて、アイデアを集めることができます。

10.2　連続質問法

どのような方法か：ワークショップの開始時にグループ全体に提起される、一連のクローズドエンドの質問形式での事前評価作業のことを指します。

いつ用いるか：グループについて、課題について、活動について重要な情報を明らかにする時や、刺激的な方法で点検・精査する時、課題を提起し、共通のニーズに対する意識を生み出す時に行います。

その目的とは：情報をもたらし、思惑や想定を点検し、人々を参加させます。人々が安心しながら、複雑な課題を表面化させることもできます。否定的な気持ちを吐き出し、行動を取る必要性を明らかなものにします。ファシリテーターが1日を通じて出てくるかもしれない課題を予測する上で役立ちます。このファシリテーション術がうまく使えると、変化することに対する共通の願望が生み出されることになります。そのことがグループの場をほぐす役割も果たします。

その終了成果とは：連続質問法は、ひらめきがパッと思いつくための刺激的なファシリテーション術です。この方法により課題が提起され、参加者は障壁について話し始めます。何が重要な問題なのか、参加者の意識を高められます。このプロセスが、問題解決と解決策の考案の土台を形づくることになります。

　ただし、意見が一致しない可能性もあるため、連続質問法を用いることを予定している場合には、異なる意見に介入し、対処できるよう準備をしておく必要があります。

連続質問法の進め方

第1段階：トピック全体を分析し、マクロな課題からミクロな課題に至るまで、5～10の質問を作成します。ワークショップ前のインタビューで明らかになった課題を中心にして質問を作ります。質問はクローズドエンドの質問か、尺度で評価できる項目とします。各項目に対して「はい」か「いいえ」で答えられる人を選びます。その後に続く話し合いで、目下の課題にとって重要で本音の情報が明らかになるように、それぞれの質問は、刺激的な方法で状況を探れるものである必要があります。

第2段階：フリップチャートの各用紙の上部にそれぞれの質問を記入します。

用紙の残りの部分は、回答を記録するために用います。質問を投げかけるまで、質問の内容を参加者に見せないようにします。各用紙をめくりながら、質問を読み上げ、少し時間を取ってから、グループの中の参加者一人に答えてもらいます。その人の回答を記録します。

次に、他の人にも自分の発想を付け加えてもらいます。すべてのコメントを記録し終えるまで、参加者の意見の理由について議論します。必ずしも同意に至る必要はありませんが、重要な考えを表す概要文を作成するように努めます。

次のページに質問の例を示します。ただし、質問は常に特定の状況に合わせて作成する必要があることを覚えておいてください。

連続質問法の例

トピック：事業上の改善

「はい」「いいえ」で答えた後に、あなたの回答について説明をしてください。

はい／いいえ その根拠は▶□	今後５年間の事業環境全体は、私たちの会社にとって有利に推移する。
はい／いいえ その根拠は▶□	今後５年間に起こるであろうあらゆる機会に対応できるよう、十分に準備している。
はい／いいえ その根拠は▶□	現在の事業展開戦略は、事業環境の絶え間ない変化に対応できるような動態的で柔軟なものである。
はい／いいえ その根拠は▶□	事業戦略は、より上層にいる人々によって立てられるべきである。
はい／いいえ その根拠は▶□	私たちの会社のスタッフは障壁を乗り越えようと意欲的である。
はい／いいえ その根拠は▶□	私たちは顧客のニーズや望むものを完全に理解している。
はい／いいえ その根拠は▶□	私たちは、早期警告とパフォーマンス測定システムによって、進捗状況を把握し、即時に修正することができる。
はい／いいえ その根拠は▶□	私たちの組織内には、相乗効果とチームワークにつながるような高いレベルでの調和や協力が存在する。
はい／いいえ その根拠は▶□	私たちは、市場で最高の製品を有している。私たちはその分野での市場を獲得している。
はい／いいえ その根拠は▶□	私たちは、製品を顧客に届けるための、相当完璧な配達システムを有している。
はい／いいえ その根拠は▶□	定例のミーティングでは、創造的な事業展開についてしばしば議論されている。より良い顧客サービスは、私たちが常に議論しているトピックである。

10.3 SWOT分析

どのような方法か：戦略的な話し合いを始める際に役立つ基本的な分析ツールです。強さ（strengths）、弱さ（weaknesses）、機会（opportunities）、脅威（threats）の頭文字を取ったものです。

いつ用いるか：戦略づくり活動を開始する際に枠組みを提供する時や、事業環境に関するデータを収集する時に行います。

その目的とは：戦略づくりプロセスにおいて考慮すべき正の部分と負の部分について、バランスの取れたイメージを作成するためです。

その終了成果とは：SWOT分析は、組織の潜在的可能性について、建設的かつ成長志向で、その可能性を重視した理解を育むことができます。

SWOT分析の進め方

第1段階：4つの調査カテゴリに対応した質問を配付し、参加者がよく考え、準備する時間を与えます。

第2段階：12名以下のグループの場合、質問を深く掘り下げ議論するグループディスカッションのファシリテーションを行います。重要な考えは記録します。大きなグループの場合には、3～4名の小グループを作ります。4つのカテゴリすべてについて15～20分の議論ができる時間を取ります。

第3段階：部屋のあちこちに、参加者が小グループで集まって、考えを共有したり記録できたりするような場を設けます。本章で解説するギャラリーウォークの段階を用いて、対話を促し、アイデアを集めます。

SWOT分析の例

強み（Strengths）

- 私たちがとてもうまくいっていることは何でしょうか。
- 私たちの持つ最大の財産とは何でしょうか。
- 私たちが成し遂げたことで最も誇りに思うことは何でしょうか。
- 私たちを独自の存在にしているものは何でしょうか。
- 私たちの強みから、私たちのスキルについてわかることは何でしょうか。
- 私たちは、強みをどのように生かして結果を出しているでしょうか。

弱み（Weaknesses）

- 私たちがうまくいっていないこととは何でしょうか。
- 私たちの最大の弱点とは何でしょうか。
- 私たちはどのような分野で十分な業績をあげられていないでしょうか。
- リソースやスタッフ、技術などの分野で、私たちの限界はどこにあるでしょうか。
- 私たちの弱点から、私たち自身について何を学べるでしょうか。
- 私たちが弱点をいまだに克服できない理由は何でしょうか。

機会（Opportunities）

- 私たちを取り巻く事業環境のなかで、最も大きな変化とは何でしょうか。
- 私たちが変化するきっかけとなるイノベーションとはどのようなものでしょうか。
- 私たちが組織やステークホルダーに変化をもたらすにはどうすれば良いでしょうか。
- 私たちが力を注ぐべき上位３つの機会とは何でしょうか。
- 私たちが弱点や脅威を機会として組み立て直すにはどうすれば良いでしょうか。
- 顧客が私たちに求めているものは何でしょうか。
- 他のグループとどのような相乗効果を創出できるでしょうか。

脅威（Threats）

- 私たちの最大の、あるいは危険な競争相手とは誰でしょうか。
- 今行われている競合の中で、私たちにとって有害なものは何でしょうか。
- 私たちに起こりうる最悪のことは何でしょうか。
- 私たちが過小評価したり、考慮し損ねてきたりした脅威とはどのようなものでしょうか。
- 私たちの弱点はどのような脅威に晒されているでしょうか。

10.4 SOAR分析

どのような方法か：戦略的な話し合いを始める際に役立つ強みを基本にした分析ツールです。よく知られているSWOT分析をより前向きにしたものになります。強さ（strengths）、機会（opportunities）、願望（aspirations）、結果（results）の頭文字を取ったものです。

いつ用いるか：戦略づくりの話し合いを肯定的な口調で始める時や、戦略性の高い作業を行う合宿を始める時、低い士気の問題に対応する必要がある状況で、前向きな言葉で現状を捉え直す時に行います。

その目的とは：発想・行動・振る舞いの上昇スパイラルを作り出すことです。創造性と既成概念に問われない思考に働きかけます。負の要素に阻害されることなく、戦略的思考を可能な方向に導くためでもあります。

その終了成果とは：SOAR分析は、組織の潜在的可能性について、建設的で成長志向の、そして可能性を重視する理解を育みます。

SOAR分析の進め方

第1段階：4つの調査カテゴリに対応した質問を配布し、参加者がよく考え、準備する時間を与えます。

第2段階：12名以下のグループの場合、質問を深く掘り下げ議論するグループディスカッションのファシリテーションを行います。重要な考えは記録します。大きなグループの場合には、3～4名の小グループを作ります。4つのカテゴリすべてについて15～20分の議論ができる時間を取ります。

第3段階：部屋のあちこちに、参加者が小グループで集まって、考えを共有したり記録できたりするような場を設けます。本章で解説するギャラリーウォークのプロセスを用いて、対話を促し、アイデアを集めます。

SOAR分析の例

強み (Strengths)

- 私たちがとてもうまくいっていることは何でしょうか。
- 私たちの持つ最大の財産とは何でしょうか。
- 私たちが成し遂げたことで最も誇りに思うことは何でしょうか。
- 私たちを独自の存在にしているものは何でしょうか。
- 私たちの強みから、私たちのスキルについてわかることは何でしょうか。
- 私たちは、強みをどのように生かして結果を出しているでしょうか。

機会 (Opportunities)

- 外部からの脅威について、どのように集合的に理解しますか。
- 私たちが力を注ぐべき上位３つの機会とは何でしょうか。
- どのようにすれば、脅威を機会と捉えることができるでしょうか。

- 組織が私たちに求めることはなんでしょうか。
- 顧客と最適な関係になるにはどうしたら良いでしょうか。
- 他のグループとどのような相乗効果を創出できるでしょうか。

願望（Aspirations）

- 私たちが自身の価値観や願望を探究する時、何に深く情熱を注いでいるでしょうか。
- 私たちの最も強い願望とは何でしょうか。
- 私たちはどのような人間になるべきでしょうか。
- 私たちの価値観をどのようにビジョンに反映しますか。
- 組織やステークホルダーに変化をもたらすにはどうすれば良いでしょうか。

結果（Results）

- 私たちの強み、機会、願望を考慮した際に、私たちが目標達成に向けて順調に進んでいることを示す意味のある測定方法とは何でしょうか。
- 私たちは何をもって知られたいのでしょうか。
- 私たちの強み、機会、願望をどのように明示的に表現しますか。

10.5 ファシリテーター式傾聴法

どのような方法か：参加者が互いに聞き取り、互いの本当の考えを聞き合うためのファシリテーション術です。効果的な傾聴力を教えるための方法です。

いつ用いるか：対立するアイデアがあり、互いの見解を聞き合わないような経緯があるところで、互いの組織について本当に理解し合うようにする時や、対立を調停する最初の重要な段階として行います。

何をするのか：誰もが公平に聞いてもらい、**「反対の立場の側」**から理解されたと感じるようになります。2人一組になり、自分の見解を述べるか、理解のために聞き取るかのどちらかにやり取りを限定することで、対立を回避することができます。

その終了成果とは：この聞き取りに関する体系的な方法により、人々は他者の反対意見に耳を傾け、理解し、認めるようになります。反論は認められていないので、参加者が互いの見解を聞く機会を持つことができます。聞いてもらえたと感じることで、緊張がほぐれ、一緒に課題に取り組むための、前向きな姿勢が生み出されます。

ファシリテーター式傾聴法の進め方

第1段階：参加者に、ファシリテーター式傾聴法を行ってもらうことを全員に聞こえるように表明します。グループメンバーたちに、パートナーを選ぶように伝えます。以下のルールを改めて確認します。

- 一人が話し出し、目下の話題について自分の発想を表現します。
- もう一人は、その話題について自分の発想は表現せず、次のことだけを行います。
  - 相手の言葉についてどう感じようとも中立的立場を保つこと。
  - 常にアイコンタクトを取り、気配りしつつ開放的な所作を用いて、傾聴すること。
  - 話している側がポイントを示した後に、相手がさらに深く掘り下げられるように本音を引き出す質問で問いかけをすること。
  - 相手が自分の発想を明確にする手助けをするように、相手が言っていることを言い換えること。
  - 相手の考えを理解していることを示すため、相手が言ったことを要約すること。

第2段階：取り上げるトピックを明確にします。次に全員にパートナーを見つけてもらいます。この際に「反対派」のグループからパートナーを選ぶことが重要です。パートナーとなったペアには、プライバシーを保てると感じられるよう、部屋のあちこちに散らばってもらいます。

第3段階：特定のトピックに関してどれくらいの時間が適切かを決めます。タイマーをセットし、ペアでの話し合いを始めてもらいます。10〜15分経ったら、行動を中断し、パートナーと役割を交代して話し合いを繰り返してもらいます。こうすることで、各自が発言する機会を得られるだけでなく、ファシリテーター役を交替することができます。

第4段階：2人とも自分の番が回ったら、全員に別のパートナーを見つけてもらいます。最初の議論で学んだことを、2回目のセッションで共有するように伝えます。2回目のセッションのタイマーをセットします。終了後に、もし要望があれば、グループメンバーたちにさらに別のパートナーと対話を繰り返してもらいます。

第5段階：この作業を2名で行っている場合は、もう1名に対して短いプレゼンテーションを行ってもらい、それぞれで状況に対する新たな理解をまとめてもらいます。これらの要約が互いにとって受け入れられるものであるようにします。

第6段階：この作業をグループで行っている場合、（20名以下のグループの）議論のファシリテーションを行うか、本章の後半で解説するギャラリーウォークのプロセスを用いて、コメントを集めます。

10.6 振り返り肯定的評価[1]

どのような方法か：過去に起こったすべての良いことを丹念に検討するために、グループメンバーたちが最近の出来事に関する質問に答える、過去に関する前向きな議論のことを指します。

いつ用いるか：グループの士気が下がった時や、プロジェクトのミーティングの中間的なチェックにとても効果的です。チームが達成したすべての前向きなことを思い出し、互いに称賛し合うために、チームの有効性を高めたい時に用います。戦略づくりで、前方を見通すミーティングを開始する際にとても適しています。挫折したチームの再出発を支援するためのあらゆる議論の一部となるべきものでもあります。

何をするのか：自分たちが達成したすべてのこと、チームのために行っている前向きなすべてのことを、グループメンバーたちが振り返るように働きかけます。それだけでなく、個々のグループメンバーに、自分が貢献をし、他者から評価されていることを実感させることもできます。

その終了成果とは：グループメンバーは、これまでに起こった良いことを振り返る機会を得られます。自分たちの貢献が公に認められることにもなります。このことで、メンバーが気分を高揚させ、これからの仕事への活力を取り戻せます。

振り返り肯定評価の進め方

第1段階：以下のような一連の質問を作成します。

- 過去数か月を振り返って、私たちは何を達成しましたか。
- 私たちの最大の業績は何でしたか。私たちが最も誇りに思うことは何ですか。
- 私たちが成功するのを後押しした外部要因は何ですか。
- 私たちが成功を達成するために、一人ひとりがどのような役割を果たしましたか。
- 最近の仕事のなかで、私たちはどんなことを学びましたか。
- これからの機会について、私たちをワクワクさせることは何ですか。

第2段階：グループの人数が6名以下の場合、グループ全体ですべての質問について話し合う議論のファシリテーションを行います。グループの人数がこれより多い場合には、グループを3～4名の班に分けます。これらの班に最初の3つの質問に答えてもらい、その回答

訳注1. 組織開発分野には、1980年代後半にデビッド・クーパーライダー博士らが提唱したAppreciative Inquiryという手法があり、この手法では、組織や集団・個人の核になる資源や強みに着目し、それらを最大限活用することを考えるポジティブ・アプローチを取ります。この振り返り肯定評価（Appreciative Review）は、Appreciative Inquiryをもとに考案されていると思われます。

をグループ全体に共有できるように要点筆記を作成してもらいます。

第3段階：メンバーたちを集め、それぞれの班で話し合ったことを共有してもらい、フリップチャートか電子ボードにその回答を記録します。

第4段階：各人がグループ全体にどのような貢献をしたのか、4つめの質問を投げかけます。静かに振り返る時間を1～2分設けます。グループの成功に関する自身の貢献について、一人ひとりに話すように誘います。もし自分の役割を低く見ている人がいたら、その人が貢献した点を指摘するよう、他の人に呼びかけます。この会話を録音する必要はありません。大事なことはこれがみんなの前で行われることです。

第5段階：グループメンバーたちに、新たな班を作り、グループ内で他の人と話してもらいます。最後の2つの質問を投げかけます。それぞれの班で、誰かに要点筆記を作成してもらいます。

第6段階：メンバーたちを再び集めて、最後の2つの質問に関する回答を共有してもらいます。部屋の前方ですべてのコメントを記録します。

10.7 ブレーンストーミング

どのような方法か：人々を解き放ち、創造的思考と革新的なアイデアを生み出す相乗効果をもたらすファシリテーション術です。

いつ用いるか：通常の障壁にとらわれない自由な発想で、創造的アイデアを自由に生み出すことが有利である場合や、みんなを関わらせようとする時、エネルギーを生み出したい時、幅広く潜在的なアイデアを生み出す時に行います。

その目的とは：人々が新しいアイデアを探究し、従来の思考を疑問視することを可能にします。訂正されたり、問い直されたりすることを恐れずに、議論の俎上に自分の考えを載せることができます。価値確認の活動から分けて、考えの創造を行えます。

その終了成果とは：創造的な考えが幅広く生み出されます。ブレーンストーミングは、現実的な検討から人々を解放して、創造的に考えるように働きかけます。人々に行動を起こしやすくする活力を作るプロセスでもあります。また人々に高い水準で参加をしてもらえるため、ブレーンストーミングにより、誰もが解決策の重要な役割を担っていると感じることができます。

ブレーンストーミングの進め方

第1段階：ブレーンストーミングを行うことを全員に聞こえるように表明します。以下のルールを改めて確認します。

- アイデアを自由に出すこと
- 悪いアイデアは存在しないこと
- 創造的であること
- 新しい方法で考えること
- 他の人のアイデアに積み上げること
- 古いパターンを打ち破ること
- 議論を継続すること
- 価値確認は後回しにすること

第2段階：ブレーンストーミングのトピックを明確にし、参加者が解決策を考える間は静かな時間を設けます。

第3段階：メンバーたちにアイデアを出してもらいます。グループ内でラウンド・ロビン方式でブレーンストーミングを行うこともできますが、ブレーンストーミングは、メンバーたちが思いつくままにアイデアを出し合う形で、自発的に行うのが最善です。

第4段階：生み出されたアイデアは記録します。議論したり、詳しく説明したりはしません。そのまま続けます。

第5段階：アイデアが出尽くした時、次のような本音を引き出す質問で問いかけをすることで、さらにアイデアを出してもらいます。

- お金が問題でないとしたらどうしますか。
- 競合他社は私たちが何をしたいと考えるでしょうか。
- すでに発案されていることの反対のことは何でしょうか。

第6段階：アイデアの流れが止まったら、ブレーンストーミングで出されたそれぞれのアイデアを詳しく掘り下げ、十分に発展させ、明確に理解できるようにします。単に表現が異なるだけで、同じようなアイデアについては組み合わせます。

第7段階：決定マトリクス分析、親和図法、複数投票を活用して、アイデアを分類します。

10.8 筆記式ブレーンストーミング

どのような方法か：自分のアイデアを書き留め、それが他のメンバーたちに渡り、アイデアが積み上がっていく、他人に見られないようにする個人レベルのアイデア生成術です。

いつ用いるか：他の人の前で話したくない場合や、従来のブレーンストーミングセッションでは場を支配してしまいそうな発言力の強いメンバーがいる場合に行います。また、最初のアイデア出しの段階は匿名かつ人に見せないで行われるので、課題やテーマがデリケートな場合にも有効です。

その目的とは：この手法は匿名なので、自由な発想でアイデアを出すように働きかけます。

その終了成果とは：短時間で多くのアイデアが生み出されます。また、匿名性を保ったまま、他の人のアイデアを知ることができます。

筆記式ブレーンストーミングの進め方

第1段階：アイデアを出すためのトピックや課題を明確にします。メンバーたちにそのプロセスを説明します。

第2段階：各自に小さな付箋を渡します。メンバーたちには一人で、現在議論しているトピックに関わるアイデアを考えてもらいます。このアイデア生成の段階はどこで実施してもよく、3～10分程度の時間とします。

第3段階：アイデアを書いた付箋を折りたたみ、テーブルの中央にポンと置いてもらいます（付箋に名前を書いてはいけません）。

第4段階：付箋を混ぜ、各人には自分が置いた数だけ付箋を取ってもらいます。もし自分の出した付箋を引き当てた人は、投げ返すか、隣の人と交換します。

第5段階：各自で、付箋の山から選んだアイデアを読んで刺激を受けた発想をもとに、3～5分間、追加のアイデアを考えます。この新しい付箋を、テーブルの真ん中に投げ入れ、その後、再び配付します。

第6段階：すべてのアイデアが配られたところで、山から引いた付箋に書かれているアイデアすべてをメンバーに声に出して読んでもらいます。

第7段階：それぞれのアイデアが完全に理解できるまで議論します。この際に各アイデアを誰が発案したかは探りません。すべての付箋を壁かフリップチャートに貼り付けます。

第8段階：決定マトリクス分析（237ページ）か、複数投票（235ページ）を用いて、状況に合った、最も効果的なアイデアを分類します。

10.9 親和図法

どのような方法か：アイデアを共通のテーマで整理するツールです。大量の情報をテーマごとに整理して、アイデアを管理しやすくするための視覚化ツールです。

いつ用いるか：多くのアイデアが生み出されている時や、問題分析の際に、すべての要因を整理する方法として用いることもできます。ブレーンストーミングの後にアイデアを分類するために用いることもできます。

その目的とは：大量の情報の中から共通のテーマを引き出すためです。また、さまざまなアイデアや情報の中から、それまで見えなかったつながりを見つけ出すためです。

その終了成果とは：バラバラのアイデアを一貫したテーマに変換します。最高のアイデアが自然と見出されます。

親和図法の進め方

第1段階：議論しているトピックや問題状況と議論の目的について、グループがわかりやすい文章を書く手助けをします。グループが問題を分析しているのか、解決策を考えているのか、単にイベントやプロジェクトの要素を列挙しているのかを明確にします。

第2段階：大きな壁面にフリップチャートの用紙を貼り付けるか、ホワイトボードの表面をセクションに分割します。付箋束とマーカーを配ります。見出しをつけるために、大きな付箋の束を用意します。

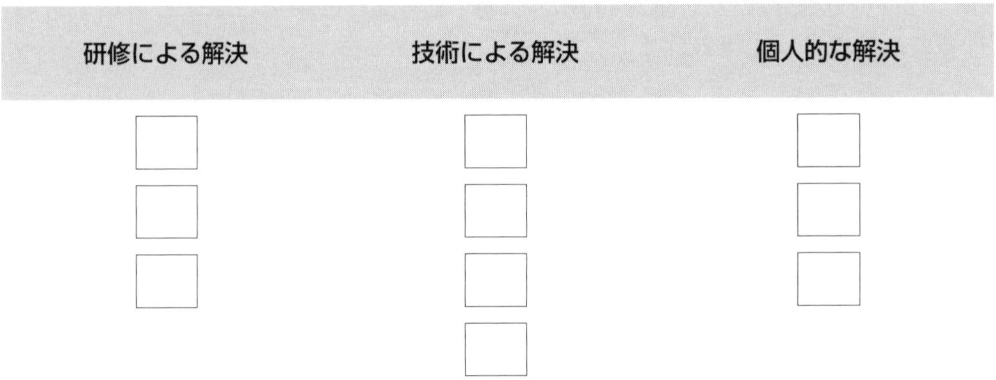

第3段階：メンバーたちが付箋にアイデアを書き込んでいている間は、静寂な時間を保ちます。グループを回り、メンバーたちに自分のアイデアを読み上げてもらいます。すべてのアイデアが読み上げられたら、もう一度静かな時間を設け、同僚の発案を聞いている間に思いついた追加のアイデアを付箋に書き込むようにします。

第4段階：グループメンバーたちが、生み出されたアイデアに見合った見出しやカテゴリを洗い出せるように手助けをします。見出しカードの例としては、人材、研修、予算、方針、文化、リソースなどがあります。大きめの付箋に見出しを書いたら、これらの見出しの付箋を壁や電子ボードに貼ります。

第5段階：グループメンバーたちに、それぞれのアイデアが書かれた付箋を最も近いカテゴリに配置するように誘います。位置づけが不明瞭なもの、2つの場所に当てはまるようなものがあれば、その配置を明確にします。

第6段階：アイデアの整理を改めて確認し、全体で承認します。参加者が思いついた新たなアイデアを追加できるようにします。明白なテーマが浮かび上がってきていないか、議論のファシリテーションを行います。どのカテゴリに最も多くのアイデアが集まっていますか。それは何を示していますか。

第7段階：各トピックの中でアイデアの順位づけを行います。マーカーか複数投票用のシールを配付し、それぞれのトピックの中で実施に向いている上位3〜5のアイデアをメンバーたちに選択してもらいます。この順位を改めて確認し、全体で承認します。上位に入った項目の行動計画を作成するためにメンバーを組織します。

10.10 ギャップ分析

どのような方法か：目標を達成するために必要な段階をグループで洗い出すための事業計画作成手法です。

いつ用いるか：現在地と最終的な目標地点とのギャップを把握する必要がある時に行います。

その目的とは：ギャップ分析は、現状を現実的に見直すように働きかけ、望ましい未来に到達するために必要なことを特定する上で役立ちます。

その終了成果とは：ギャップ分析では、現状と望ましい未来との間のギャップをなくすために何をすべきかについて、共通の見解を生み出すことができます。

ギャップ分析の進め方

第1段階：未来の状態（将来シナリオ）を見出します。グループが特定の時期にどのようにありたいかというイメージを生み出せるビジョニングや他の手法を活用します。未来の描写は詳細でなければなりません。その情報を開口部のない大きな壁の右側に貼ります。

第2段階：現在の状態を見出します。未来の状態について取り上げたのと同じ構成要素を、現在の用語で描写します。ここでもできるだけ詳細に描写します。生み出されたアイデアは、壁の作業空間の左側に貼ります。

第3段階：メンバーたちに、パートナーと協力して、現在と未来の間のギャップを洗い出してもらいます。そのために次の質問を尋ねます。

- 現在と未来の間にあるギャップは何ですか。
- 未来を実現するための障壁や障害とは何ですか。

第4段階：パートナーとよく考えた後に、グループ全体でアイデアを共有し、「現在」と「未来」の間のギャップを示します。

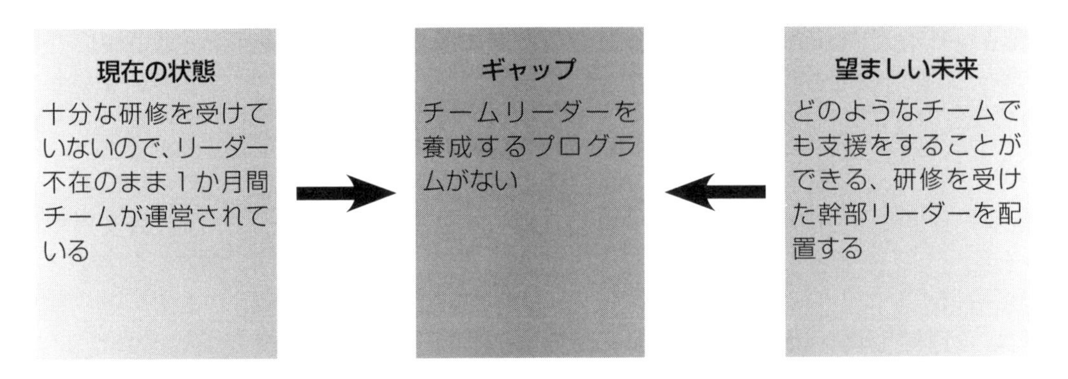

第5段階：ギャップについてコンセンサスが得られたら、グループ全体をいくつかの班に分けます。各班に解決すべきギャップの項目を1つ以上与え、解決策を考案するか、行動計画を作成してもらいます。

第6段階：グループ全体を再び集め、班で考えた提言と行動計画を尋ねます。メンバーたちに計画を承認してもらい、フォローアップの仕組みを作ります。

10.11 需給マッチング対話

どのような方法か：意見や立場が異なる二者間の建設的対話により、両者の関係を改善するための行動ステップを見出します。前向きかつ建設的な対話により、過去や現在の関係に関する懸念事項を、総じて建設的な言葉によって表現することができます。

いつ用いるか：当事者間の対話を働きかけ、対立を解消したり、問題が起こる前に積極的に関係を改善したりする場合に行います。

その目的とは：懸念事項を吐き出し、リスクの低い方法で対人関係の課題を解消するためです。また、新しい前向きな関係に向けた協議をするためです。

その終了成果とは：互いの見解や気持ちに関する理解をより深めることができます。関係を強めるための行動計画に関して、相互に同意できます。

需給マッチング対話の進め方

第1段階：この作業の対象者は誰かを明確にします。その対象者は、チームとそのリーダーであったり、同じチーム内の2つの班であったり、チームと経営陣であったり、2名の個人であったりします。

第2段階：フィードバックを与えたり受け入れたりすることの価値について話し、作業に向けた肯定的な場の雰囲気を整えます。メンバーたちが自由かつ正直に話すように働きかけるために、適切なルールがあることを確認します。

第3段階：この作業のやり方を説明します。異なる2つの立場の当事者は20～30分間、別々に行動します。この間に、それぞれの当事者は相手に何を求めているかを見出し、当事者たちの有効性を発揮させます。このプロセスは、当事者が2名の個人でも、チームとそのリーダーであっても同じです。

第4段階：それぞれの当事者が「ニーズリスト」を書き出したら、一堂に会し、一つずつ発想を共有します。片方の当事者がニーズを話している間は、もう一方の当事者は傾聴し、聞き終えたら相手のニーズを要約して伝えます。

第5段階：互いのニーズを聞き認めたところで、再び当事者たちを引き離し、20～30分間、相手に何を準備して申し出られるかを考えます。

第6段階：当事者たちを再び集め、順番に申し出られることを話してもらいます。議論やわからないことをなくすための時間も設けます。メンバーたちに聞いたことを承認させ、それを積極的に実行することを約束させた上で、話し合いを終了します。

10.12 フォースフィールド分析

どのような方法か：フォースフィールド分析はある状況に作用する、相反する2つの力を構造化して把握する手法です。

いつ用いるか：ある状況において、障壁や問題を特定するために、すべての要素を表面化する必要がある時に行います。

その目的とは：利用可能なリソースや障壁、障害を明確にします。グループが自分たちの仕事に作用している力を理解する上で役立ちます。

その終了成果とは：フォースフィールド分析は、状況を分析し、解決すべき問題を特定するための貴重なツールです。メンバーたちは作用している正負の力の双方に注目することができます。

フォースフィールド分析の方法

第1段階：トピック、状況、プロジェクトを特定します。例えば、コンピュータの研修などです。

第2段階：グループが議論の目標を文章化する手助けをします。例えば、**「3週間後までに、すべてのスタッフが新しいオペレーティングシステムの研修を受講する」**などです。

第3段階：フリップチャートの用紙の中央に線を引きます。片側に、目標達成に役立つすべての推進力（資源、能力、態度など）を挙げます。もう片側に、目標達成を阻害する力（障壁、問題点、欠点など）をすべて挙げます。

目標：すべてのスタッフに対して、3週間後までに新たなオペレーティングシステムの研修を行うこと	
私たちを助けてくれる力、場の資源	障壁となる力、問題点、欠点

・改訂版のソフトウェアを強く望むスタッフ ・最新鋭のソフトウェア ・コンピュータに精通したスタッフ ・4つの素晴らしい研修室 ・スタッフの80%が集中管理されている ・6名の有能な指導者	・勤務スケジュールに支障をきたす ・ソフトウェアの複雑さ ・継続的なコーチングの必要性が高い ・少なくとも研修室が6つ足りない ・スタッフの20%は地理的に分散している ・外部講師はコストがかかる ・研修に適した時期ではない

第4段階：助けとなる要素と妨げる要素をすべて洗い出したら、複数投票か決定マトリクス分析を用いて、どの妨げや障壁が即時的な問題解決を行うための優先事項となるかを決定します。

第5段階：体系的問題解決モデル（242ページ）を用いて、優先的に障壁に対処します。

フォースフィールド分析の種類

フォースフィールド分析にはいくつかの種類があります。それぞれ前述したのとほぼ同じ方法で用いられます。

以下のような種類があります。

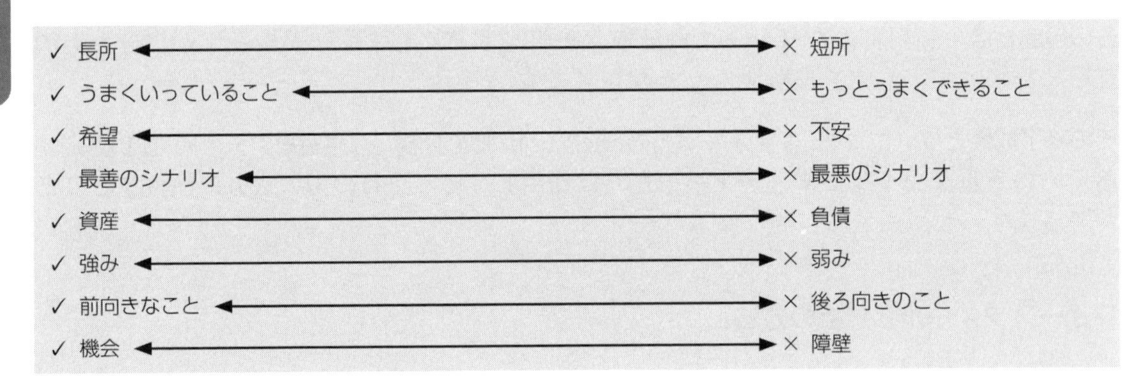

10.13 根本原因分析

どのような方法か：ある問題を体系的に分析し、兆候でなく根本原因を特定するものです。

いつ用いるか：表面的兆候ではなく、問題の根本原因を掘り起こす必要がある時に行います。

その目的とは：より完全で最終的な解決策を導き出すためです。

その終了成果とは：根本原因分析により、グループは問題をより深く見つめ、その根本原因に対処することができます。これは問題の決着がより決定的になされる可能性が高いことを意味します。

根本原因分析の進め方

第1段階：グループメンバーたちに原因とその結果の違いについて説明します。例えばうるさいマフラーは、原因なのか結果なのかを尋ねてみます。参加者の方で結果であると見出したらその原因をすべて挙げてもらいます。結果は解決できないが、根本原因は解決できることを指摘します。

第2段階：根本原因を特定するために2つの基本的手法のいずれかを使用します。それは原因・結果チャートとフィッシュボーン図です。

原因・結果チャート

1. この手法を用いるために、フリップチャートの用紙を半分に分けて、左側に結果、右側に原因を書きます。

   例：マフラーの音がうるさい。

   結果：加速時の騒音と煙。

   原因：腐食。クランプの緩み。パンク。

2. 誰かが分析の論点を示したら、それが原因か結果かを尋ねてみます。各項目を該当する欄に記入します。それぞれの結果について、「なぜ」「なぜ」「なぜ」と問いかけ、根本原因を明らかにします。すべての原因が特定されるまで続けます。複数投票などの手法を用いて、原因の順位づけをします。

フィッシュボーン図

フィッシュボーン図は、分析の対象となる状況に貢献する全種類の原因を特定し、並び替えるための視覚化ツールです。フィッシュボーン図内の原因のカテゴリはさまざまありますが、通常は、人、機械／装置、方法、材料、ポリシー、環境、測定法が含まれます。

まず、魚の「頭」に観察できる結果を配置します。次に、主要な原因のカテゴリを決め、次に魚の「あばら」に該当するすべてのありうる原因について、メンバーたちにブレーンストーミングをしてもらいます。

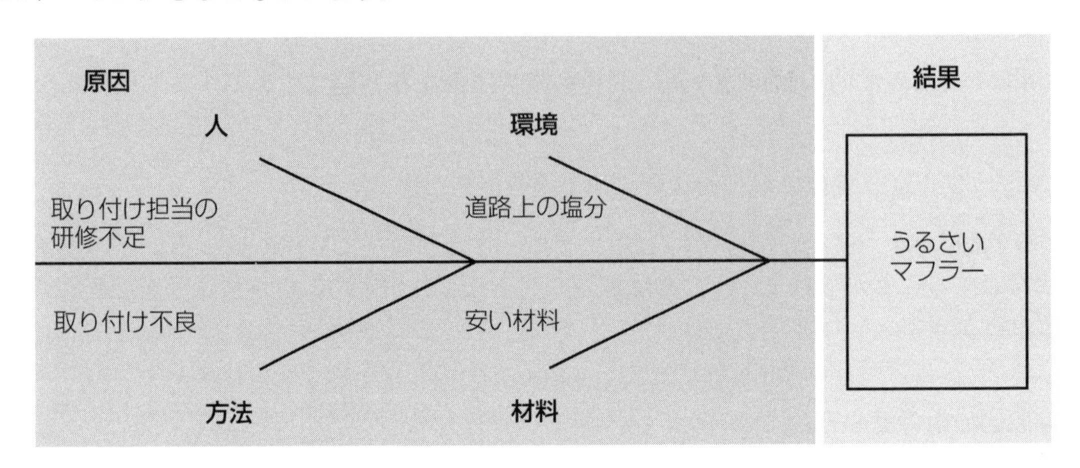

第3段階：どちらのやり方を使用するかにかかわらず、すべての根本原因が特定できたら、複数投票を適用して、どの原因を解消するのが最も優先度が高いかを特定します。

第4段階：優先順位の高い問題をすべて特定できた後に行うことは、242ページの体系的問題解決手法のプロセスを参照してください。

10.14　5回の「なぜ」[2]

どのような方法か：問題の根本に迫るためのシンプルなファシリテーション術です。

いつ用いるか：問題解決のための分析段階において行います。

その目的とは：根本原因を一段一段明らかにするためです。

その終了成果とは：症状を超えて、より深く根本的な課題に辿り着くことができます。

5回の「なぜ」の進め方

第1段階：丹念に検討する症状を明確にし、全員が何を議論しているのかがわかるようにします。

第2段階：グループに尋ねます――「なぜこのようなことが起こるのでしょうか」。回答はすべて記録します。

訳注2. トヨタ生産方式の一環として考案された根本原因分析の一つです。「なぜなぜ分析」とも言われたりします。

第3段階：最初の項目と、新しく記録した情報について「なぜこのようなことが起こるのでしょうか」と再度尋ねます。

第4段階：この段階をさらに3回繰り返し、コメントはその都度すべて記録します。

第5段階：要点筆記を改めて確認するためにここで中断します。作成された情報が、元々の課題の根本原因を反映していると思うかをメンバーに尋ねます。複数の根本原因が特定された場合には、投票用のシールを配り、挙げられた3～5つの最も重要な根本原因にシールを貼ってもらいます。

5回の「なぜ」の例

車が動かない（問題／症状）

なぜ？	バッテリーが上がっている。
なぜ？	オルタネーターが機能していない。
なぜ？	オルタネーターベルトが切れている。
なぜ？	オルタネーターベルトが摩耗し、一度も交換していない。
なぜ？	部品の交換時期を記録していない。

10.15 ギャラリーウォーク

どのような方法か：特定の課題について、多くの人々に建設的な話し合いをしてもらうのに、安心して参加できる手段です。部屋の壁を利用して、短時間に大人数から多くの客観的意見を得るための方法です。

いつ用いるか：大人数で幅広いトピックについて丹念に検討したいが、そうするための時間がない時や、グループを活性化させ、全員を話し合いに参加させたい時、オープンな話し合いでは話したくないようなトピックがある時、壁に使用できる広いオープンスペースがあり、少なくとも20名以上のグループの時に行います。

何をするのか：比較的安心して匿名性の高い話し合い環境を作れます。参加者がアイデアを読み、それにアイデアを積み上げるので、グループの相乗効果を生み出す代替手段となります。

その終了成果とは：多くの課題について丹念に検討することができます。グループのアイデアが考案されます。全員が参加し、自分のアイデアが参加者のさまざまなアイデアのるつぼに混ざります。

ギャラリーウォークの進め方

第1段階：部屋のあちこちにフリップチャートの白紙を貼って準備します。電子ボードを使用することもできます。

第2段階：議論すべきトピックを1つあるいは一連で明らかにします。次にそのトピックを区切って、より小さなトピックに分割します。

第3段階：用紙の上部に、1つのトピックの塊、あるいは小さなトピックを貼り付けます。

第4段階：部屋を歩き回り、自分が知識を持っているトピックが載っているフリップチャートの前に集まるように案内します。それぞれのフリップチャートに集まる人数は、常に3人以上5人以下でなければならないことを明確にしておきます。その後、参加者はその場で、一定時間（通常5分程度）、そのトピックについて議論し、発想をまとめて記録しておきます。

第5段階：5分が経過したら、参加者全員が別のフリップチャートの前に移動し、最初のグループが書いたものを読み、そこに移動した人と相談しながら、用紙にコメントを追加してもらいます。このプロセスを、すべてのフリップチャートの用紙が埋まるまで繰り返すことができます。なお、各自がすべてのフリップチャートを訪れる必要はありません。

ギャラリーウォークの種類と応用

これは事業計画作成の作業において用いることができ、事業計画作成プロセスにおける重要な質問とフリップチャートのトピックを一致させることもできます。その質問とは、以下のようなものです――「顧客の主な動向とは何か」「直面している競争力とは何か」「製造における強みとは何か」「製造における弱みとは何か」「次に採用に向けて準備すべき技術的イノベーションとはどのようなものか」などです。

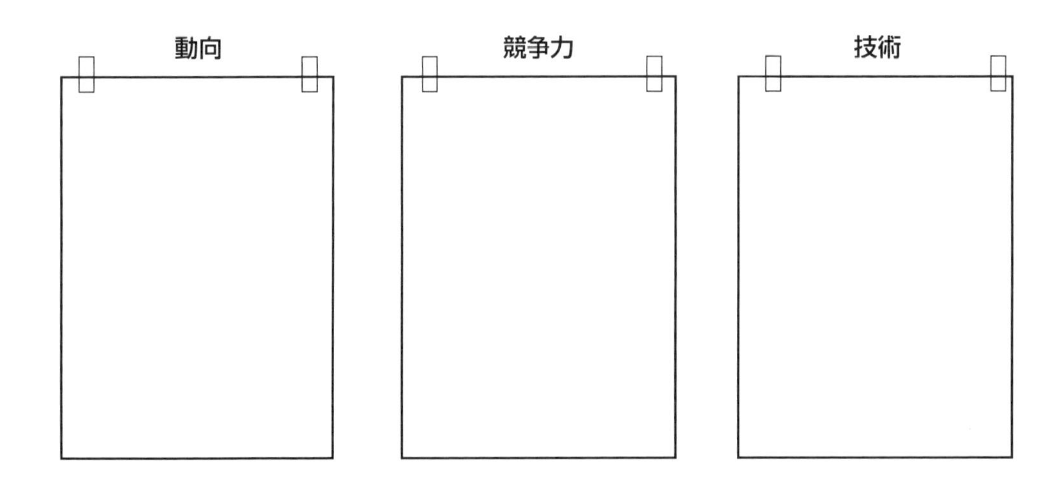

問題解決作業でも用いることができ、その際は問題を別の場所に掲示し、参加者に歩き回ってもらい、まずはそれぞれの問題について分析することで、多くの問題を解決することができます。少なくとも3組の参加者によってすべての問題が分析されたら、参加者に自分の足跡をたどり、分析シートを読み返し、解決策のブレーンストーミングを始めてもらいます。少なくとも3か所を回って解決策を追加した後、全員に色マーカーを渡し、ブレーンストーミング後の解決策が書かれた用紙すべてを見て回ってもらい、実施すべきだと考える3つのアイデアにチェックを入れてもらいます。

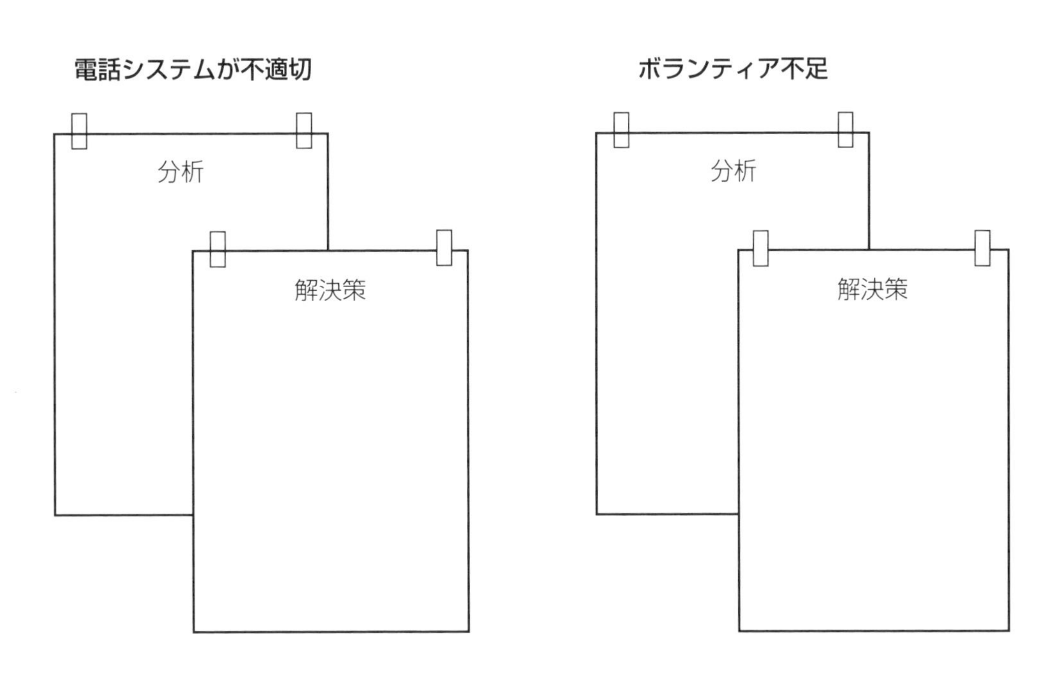

10.16 複数投票

どのような方法か：アイデアリストが長い場合に、グループで素早く整理するための、優先順位づけのツールです。

いつ用いるか：アイデア出しの議論の後に行います。

何をするのか：参加型の方法で、迅速に優先事項を絞り込みます。議論や比較をすることなく、グループ内で多くのアイデアを選別できます。

その終了成果とは：複数投票は民主的で参加型です。ほとんどのメンバーたちが、優先事項リストの上位に自分の好むいくつかの項目があることを目にできるため、複数投票は「それなら受け入れられる」という感覚につながることが多いです。

複数投票の進め方

第1段階：優先順位をつける項目群を明確にします。フォースフィールド分析から得られた障壁のリストや、ブレーンストーミングセッションから得たアイデアのリストでも構いません。各項目についてメンバーたちに議論してもらい、全員がその選択肢を理解できるようにします。

第2段階：全員が同じ基準で投票できるように、投票基準は明確なものにします。多くの場合、複数回の投票を行うことが有益ですが、その際には各投票で異なる基準を用います。基準の例は、以下のとおりです。

- 最も重要な項目
- 最もコストの低い項目
- 最も簡単に完了できる項目
- 論理的順序で最初の項目
- 最も革新的な項目
- 戦略的方向性から見て最も重要な項目
- 顧客にとって最も重要な項目

第3段階：基準が明確になったら、さまざまな方法で複数投票を行います。

カラーシールによる投票

- 事務用品のお店でファイルフォルダー用のシールのシートを購入します。シートは短冊状に切り離しておきます。
- 4～7個のシールのまとまりを各参加者に配布します。シールは仕分けする項目数の半分よりは少し少なくして、参加者に選択をしてもらいます（例えば、10個の項目を仕分けるのにはシールを４つ配ります）。
- メンバーには、上位４つの選択肢にシールを貼ってもらいます。この際、１つの項目に２つ以上のシールを貼らないように確認しておきます。
- 全員が投票したら、シールを順に集計し、優先事項を決めます。

点数の配分

- 各自に持ち点を与え、仕分けする項目に振り分けてもらいます。点数は10点満点か、100点満点が一般的です。
- メンバーは自分の好きな項目の横に点数を書き込みます。一つの項目に持ち点の50%以上の点数をつけないように指示するのが賢明です。
- 全員が投票したら、点数を加算して優先事項を決めます。

重みづけの複数投票

優先づけの活動では、投票シールに重みをつけることが都合の良い場合もあります。この重みづけとは、1から4の番号づけというような簡単なものです。より有効な方法は、いくつかのシールにさらに大きな重みを与えるものです。この結果、順位づけされた項目をより明確に区別できます。

●単純な重みづけの例

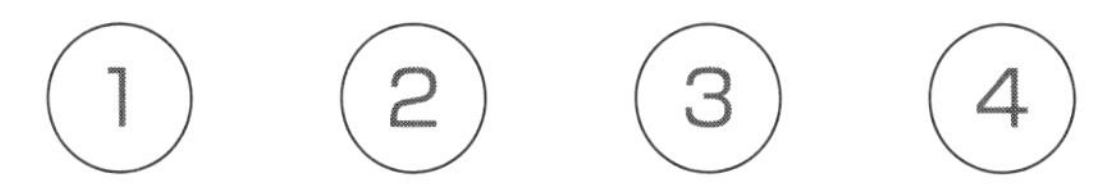

●差が出やすい重みづけの例

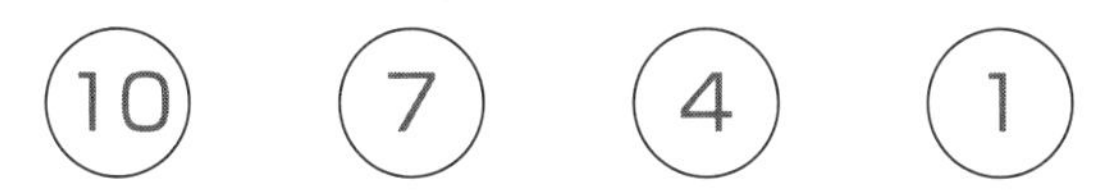

注：投票する人が影響を相互に及ぼし合うことを避けるために、フリップチャートに近づく前に、自分がどの項目にシールを貼るかを検討しておいてもらいます。このようにすることですべての票が集約された、いわゆる「群れる」状態を避けることができます。

10.17　決定マトリクス分析

どのような方法か：複数のアイデアを評価し、どれが最も効果的であるかを判断するためのマトリクス分析のことです。

いつ用いるか：意思決定プロセスをより客観的かつ徹底的なものにする際に行います。

その目的とは：複数の要素を含む複雑な課題に対処するための体系化された意思決定プロセスを提供するためです。バラバラの議論を、客観的な基準に照らし合わせて解決策を判断するものへと転換するためです。

その終了成果とは：バラバラに出されたアイデアが体系的方法でカテゴリに分類できます。全員が投票するので、終了成果が協働的なものになります。

決定マトリクスの進め方

影響力ー労力のマトリクス分析

第1段階：フリップチャートまたは電子ボードに以下のマトリクスを作成します。

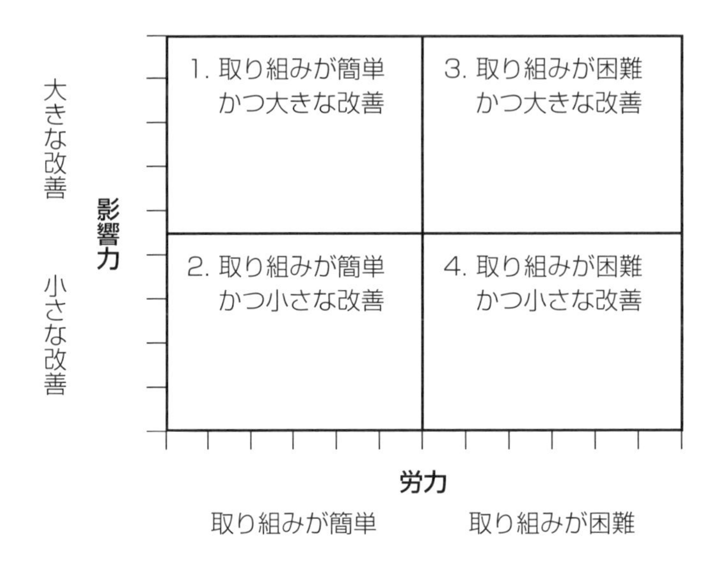

第2段階：選択肢について話し合い、以下の4つのマスのいずれかに入れます。

1. 簡単にできて、すぐに実行できる割に大きな改善が期待できる。
2. 簡単にできるが、すぐに実行できるような小さな改善しか得られない。
3. 実行が困難だが、大規模なプロジェクトとして大きな改善効果が期待できる。
4. 実行が困難で、改善効果が小さい（廃案）。

第3段階：すべてのアイデアを4つのマスのいずれかに配置できたところで、グループメンバーたちが行動計画を作成するように手助けをし、簡単に実行できると見出したアイデアから取り組み始めます。

影響力-労力マトリクス分析は、次の基準ベースのマトリクス分析と比較して、マトリクスがすでに設計されており、基準を作成する必要がないので、より簡単に用いることができます。

影響力-労力マトリクス分析を使用する際の主な難しさとは、「実行が簡単」「実行が困難」「小さな改善」「大きな改善」という用語の意味を正確に誤解のないようにすることです。最初に用語を明確にしておくことで、白熱した討論を避けることができます。

基準ベースのマトリクス分析

第1段階：メンバーたちに、潜在的解決策を判断するための基準を特定してもらいます。例は以下のとおりです。

- 時間を節約できること
- 戦略的計画をサポートすること
- お金を節約できること
- 私たちで制御できること
- ストレスを軽減できること
- 正しい順序を示していること
- 時宜を得ていること
- オペレーションを乱さないこと
- 実現可能であること
- 経営的な支援を受けることができること
- 手頃であること
- 顧客のニーズを満たしていること

第2段階：このリストから妥当な基準を選び、マトリクスの上部に配置します。検討する選択肢を左の列の下に配置します。基準の中には、他のものより重要なものがあることに注意が必要です。そのために、重みづけを行う必要があります。例えば、重みづけした基準の例では以下の尺度を用います。

(x1) 基準を満たしていない

(x2) 基準をやや満たしている

(x3) 基準をよく満たしている

第3段階：次に選択肢が基準をどの程度満たしているのか、それぞれを評価します。最良の選択肢を明らかにするため、得点を集計します。

以下は14日間で50名に対して、新しいソフトウェアの研修を行うという課題についての解決策を評価するための決定マトリクス分析の例です。

	基準	コスト面で有効(×1)	顧客ニーズへの対応(×3)	スピード(×1)	混乱がない(×1)	解決策ごとの集計
選択肢	仕事を全部止めて、全スタッフに2日間の教室での研修を実施	1211÷4 =1.25	1111÷4 =1.00	3333÷4 =3.00	1111÷4 =1.00	8.25
	専門家を2週間派遣して、一対一でサポートする	2221÷4 =1.75	2322÷4 =2.25	1211÷4 =1.25	3333÷4 =3.00	12.75
	一度に10名だけを2日間休ませる	2233÷4 =2.50	2332÷4 =2.50	2222÷4 =2.00	2223÷4 =2.25	14.25

10.18 終了時アンケート

どのような方法か：出口付近に設置する匿名のアンケートで、グループ全体の進捗に関するメンバーの満足度を把握するために用います。

いつ用いるか：ミーティングやワークショップの中間地点において、隠れた課題や不安なことを明らかにする必要がある時に行います。

何をするのか：ミーティングやイベントの効果に関するデータを提供し、課題をさらに検討し対応することができます。不安を吐き出すことができます。

その成果とは：終了時アンケートは、不安や懸念事項を吐き出すための安全弁として機能します。懸念事項を解決策に導き、グループ自身にその課題を解決する力を与えられます。

終了時アンケートの進め方

第1段階：2～4の質問を特定します。これらをフリップチャートの用紙に書き出し、ミーティング再開時に議題とすることができます。

以下は、終了時アンケートの典型的な質問です。

1＝悪い　2＝まあまあ　3＝満足　4＝良い　5＝とても良い

1. 本日のミーティングでは必要なことをこの場で達成できましたか？

1	2	3	4	5

2. 全員の考えを聞き、考慮できましたか？

1	2	3	4	5

3. よく考え、公平な決定をこの場で下せましたか？

1	2	3	4	5

第2段階：出口付近の壁にアンケートのシートを貼り、グループメンバーたちが退出する際に印をつけられるようにします。匿名性を確保するため、フリップチャート立ての上に調査票を置き、評価する人のプライバシーの保護のために、スタンドは壁に向けます。マーカーを準備し、各調査項目を評価してもらいます。

第3段階：グループが再集合したら、次節のサーベイ・フィードバックを用いて、アンケート結果をグループ内で改めて確認します。

10.19 サーベイ・フィードバック

どのような方法か：情報を収集し、それをメンバーたちにフィードバックすることで、メンバーたちがデータを解釈し、行動ステップを明らかにできるようにするプロセスです。

いつ用いるか：グループメンバーたちに取り組むべき問題があり、それについての情報が不足している場合や、問題が特定された際に実施することもできます。予防的措置として定期的に使用することもできます。

その目的とは：ミーティングまたは活動の効率性や有効性を評価する手段をグループに提供するためです。加えて、特定された問題解決に向けた行動を起こす方法を提供するためです。

その終了成果とは：改善を行うことに対するメンバーたちの行動への積極性と説明責任の感覚を醸成します。改善を行う触媒として機能します。

サーベイ・フィードバックの方法

第1段階：アンケートの細部を計画して実施します。アンケートは匿名でも、終了時アンケートのようなオープンなプロセスでも構いません。アンケートの内容は以下のとおりです。

- ミーティングの有効性
- プロセスの有効性
- チーム／グループの有効性
- 顧客満足度
- リーダーのパフォーマンス
- 最近のイベント、またはプロジェクト

第2段階：各自がアンケートを記入した後、グループ内の指定メンバーに結果を送ります。担当者は、すべての回答を白紙の調査用紙にまとめて、調査結果を図表化します。集計担当者は結果の解釈をしません。担当者は個々のアンケートの評価をまとめるのみです。

第3段階：集計した調査結果をグループにフィードバックします。メンバーたちが調査結果を読む機会を設けた後、2つのカテゴリの質問を示します。

1. 調査データから何がうまくいっているとわかりますか。どの項目が高い評価を得ていますか。なぜその項目が高い評価を得たと思いますか。
2. 調査データが明らかにする問題や課題は何でしょうか。どの項目の評価が低いでしょうか。なぜこれらの項目の評価が低いと思いますか。

第4段階：懸念事項としてかなり低い評価を受けた項目が特定できたら、どれに取り組むべきか、優先順位をつけてもらいます。

第5段階：最優先事項が明確になったら、4名以上の班にメンバーを分けます。各班に1つの課題を与え、20～30分間取り組んでもらいます。グループの大きさが許す限り、多くの課題を扱うようにします。この班で、メンバーたちは与えられた項目に関して以下の2つの質問に答えます。

1. なぜこの項目が低い評価となったのでしょうか。何が問題でしょうか。問題の本質は何でしょうか。（グループメンバーで問題を分析する）
2. この問題に対してどのような解決策が考えられるでしょうか。この状況を改善するものは何でしょうか。（グループメンバーで解決策を生み出す）

第6段階：グループ全体を再び集め、班にそれぞれの提言を共有してもらいます。全員に対して、自分の考えを加え、最終的な行動を承認するように働きかけます。最も良いアイデアを選び、実行に移します。

第7段階：改善策を着実に実行するために必要と考えられる行動計画を完成させるため、メンバーたちには班に短時間戻ってもらいます。

10.20　体系的問題解決手法

どのような方法か：問題や課題を解決するために段階的に進める方法です。

いつ用いるか：メンバーたちが協力して問題を解決する必要がある時に行います。

その目的とは：グループで課題を話し合い解決していくために、体系化され、統制がなされた方法を提供するためです。綿密な分析により、解決策を見出す前に問題を理解することができます。

その終了成果とは：体系的問題解決の結果、実行可能な行動計画が生み出され、グループメンバーたちはそれを実行する責任を負います。このプロセスは体系的であるため、メンバーたちが思いつきでアイデアを発案することはありません。問題解決手法は、協調的な対立解消の核心となります。またプロセスや顧客へのサービスを改善しようとする組織では、重要な活動です。

体系的問題解決手法の進め方

第1段階：問題のネーミング。解決しなければならない問題を特定します。その課題を簡単に分析し、課題に関する共通の理解があるようにします。その後、グループにその問題について1～2文の解説を書くように手助けをします。これを問題設定と呼びます。

第2段階：問題解決作業の目標の洗い出し。グループに次のように尋ねます――**「この問題が完全に解決された場合の、理想的な状況をどのように描写しますか」**、あるいは**「この問題が解決された場合、物事がどのように見えるでしょうか」**。これを1～2文の目標設定にまとめます。

第3段階：問題の分析。問題がかなり技術的な場合には、フィッシュボーン図（231～232ページを参照）を用いて、詳細な分析を行います。そうでない場合は、メンバーたちが問題について分析的に考えることができるように手助けをするため、本音を引き出す一連の質問で問いかけます。観察結果を、原因、結果のいずれかに分類します。問題の根本原因を突き止めることが目標です。分析の際に役立つ質問には次のようなものがあります。

- この問題を詳しく、順を追って説明してください。
- その問題は何ですか。それはどのように現れますか。
- この問題の顕著な兆候は何ですか。
- 何がこの問題を引き起こしているのでしょうか。
- 人々はどのような影響を受けているでしょうか。
- 他にどんな問題があるでしょうか。
- 最も有害な側面は何でしょうか。
- 何がその問題の解決を阻んでいるのでしょうか。
- 問題を解決するのを邪魔するのは誰でしょうか。
- 各症状の根本原因は、何でしょうか。

第4段階：潜在的解決策の特定。ブレーンストーミング（223ページ）や筆記式ブレーンストーミング（224ページ）を用いて、潜在的解決策を立てます。アイデアが出なくなったら、メンバーたちに本音を引き出す質問で問いかけます。役に立つ質問には次のようなものがあります。

- もしお金が問題でないとしたらどうでしょうか。
- もしあなたがこの会社のオーナーだとしたらどうでしょうか。
- 顧客はどのような発案をするでしょうか。
- もしこれまでに発案されたアイデアと逆のことをしたらどうでしょうか。
- この場でできる最も革新的なことは何でしょうか。

第5段階：解決策の評価。複数投票、基準ベースの決定マトリクス分析、影響力－労力マトリクス分析を使用して、ブレーンストーミングで出たアイデアをふるいにかけ、状況に最も適用できるものを決定します。

第6段階：行動計画の作成。選択した解決策を実施するために必要な具体的な段階を特定します。物事がいつ、誰によって、どのように行われるかを明確にします。各行動ステップには、次の質問に答えるパフォーマンス指標も必要です――「**どのようにして成功したかを知ることができるのでしょうか**」。そうすることで、行動ステップの焦点が定まり、結果の測定も容易なものとなります。

第7段階：計画のトラブルシューティング。トラブルシューティングのワークシートを用いて、邪魔になりそうなことをすべて特定し、それらに対処するための計画があるかを確認します。

第8段階：モニタリングと評価。行動計画をどのようにモニタリングし、いつ、どのように成果を報告するかを明確にします。モニタリングと報告結果の報告のフォーマットを作成して使用します。

資料10.1 体系的問題解決のワークシート

体系的問題解決のワークシート1

第1段階：問題のネーミング

解決しなければならない問題を特定しましょう。共通の理解を得られるように、詳しく分析を行います。以下の空欄を使って、問題の一般的な性質を探ります。

次に、解決したい具体的側面を絞り込み、選択しましょう。問題を明確に定義するために、1～2文の問題設定を行います。

問題設定

体系的問題解決のワークシート２

第２段階：問題解決作業の目標の洗い出し

望ましい終了成果を描写しましょう。次のように尋ねます。

- この問題がなくなったら、状況はどうなるでしょうか。
- この問題が解決されたら、物事はどのように見えるでしょうか。

下の空欄を使って、生み出されたアイデアを記録しましょう。

次に１～２文の目標設定を行いましょう。

目標設定

体系的問題解決のワークシート3

第3段階：問題の分析

問題を徹底的に分析しましょう。解決策を考え出すのは避けます。その代わり、全員が状況の具体的な性質を明確にすることに集中します。症状に焦点を当てるのでなく、それぞれの結果の背後にある根本原因を突き止めます。課題が複雑、かつ技術的なもので、影響する要因が多い場合には、フィッシュボーン図を使用しましょう。技術的問題でない場合には、次のような質問をして原因・結果チャートを使用しましょう。

- この問題を部外者にどう解説しますか。
- 何が起きているのでしょうか。兆候や症状はどんなものでしょうか。
- 人々はどのような影響を受けているでしょうか。何がこの問題を引き起こしているのでしょうか。
- 各症状の根本原因は何でしょうか。
- 他にどんな問題を引き起こしているでしょうか。
- 最も損害を与える側面は何でしょうか。
- 何が、そして誰が、解決を妨げているでしょうか。
- 私たちは問題にどう関わっているでしょうか。

体系的問題解決のワークシート4

第4段階：潜在的解決策の特定

ブレーンストーミング、あるいは匿名の（筆記式）ブレーンストーミングを用いて、問題に対する潜在的解決策を幅広く出しましょう。ブレーンストーミングを行う際には、以下のルールを気に留めておきます。

- アイデアは流れに任せる。創造的に。判断はしない。
- すべてのアイデアは良いものである。それがどんなに突拍子がないものであっても。
- 他の人のアイデアを参考にする。

最初のアイデアの流れが止まったら、以下の本音を引き出す質問で問いかけます。

- もしお金が問題でないとしたらどうでしょうか。
- もしあなたがこの会社のオーナーだとしたらどうでしょうか。
- 顧客はどのような発案をするでしょうか。
- もしこれまでに発案されたアイデアと逆のことをしたらどうでしょうか。
- この場でできる最も革新的なことは何でしょうか。

ブレーンストーミングで出たアイデアをここに記録します。

体系的問題解決のワークシート5

第5段階：解決策の評価

複数投票、基準ベースの決定マトリクス分析、影響力－労力マトリクス分析を用いて、ブレーンストーミングで出たアイデアを整理して行動展開策を見出しましょう。

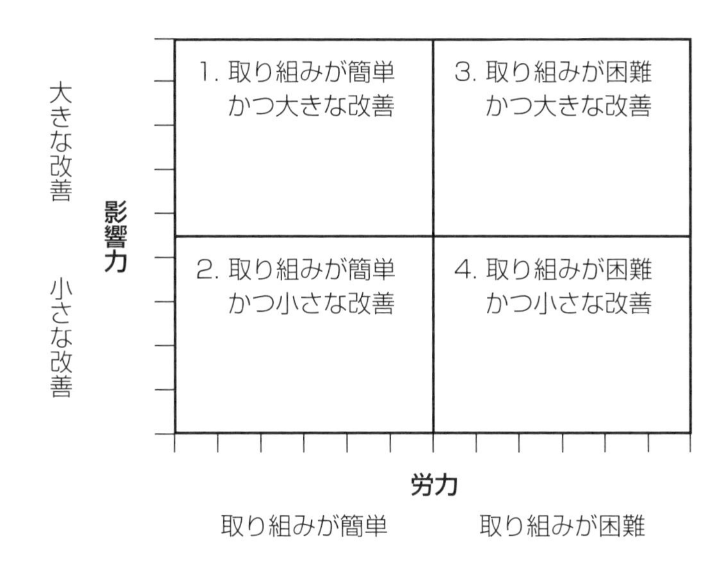

タイプ1、2の活動をすべてリスト化し、迅速な行動につなげます。	タイプ3の活動をここのリストにすべて挙げ、行動計画に発展させます。

体系的問題解決のワークシート６

第６段階：行動計画の作成

　実施する項目についての詳細な行動計画を作成しましょう。行動計画が論理的段階の順序を順守していることを確認します。何を、どのように、誰が行うかについて詳細を説明します。完了までの目標期日を必ず記します。「良い仕事をしたことをどのように知るか」という質問に答えるパフォーマンス指標を特定します。

何をどのように行うか	誰が行うか	いつ行うか	パフォーマンス指標

体系的問題解決のワークシート7

第7段階：行動計画のトラブルシューティング

行動計画を成功裏に実施するために、妨げとなる可能性のあるものを特定しましょう。それぞれの障壁に対処するための予測手立てを講じます。

問題点を特定するために、以下の質問を用います。

- この計画で最も困難な点、複雑な点、微妙な点とは何でしょうか。
- 優先順位を変えたり、あるいは環境を変えたりするために、どのような急激な状況変化が起こりうるでしょうか。
- どのような組織的障害や障壁に直面する可能性があるでしょうか。
- 技術、あるいは情報材料に関わる問題で、私たちの進捗を止めたり、遅らせたりする可能性はあるでしょうか。
- 人材に関する問題に気をつけるべきでしょうか。それはどのような問題でしょうか。
- このチームメンバーが行動の積極性を発揮できない可能性があるとしたらどのような形でしょうか。

何がうまくいかなかったり、妨げたり、突然変化したりするか。	それぞれの障壁を乗り越えるために、私たちはどのような行動を取るべきか（何を、どのように、誰が、いつ、そして測定方法は何か）。

体系的問題解決のワークシート8

第8段階：モニタリングと評価

行動計画が実際に実行されることを確実にするために、以下のことを確認しましょう。

- 進捗状況をどのように報告しますか。　書面で ______________ 口頭で ______________
- 誰に報告する必要がありますか。 ______________________________
- 結果をどのようにモニタリングしますか。 ______________________________
- 最終的な報告書を作成しますか。 ______________________________
- 誰が上記の行動に関して責任を持ちますか。 ______________________________

結果の報告

- どのような活動が実施されたのでしょうか。
- どのような結果が得られたのでしょうか。
- 未完了の項目
- 完了予定日

10.21 トラブルシューティング

どのような方法か：潜在的障害や障壁を特定し、それを克服するための計画を策定するプロセスです。

いつ用いるか：成功への障壁を特定し、それに対処するための行動計画を作成することが重要な場合や、グループ内で、行動を完遂する上で不十分な経緯がある場合に行います。

その目的とは：行動計画が十分に練られていることを確認する上で役立ちます。計画完遂の可能性を向上させるためです。

その終了成果とは：グループが、隠れている状況に脅かされるリスクを低減し、仕事に対してより多くの主導権を持つことができるようになります。

トラブルシューティングの方法

第1段階：グループで行動計画を作成した後、メンバーたちに一連の質問について検討してもらいます。これらの質問は、活動を妨げる可能性のある状況を批判的に見ることにつながります。例えば、以下の質問があります。

- この計画で最も困難な点、複雑な点、微妙な点とは何でしょうか。
- 優先順位の変化など、どのような環境の変化に目を向けるべきでしょうか。
- どのような組織的障害や障壁に直面する可能性があるでしょうか。
- 技術、あるいは情報材料に関わる問題で、私たちの進捗を止めたり、遅らせたりする可能性はあるでしょうか。
- 人材に関してどのような問題を想定しておくべきでしょうか。
- このチームメンバーが行動の積極性を発揮できない可能性があるとしたらどのような形でしょうか。

第2段階：潜在的障壁となりうるものを特定したら、メンバーにその障壁を克服するための手立てや行動計画を立ててもらいます。

第3段階：グループがトラブルシューティングの計画を書き上げる手助けをします。誰が完遂までのモニタリングを行うかを決めておきます。以下のワークシートは、この議論を進める上で役立ちます。

資料10.2　トラブルシューティングのワークシート

何がうまくいかなかったり、妨げたり、突然変化したりするか。それぞれの障壁を乗り越えるために、私たちはどのような行動を取るべきか（何を、どのように、誰が、いつ）。

何がうまくいかなかったり、妨げたり、突然変化したりするか。	それぞれの障壁を乗り越えるために、私たちはどのような行動を取るべきか（何を、どのように、誰が、いつ）。

■ 第 11 章 ■
話し合いの組み立て

ファシリテーターは、特定の目的の話し合いをどのように進めるかを知っておく必要があります。本章は、それらのうち重要な議論の段取りの詳細を概説します。

重要な意思決定を伴うセッションで、きちんと話し合いを組み立てられていないままその場を運営するほどひどいものはありません。これは、特に要となるステークホルダーが出席している場合に言えることです。組み立てがないと、話し合いは脇にそれやすくなります。また、声の大きい人が主導権を握って、すべてその人が決めてしまうことを許してしまいます。一方、きちんと段階の細部が計画されていれば、あなたは準備の良い人で、その場を制御していると見られるでしょう。

本章に示す進行案の特徴は次のとおりです。

- ファシリテーターが知っておくべき必要な話し合いでの運営方法を解説します。
- わかりやすい段取りを示したガイダンス（グループの意思決定のためのツールも含みます）を提供します。
- すべての声が聞き入れられ、終了成果に心からの賛同があるようにします。

本章では、対面とオンラインの両方のミーティングに人が集まっていると想定した話し合いを解説しています。人が集まるなら同じ部屋に集まってもらうのが最適な方法であり、その方が対人的な関係性は作りやすく、完璧な協働を働きかけやすいです。そうはいっても、私たちはグローバルなビジネス環境で暮らしており、遠距離でミーティングを行うことが多くなってきている環境の中にいます。その現実を考慮して、ミーティングのデザインノートには、オンラインミーティングを行うためのステップも解説しています。

留意しておいてほしいのですが、これから示す各話し合いの進行案には、時間枠が付いています。これらの時間は純粋に見込み時間であり、想定参加者数に応じて、通常どのくらい話し合いに時間がかかるかをもとに見込んでいます。この時間を参考に、実際の出席者の数に応じて、時間枠を調整する必要があります。

本章の一番の活用方法は、展開される話し合いを通して読み、どのように話し合いを組み立てられているのかを理解することです。そして、レシピ本のように本章の各節を活用することを勧めます。つまり、少なくとも一度は各工程を説明通りに組み立ててみてください。後々、自分自身のやり方で組み立てられるようになるでしょう。

11.1 話し合いの組み立て1：情報発掘

詳細解説：依頼主を理解することに勝る重要なことはありません。すなわち、依頼主の経緯や目標、挑んでいること、経営哲学を理解することです。情報発掘は通常、調査や二者面談を通じて行われます（56ページにある第2章の「**組織を知るための質問**」を参照）。また、たとえ背景調査や二者面談を実施していたとしても、ステークホルダーのグループとも情報発掘のための話し合いを持つことは得策です。

グループ環境で情報発掘を実施すると、人はグループメンバーのコメントに刺激を受けます。その結果、その組織のプロフィールはより詳細に整理され、微細な違いが見えるようになります。断っておきますが、このミーティングの目標は情報収集であり、性質的に意思決定を伴いません。そのため、ファシリテーターとしてどの程度メンバーが同じ見解を持つかを確認するために、グループの意向を把握することはありますが、コンセンサスを作る必要はありません。ファシリテーターがその組織を理解するためにこのミーティングの細部を計画し、コンサルティング業務のためのビジョンの構想や目標設定よりも優先されます。この話し合いにおける理想的な参加人数は8人から12人です。

目的：組織の経緯や文化に関するイメージづくりのための情報発掘に要となるステークホルダーが積極的に参加すること

進行	プロセスデザインノート
あいさつ （5分）	・ミーティングの目的を解説します。 ・ミーティングの進行案を改めて確認します。
連続質問法 （60分）	・グループメンバーに自分の名前を白紙のカードに書くように求めます。その名前カードを重ねて回収し、ファシリテーターの前に置きます。そして、これからさまざまな質問を表示し、各質問の回答者を指名することを説明します。 ・ミーティングの前に、ファシリテーターはフリップチャートの用紙1枚ずつに選んだ質問や意見を書いておくと良いです。各用紙の上に質問や意見を1つ書き、参加者のコメントを記録できるようにその下は空けておきます。参加者には、山から引かれたカードに書かれた名前の人だけが回答できるということを再確認します。 ・用紙をめくり、最初の質問あるいは意見を読み上げます。考える時間を参加者に与えます。最初の回答者の名前を読み上げます。その人に回答を求めます。さらに本音を引き出す質問で問いかけます。その人が発言した点を書き出し、そして他の人にも追加の発想を募ります。 ・すべての参加者が最低一度は回答者に指名されるまで、各質問のたびにこの作業を繰り返します。人数が少なければ、2周以上しても良いです。次の質問に移る前に、各質問に対する要点筆記の要約を読み返すことを忘れないでください。 ・質問や意見は、次のとおりです。もちろん、他の質問を用意することもできます。多くの質問はオープンエンドですが、はっきりした回答を促すために、一部の質問にはクローズドエンドの回答も含めましょう。 **「組織の最も優れた業績はどんなことでしたか。また、どんな条件があったからそれが達成されたと思われますか。」** **「私がもしあなたの顧客の中で非常に満足度の高い方にお話を伺ったとしたら、あなたが提供するサービスや商品に対しどのようなことを話されると思いますか。」**

第11章

進行	プロセスデザインノート
	「私がもしあなたの競合他社にお話を伺ったとしたら、相手はあなたに対しどのような脅威を抱いていると回答されると思いますか。」 「組織の現状を評価するとしたら、10点満点のうち1点から10点のどの位置にあるでしょうか。その評価の理由もお答えください。」 「もし時間を巻き戻せるのであれば、どの時点の出来事まで戻り、やり直したいですか。」 「自分たちの組織は横のつながりができており、縦割りの弊害はない。これは当てはまる？ 当てはまらない？」 「自分たちの組織は変化に柔軟であり、機動的である。これは当てはまる？ 当てはまらない？」 「上層の経営幹部は、組織に影響をもたらす問題について従業員から定期的に情報を集めている。これは当てはまる？ 当てはまらない？」 「外部の人から見て、自分たちの組織には目を見張るものや驚くべきものはありますか。」
締めくくり（10分）	・この情報発掘の場を通じて大きく得られた気づきを最低一つ挙げるように一人ずつ尋ねます。 ・ここで話し合われた内容は共有されることになるか、あるいは共有されるべきかを議論します。その情報をどのようなコミュニケーション手段でやり取りをするのかを決めます。
閉会	

オンラインでこの話し合いを行う場合

- ミーティングの参加者の名簿を作ります。
- ビデオ会議またはグループ通話の最中、一度に一つの質問を読み上げます。
- 各質問あるいは意見に回答してもらうように一人に呼びかけます。
- 回答者に追加して尋ねます。
- 質問に他の人も回答するように促します。誰が発言をしたかを忘れず、発言をしていない人を出さないようにします。コメントを記録し、次の質問に移る前に回答の要約を提示します。
- 要約を受け取りたいかについて、グループと共に明確化します。
- 閉会します。

11.2 話し合いの組み立て2：事業環境の現状分析

詳細解説：多くのプロジェクトでは、コンサルタントが雇われる前にその指針が明確に定まっています。基本的なプロジェクトの骨子が固まっていようと、あなたは参加メンバーを募り、プロジェクトの機運を醸成するために戦略会議を開催することが有利となる場合があります。このミーティングは要となるステークホルダーや新プロジェクトチームにとって理想的な活動です。

この戦略づくりの第一の側面では、重要なことが抜け落ちていないか、依頼主に周りを見渡すように働きかけます。このミーティングは、参加者の人数が8人から12人の場合に一番機能します。もし参加者の人数が少ない場合は、参加者を班分けせずに話し合いを運営します。そうすることで、ミーティングを短くすることができます。

本節では、戦略考案を2つのミーティングに分けて行います。ここでは事業環境の現状分析に焦点を置きます。もう一つのミーティングは「話し合いの組み立て4：ビジョンとミッション」で概説します。この一連の話し合いを2つのミーティングに分けることで、話し合いを連続して行うか、別の機会に行うか柔軟に考えることができます。

目的：事業環境で作用している力のインパクトを評価し、それらに対処する戦略を作るために、その力を理解すること

項目	プロセスデザインノート
あいさつ (5分)	・ミーティングの目的を解説します。 ・ミーティングの進行案を改めて確認します。 ・ルールを改めて確認し、全体で承認します。
自己紹介 (5分)	・自分から自己紹介をします。 ・他の人にも自己紹介を促します。
SWOT分析 (45分)	・4か所にフリップチャートを4つ用意するか、4枚の用紙を壁に貼ります。それぞれの箇所では次に挙げるトピックを割り当てます。参加者を4つのトピックグループに均等に分けて誘導します。参加者は各トピックグループの話し合いに10分間参加します。各グループの中から、記録係を任命してもらいます。 ・10分経ったら、次のトピックにグループごと移動するように促し、全員が4つのトピックを回るまで行います（記録係には短い言葉で要点を書き出し、前のグループが出した要点を書くことを避けてもらいます）。 ・SWOT分析の議論の4つのトピックをここに示します。 1. **強み**：市場や地域社会における目立った強みについて、組織面から、組織の商品やサービス面から、人の面から、立ち位置の面からの強みは何か。会社の戦略的な利点は何か。 2. **弱み**：自分たちは普段、どんなことを不得意としているか。自分たちは何に弱いか。自分たちはどんな間違いを犯しやすいか。自分たちはどこで失敗しやすいか。これまで達成できなかったことは何か。 3. **機会**：今現在、どんな機会が自分たちを待ちわびているか。自分たちがまともな立場に立てたとしたら、どんなことが達成できるか。ストレッチ目標を設定したら、このプロジェクトは何を達成できるか。

項目	プロセス・デザインノート
	4. **脅威**：自分たちの進行を阻むものは何か。自分たちが見落としているあるいは見逃している潜在危機は何か。他にはどんなメガトレンド[1]があるか。
全体セッション（10分）	・各グループの中から一人に、記録されたコメントを全体に向けて読み上げてもらいます。質疑応答を促します。
アイデア順位づけ（10分）	・参加者一人ずつに4つの投票シールシートを渡します。各シートには4枚のシールがあります。各シールは同等の価値で使用しても良いし、重みをつけても良いです。 ・参加者はフリップチャート間を移動し、個人的に一番重要と思う項目4つにシールを貼るように促します。
アイデア確定（15分）	・参加者から投票シールを数え上げる人を募り、各トピックの中で投票の多い項目を抽出します。新しい用紙にトピックごとに投票の多い項目を順に書き出します。
戦略セッション（20分）	・参加者を2人から4人の小グループに分けます。投票の多かった項目を各小グループに配付します。 ・これらの項目に対処する戦略を検討する時間を与えます。誰が、いつ、どうやって、何をするのかを検討します。
全体会議（30分）	・検討した戦略を共有します。全体でそれらの戦略について議論し、実行すべきものを全体で承認します。進捗を報告する日程を設定します。
締めくくり（5分）	・今後の広報に向けて用紙の写真を撮っておきます。 ・要点筆記が広報されるタイミングを参加者に伝えます。 ・このセッションで得られたことを共有するように参加者を促します。
閉会	

オンラインでこの話し合いを行う場合

- 戦略づくりのセッションへの参加について招待Eメールを送ります。
- 強み、弱み、機会、脅威についての発想を記入するページのリンクを参加者に添付します。このページを2週間開設します。参加者はいつでも自分のアイデアを記入できます。アイデアの重複を避けるため、参加者には他の人の記入した内容を読んでもらいます。
- 複数投票ソフト（またはアプリ）を導入し、参加者が各カテゴリの中から一番重要な要素を4つ選択できるようにします。
- 投票結果を図表化したものを参加者に送付し、ビデオ会議に集まる前に解決策を考えてきてもらいます。
- ビデオ会議またはグループ通話の最中、各カテゴリの投票数の多い項目を対処する戦略の発案を求めます。すべての発案を改めて確認します。実行すべき戦略を明らかにするため、口頭での投票を行います。
- 最も重要とされた戦略のための行動計画を作るボランティアを募ります。行動ステップの報告機会の日程を設定します。
- 閉会します。

訳注1. アメリカの経営アナリストのジョン・ネイスビッツが社会の大きな潮流を意味する言葉として使用しました。1982年に出版した著書のタイトルも『メガトレンド：10の社会潮流が近未来を決定づける』（三笠書房）です。

11.3 話し合いの組み立て3：チームの立ち上げ

詳細解説：もし事業に強いチーム力が必要であれば、メンバーを迎え入れ、一体感を形成するミーティングを開催すべきです。この進行案では、基本的なチームビルディング要素を含み、チームメンバーが相互の能力を把握し、どのように協力し合うかを決める手助けをします。

この進行案は短いものになります。時間が許すのであれば、「話し合いの組み立て4：ビジョンとミッション」を含め、チーム進化のプロセスを続けます。話し合いの組み立て4もチーム形成の重要な要素です。このミーティングの進行案は6人から10人の参加人数を想定しています。

目的：プロジェクトチームの土台を作ること

進行	プロセスデザインノート
あいさつ （3分）	・ミーティングの目的を解説し、進行案を改めて確認します。 ・チームメンバーを歓迎し、事業の将来性についてひと言述べます。どのメンバーとも一緒に仕事ができることを喜んでいることを述べます。
紹介 （25分）	・参加者にインタビューをするパートナーを見つけてもらいます。ホワイトボードかフリップチャートに、インタビューで話題にすることを書き出しておきます：名前、教育歴、組織内の役割、プロとしての一番の業績、チームに貢献できる能力。 ・インタビューしたパートナーの紹介を全体に対して行うように促します。 ・最後に自分自身の紹介をします。
チームルール （60分）	・物事を達成する方法をみんなが共有している際に、チームワークがより効果的になるアイデアを紹介します。 ・4つの質問とその回答欄が書かれた資料を配ります。回答に3分ほど時間を与えます。ルールづくりの質問は次のとおりです。 「ミーティングの時間を無駄にさせるものを列挙してみましょう。そうした時間の浪費に陥らないようにするため、どのような指針をミーティングに設けるべきでしょうか。」 「効果的なチームコミュニケーションのアイデアを言葉で描写してみましょう。コミュニケーションについて、何を知る必要があり、いつコミュニケーションを取り、どんなコミュニケーション手段を自分は好みますか。」 「チームが問題に直面した際、どのようにしてそれに決着をつけたいですか。好んで取る問題解決手法は何ですか。」 「過去に参加した最高のチームを思い出してみてください。その際は何が最高の状態にしたのでしょうか。」 ・参加者が自分のコメントを書き終えたら、各質問について話し合いのファシリテーションを行いましょう。これは意思決定を伴う話し合いになるため、フリップチャートに書き出す前に、グループ内で意見を交換し合います。フリップチャートに書いたことを読み返して、参加者が納得しているようにしましょう。最初の質問への回答は、そのチームのミーティングのルールとなり、残りの質問への回答は、チームがうまく回るための指針となります。 ・チームビルディングを続けるため、次はビジョンとミッションに関する話し合いに進めます。
締めくくり （5分）	・このミーティングの要点筆記がいつ、どのように共有されるかを明確にします。 ・次のミーティングの日程、場所、議題を作ります。
閉会	

オンラインでこの話し合いを行う場合

- 新しいチームの各メンバーの簡単なプロフィールを添付したＥメールを送付します。そのＥメールでは、上記のルールづくりの質問を尋ね、メンバーたちにルールづくりの準備を促します。
- ビデオ会議またはグループ通話を立ち上げます。歓迎のあいさつと、チームにおけるメンバーたちの強みについて期待の言葉を述べることから始めます。
- メンバーたちに一人ずつ自己紹介をしてもらいます。自己紹介では上記に示した項目を述べてもらいます。自分の紹介は最後に行います。
- ４つのルールづくりの質問に関する議論のファシリテーションを行います。これは意思決定を伴う議論であるため、メンバーたちには互いの発案に対してコメントを述べてもらうように促します。出てきた発想はこまめに要約し、全体で承認するようにし、グループのルールと指針にみんなが納得することを確かめます。
- 議論した結果の要約を行います。これらの提言がいつ、どこで掲示されるかを参加者に伝えます。加えて、この過程は見直すことができ、今後、新しい指針を付け加えることができることも強調して伝えます。参加してくれたことへの感謝を伝えます。
- 閉会します。

11.4 話し合いの組み立て4：ビジョンとミッション

詳細解説：プロジェクトの指針が設定されていたとしても、チームのメンバーたちを集めて共有のビジョンを立てることは真に価値のあることです。これを、設定した指針を生きたものにし、プロジェクトを自分たちのものにする方法であると考えましょう。どんなチームにとっても、これはチームビルディングの初期段階に行うべき理想的な活動です。プロジェクトチームに参加していないが、自分たちの事業の支援には欠かせない要となるステークホルダーにもこのセッションに参加してもらって、一緒に実施することもできます。

回答を組み合わせ、参加者にそれを共有しましょう。数か月後、参加者に各項目がどの程度達成されるかを評価してもらうという調査の形式でビジョンの詳細を見ることができるでしょう。もしビジョンとミッションを調査の土台に使うのであれば、その結果を活用するのに286ページで示した話し合いの組み立てを参照してください。

目的：プロジェクトの確固たるビジョンの構築とチームのミッションの明確化

進行	プロセスデザインノート
あいさつ (5分)	・ミーティングの目的を解説します。 ・ミーティングの進行案を改めて確認します。
紹介 (20分)	・参加者に6分間インタビューを行うパートナーを選んでもらいます。互いに名前、組織での役割、この事業に関連した希望や不安について聞き合うようにします。 ・互いのパートナーの紹介を全体に対して行ってもらいます。 ・フリップチャートに紹介された希望と不安を記録します。
ビジョニング (45分)	・プロジェクトの元々の目標と指針を改めて確認します。配布資料があれば、参加者にそれを配りましょう。それには、ビジョニング作業の枠組みが示されています。 ・ビジョニング用の質問が書かれた資料1枚組を配付します。参加者に、このミーティングが今後1年から5年間、開催されると想像してもらい、ビジョニング作業を始めます。この作業は次のような流れが考えられます。 「仮に今日は2018年9月10日ではなく、2023年9月10日であるとしましょう。私たちの事業は完了し、非常に大きな成功を納めています。それは期待以上の成果です。さて、これからいくつか質問を尋ねます。誰にも話さずに、それらの質問に対する回答を配った用紙に書いていってください。」 「みんなで何を祝福していますか。どんなことが達成され、改善され、創造されていますか。」 「みんなで開発したあるいは改良した商品やサービスは、どんな注目すべき特徴を持っていますか。」 「みんなで作った変化は、会社の収支決算にどのような効果が出ていますか。」 「この変化に人々はどのような影響を受けていますか。」 「自分たちの働きについて、特徴的なことは何だったでしょうか。」 「この事業に関わって、個人的に得られたことは何でしょうか。」 ・参加者に回答時間を5分ほど与えます。 ・各人にパートナーを見つけもらいます。差し支えがなければ、互いに立った状態で意見交換を行わせます。その方が、活力が出ます。 ・2分間の時間を設定します。この2分間では、一方が自分の書いたことを話し、もう片方はその聞き役になります。2分が経過したら、聞き役だった人の話す番であることを伝えます。

進行	プロセスデザインノート
	・もう一度2分間の時間を設定し、もう一人が話す番を始めます。 ・互いのビジョンを交換し合った後、他のパートナーを探してもらいます。時間を短くして同じ作業を繰り返します。今度は、1回1分半とします。 ・このビジョン共有のラウンドを2回で終えても良いし、3回目を行っても良いです。 ・この意見交換後、参加者に自分の席に戻ってもらいます。
アイデアの統合（20分）	・意見交換を行ったアイデアを全体で整理する議論のファシリテーションを行います。フリップチャートまたはホワイトボードに重要なアイデアを記録します。これは意思決定を伴う話し合いではないため、全員が同じビジョンを持つ必要はありません。 ・要点筆記を見える場所に示し、みんなが見えるようにします。色マーカーを手渡し、各用紙に書かれた項目のうち最も重要だと思う3つの項目の横にチェックを入れるように誘います。グループ内の共通項がわかるように、チェックの数を数え上げます。
ミッション文句（10分）	・参加者にはビジョンに含まれた要素を反映したミッション文句を2つ3つ書くように誘います。その文言は完全な文章でなくて良いです。時間がかかってしまうため、完璧に整った文言の作成を目指さないように注意します。 ・参加者に自分が書いたことを読み上げるように誘います。同じ内容があっても構わないです。すべての文言を回収します。それらをもとに、後で重要なフレーズを反映したミッションを作成します。もし参加者にコピーライターがいれば、その人に手助けを求めましょう。
締めくくり（5分）	・参加者にビジョンとミッション文句案がいつ、どのように共有されるかを伝えます。そして、参加してくれたことに感謝をします。
閉会	

オンラインでこの話し合いを行う場合

- この作業の案内のEメールを送付します。
- 各参加者にビジョニングの質問を送付し、すべて答えてもらいます。
- 参加者に事業に取り組むメンバーのうち2人に連絡を取り、ビジョンについて意見交換をしてもらいます。
- 質問の回答を投稿し、メンバー間で共有できるオンラインのページを開設します。この投稿期間に2週間を与えます。重複を避けるため、自分のコメントを記入する前に、参加者には他の人が書いた内容を確認してもらいます。
- 表作成ソフト（またはアプリ）を立ち上げ、メンバーたちに自分が重要と思う項目に投票してもらいます。投票結果を図表化し、メンバーたちに結果の確認依頼のEメールを送付します。
- メンバーにミッション作成用の文言を提出してもらいます。
- 通話中に複数投票作業の結果を改めて確認します。
- ビデオ会議あるいはグループ通話で、文案を読み上げ、追加の意見をもらいます。最終的な文言についてグループ全体で承認します。
- 閉会します。

11.5 話し合いの組み立て5：工程表作成、役割、責任

詳細解説：多くのプロジェクトでは、メンバーたちはその専門性に基づいて役割が割り当てられます。その割り当ては、通常、プロジェクトを管理・運営している者が行い、その後チームメンバーに伝えられます。とはいえ、グループからの客観的意見で工程表を作成する必要がある状況もあります。例えば、プロジェクト内で協働の工程表が必要になる例では、特別なイベントを合同で行うことがあります。具体的には、コンサルティング業務がほぼ完了し、多くの一般人に対し大規模な発表をする準備間際である場合などです。もしチームメンバーたちを集め、誰が何をするのかを決める必要があれば、次に示すプロセスは非常に有用となります。メンバーたちにタスクを割り当て、業務を公平に配分することができます。この話し合いにおける理想的な参加人数は6人から10人です。

目的：重要なプロジェクトの活動において誰が何をするのかを明確にすること。

進行	プロセスデザインノート
あいさつ （5分）	・ミーティングの目的を解説します。 ・ミーティングの進行案を改めて確認します。 ・ミーティングのルールを改めて確認し、全体で承認します。
工程表作成 （90分）	・各メンバーが予算、スケジュール、期待される事業の達成事項などに関する情報を持ってもらうようにします。 ・各目標に対して、何をする必要があり、いつ、どうやって行うのかをグループメンバーたちに示してもらいます。個人で考える時間を与えます。ペアを組ませるのも良いです。 ・この情報収集をする議論のファシリテーションを行います。各目標に対して、何をする必要があるか、どのように行うか、いつ行うかに関しての描写を簡潔に書き出します。追加の要点筆記が取れるように、一連のやるべき活動の下に余白を残しておきます。余白に足せるように、用紙は張り出しておきます。 ・やるべき一連の各活動について徹底した話し合いを促し、チームメンバーが意見し、考えを共有し、内容を変更します。
役割と責任 （60分）	・一連の各活動に関連する時間や能力、必要条件をメンバーが整理できるように手助けをします。 ・基準を示し、参加者に検討中の活動の水準が高いのか、中程度なのか、低いのかの評価をつけさせます。その基準は、複雑性の度合い、困難性の度合い、所要時間の3つを示します。 ・その活動の担当者を割り当てていきます。まずは、各自が一番やりたいものから選ばせます。すべての項目の担当が決まるまで、タスクの割り当てを行います。基準を使って、タスクの割り当てに偏りがないかを確認します。 ・工程表を改めて確認し、全体で承認します。 ・この工程表がどのように共有されるかを確認します。
締めくくり （5分）	・次回のミーティングの日時、場所、議題を明確にします。
閉会	

オンラインでこの話し合いを行う場合

- 事業の案内をEメールで送付します。案内には目標、期待される達成事項、予算、期限、対象とする一般人を説明します。
- 各目標を示した表を作成します。チームメンバーには、各目標を達成するために必要なこと、それをどのように行うのか、いつ行うのかについて、詳細な情報を返信してもらいます。
- これらの情報を受け取り、表を完成させせます。
- ビデオ会議またはグループ通話を立ち上げ、作成した表を確認し、漏れやミスがないかを改めて確認します。
- 各一連の活動に関連する時間や能力、必要条件をメンバーが整理できるように手助けをします。
- 基準を示し、グループに検討中の活動の水準が高いのか、中程度なのか、低いのかの評価をつけさせます。その基準は、複雑性の度合い、困難性の度合い、所要時間の３つを示します。
- この基準に従って、やるべき各活動をどのように評価をするのかについてグループから客観的意見を求めます。すべての意見を聞き取りますが、わかりやすくするため、最後に各活動がどのように評価されるかについての点数をつける欄を右に残しておきます。この議論の最後には、どのタスクが複雑で時間がかかり、どのタスクが単純で早くできるものであるかが見えてくるはずです。
- その活動の担当者を割り当てていきます。まずは、各自が一番やりたいものから選ばせます。すべての項目の担当が決まるまで、タスクの割り当てを行います。基準を使って、タスクの割り当てに難易度の偏りがないかを確認します。
- 閉会します。

11.6 話し合いの組み立て6：リスクの事前評価

詳細解説：ほぼすべてのプロジェクトは、その進行を妨害する可能性を持った状況や出来事に遭遇します。リスクとなりうるものをすべて正確に特定することは不可能ですが、将来起こりうる問題を先読みし、その手立てを作ることは賢明なことです。

ここで解説する話し合いは意思決定を伴うものであり、リスクを整理するために決定マトリクス分析を使用します。準備万端にし、マトリクスの中に各リスクを埋めながら活発に討論が行われるようにしましょう。可能であれば、自分が意思決定者の役割を担うことは避けましょう。むしろ、メンバーたちに互いに意見を聞くように働きかけ、互いの中道を探れるように手助けをしましょう。

付箋紙にリスクを書きます。議論の最中に各リスクに対するメンバーの理解は二転三転するため、付箋紙に書くことでリスクはマトリクスのマスの間を移動させることができます。このミーティングにプロジェクトのメンバー以外の人を含めることで、この議論の効果を最大にすることができます。つまり、重要なリスクの漏れがないようにすることができます。プロジェクトチームだけでこのミーティングを開催することもできますが、その際は要となるステークホルダーに検討結果を共有し、コメントをもらうようにします。次に示す時間枠は、参加者が10人から15人を想定しています。

目的：プロジェクトに関わるリスクの可能性を事前評価し、その対応計画を作ること

進行	プロセスデザインノート
あいさつ (5分)	・ミーティングの目的を解説します。 ・ミーティングの進行案を改めて確認します。 ・ミーティングのルールを改めて確認し、全体で承認します。
リスクの 洗い出し (45分)	・次に示す質問を配付します。参加者が要点筆記を作成する余白を用意しておきます。参加者に数分間の考える時間を与えます。 －どんな危機や突発的な変化がプロジェクトを中断させるか。 －現状、自分たちに間違いやズレを作るものとして、どんな思惑や想定を自分たちが持っているか。 －もし費用が超過していたら、どんなことが起きるか。 －どんなことがスケジュールに遅れを生じさせるか。 －もし要となるメンバーが組織を抜けたらどうなるか。 －市場や競合他社が自分たちの事業計画にどのような影響を与えうるか。 －自分たちの事業計画の邪魔になる物や事柄は何か。 ・各質問について議論します。各リスクを深掘りするようにメンバーたちに働きかけます。 ・フリップチャートまたはホワイトボードにそれらを記録し、重複は省きます。
可能性のある リスクの整理 (45分)	・確実性－影響マトリクスをフリップチャートまたはホワイトボードに書きます。

進行	プロセスデザインノート
	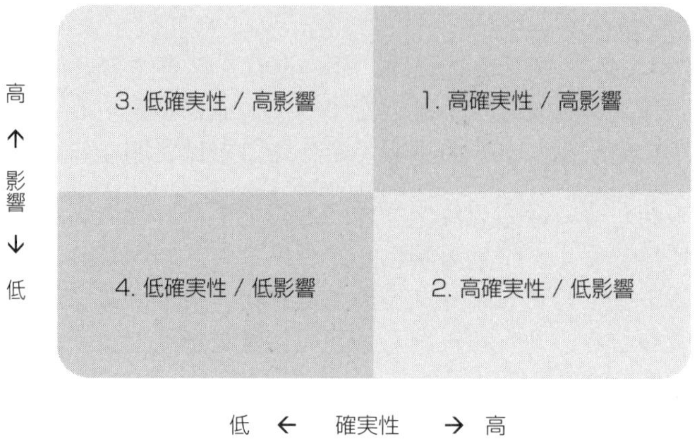 高 ↑ 影響 ↓ 低 3. 低確実性 / 高影響　1. 高確実性 / 高影響 4. 低確実性 / 低影響　2. 高確実性 / 低影響 低 ← 確実性 → 高 ・可能性のあるリスクを4つのマスに分類する議論のファシリテーションを行います。 ・フリップチャートに貼り出されたリスク群について、参加者にどの程度起こりうるかを示してもらいます。 ・各リスクの確実性評価が終われば、リスク一覧の上から今度は影響の度合いを評価します（もしグループメンバーたちがこのやり方に反対すれば、各リスクの下に1点から5点のスケール線を2本引き、メンバーたちが個々に各要素に点数を付け、確実性と影響の平均点をそれぞれ出します）。 ・参加者に付箋紙の束を配り、リスクを一つずつ書き出す作業を与えます。各リスクは別々の付箋紙に書かせます。グループで評価した結果をもとに、参加者に各付箋紙を表に貼り付けるように誘います。 ・最終的な表を改めて確認します。リスクの整理のされ方に納得するか、一人ずつ確認を取ります。
リスク対応計画の作成（30分）	・参加者を2つか3つの班に分けます。各班に問題の1つを割り当てます。高影響－高確実性のリスクから始めます。リスクの対応策を検討する時間を最低10分間与えます。 ・検討した計画を聞いてもらうようにグループを集め、各対応策に対して思ったことを述べたい人は発言できるようにします。 ・フリップチャートに各対応策の要点を記録します。 ・時間があれば、その他のリスクへの対応策についても同様の作業を行います。 ・低影響－低確実性のリスクへの対応策の検討は、基本的に省きます。
次のステップ（10分）	・対応策を改めて確認し、全体で承認します。 ・最終的なリスク対応計画をまとめた書類をいつ、どのように共有されるかを参加者に伝えます。
閉会	

オンラインでこの話し合いを行う場合

● 話し合いの必要性を解説したEメールを送付します。チームメンバーに誰が関わる必要があるかについて発案してもらいます。

● オンラインミーティングの前に267ページの7つの質問を送付しておきます。回答に最低1週間の時間を与えます。回答は返信してもらいます。回収したコメントを整理し、リスクの一覧を作成します。

- 参加者にそれぞれリスクの影響と確実性のレベルの評価を尋ねるアンケート調査票を作成します。各指標は１～５点の尺度を使用します。調査の回答期間に１週間を見積もります。集計ソフトを使用し、結果を図表化します。
- 調査結果をもとに、リスクを確実性－影響マトリクスに配置します。完成した表を共有します。
- ビデオ会議またはグループ通話を開催し、結果について議論し、特定のリスクについての対応計画を作成するタスクを引き受ける人を募ります。
- この通話中は、時間が許す限り、高影響の項目をなるべく多く議論します。要点筆記の作成を誰かに依頼します。
- リスク対応計画の提出期限を設定します。
- 最終的な書類にリスク対応計画を盛り込んだ後、今後のオンラインミーティングでそれをみんなで改めて確認し、すべての対応策を全員が知っておくようにします。
- 閉会します。

11.7 話し合いの組み立て7：ステークホルダー分析

詳細解説：コンサルティング業務では、他の人に比べて重要な人がいることに気づきます。その人たちには定期的に近況を伝える必要があり、メンバーにはその人たちのニーズを意識させておかなければなりません。ここで紹介する話し合いは、プロジェクトの初期段階で必要なものになります。これは、一般的な情報共有方法を作成する前に実施します。

この話し合いの内容には機密事項を伴う傾向があるため、このミーティングはプロジェクトチームの内部者のためのものになるでしょう。例示している時間枠は、4人から6人の小グループで行うことを想定しています。このテーマをグループで話し合うことに抵抗がある場合は、ステークホルダー対策を一人で検討しても良く、その際にここで紹介する質問やマトリクスは活用できます。

目的：要となるステークホルダーを特定し、その関係性を円滑に運営するための対策を作ること

進行	プロセスデザインノート
あいさつ (2分)	・ミーティングの目的を解説します。 ・ミーティングの進行案を改めて確認します。 ・ミーティングのルールを改めて確認し、全体で承認します。
ステークホルダーの洗い出し (10分)	・プロジェクトに関わるすべてのステークホルダーの名簿作成のファシリテーションを行います。ステークホルダーは、依頼主の組織の内部と外部の両方を含みます。 ・フリップチャートまたはホワイトボードにすべてのステークホルダーの名前を書き出します。 ・グループメンバーに付箋紙にもその名前を書き出してもらいます。
ステークホルダーの整理 (25分)	・権力－利益マトリクスをフリップチャートに描きます。この表は、プロジェクトの利益に大きく関わる人を理解することに加え、プロジェクトの終了成果に大きな影響力を持つ人を理解することにも役立ちます。 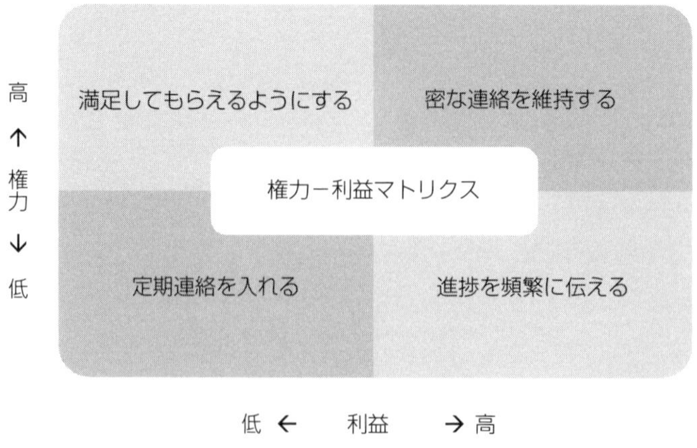 高 ↑ 権力 ↓ 低 満足してもらえるようにする 密な連絡を維持する 権力－利益マトリクス 定期連絡を入れる 進捗を頻繁に伝える 低 ← 利益 → 高

進行	プロセスデザインノート
	・このマトリクスの4マスにステークホルダーを分類する議論のファシリテーションを行います。メンバーたちは同意する準備ができていないかもしれないため、活発な討論に向けて準備万端にします。 1. 高権力－高利益＝密な連絡を維持する 2. 高権力－低利益＝満足してもらえるようにする 3. 低権力－高利益＝進捗を頻繁に伝える 4. 低権力－低利益＝定期的に連絡をする ・完成した表を改めて確認します。ステークホルダーの整理のされ方に納得いくか、一人ずつに確認を取ります。
ステークホルダーのニーズと利益（30分）	・下記の質問が書かれた用紙を配付します。 ・各ステークホルダーについて次のことを考えます。 －金銭的および（または）感情的な利益は何か。 －何が動機づけるか。 －どんな情報を求めているか。 －その情報をどのように得たいと思っているか。 ・各ステークホルダーのプロファイル作成のファシリテーションを行います。まずは高権力－高利益の人から始めます。プロファイル作成のために、フリップチャートにコメントを記録します。 ・プロファイル作成が完了したら、各ステークホルダーの連絡役を誰が担当するかを決めます。
次のステップ（10分）	・このセッションの要点筆記をどのように共有するかを決めます。 ・プロジェクトの展開に応じた対策の進捗について、どのように相互に連絡を取り合うかの同意を取ります。
閉会	

オンラインでこの話し合いを行う場合

- プロジェクトチームにステークホルダーの名簿を添付して送るように依頼します。
- その情報を一つの名簿にします。
- たたき台として、権力－利益マトリクスを使ってステークホルダーを整理します。
- チームにマトリクス案を共有します。
- マトリクスを全体で承認するためのビデオ会議またはグループ通話を立ち上げます。
- 各ステークホルダーを誰が担当するかを決めます。
- 上記の質問について、上位のステークホルダーに関してから順に回答し、議論します。
- プロジェクト期間中、どのように監視し、報告するかを伝えます。
- 閉会します。

11.8　話し合いの組み立て8：コミュニケーションの取り方の検討

詳細解説：外部のファシリテーターが直面する問題の一つに、依頼主の組織内のコミュニケーションの取り方がわからないことがあります。ここで紹介する話し合いは、プロジェクトにおける一貫したコミュニケーションの取り方を作るために組織内の人の積極的な参加が求められます。

このミーティングは、プレーヤーの振る舞いが変われるように、何回か繰り返して行う必要があります。特に長期の契約においては必要です。この体系的な対話に加えて、重要な意思決定を伴う各セッションの最後に誰が何を知る必要があるかを議論しておくことは重要であることを覚えておきましょう。

一つ前の話し合いは要となるステークホルダーのみに関連しましたが、コミュニケーションの取り方の検討では、社員・従業員やコミュニティのメンバー、サプライヤー、重要な顧客、その他の人々に進捗についてどのように連絡をするかを検討します。この話し合いは、4人から6人の小グループを想定しています。

目的：プロジェクトのためのコミュニケーションの取り方を作ること

進行	プロセスデザインノート
あいさつ (5分)	・ミーティングの目的を解説します。 ・ミーティングの進行案を改めて確認します。 ・ミーティングのルールを改めて確認し、全体で承認します（102ページ）。
Whoの洗い出し (20分)	・進展を常に把握しておく必要のある要となるステークホルダーの名簿作成のファシリテーションを行います。フリップチャートの左側にその名前を記録します。
Whatの洗い出し (15分)	・チームメンバーたちに各人あるいはグループが何を知りたいのかを明らかにしてもらいます。
Howの洗い出し (15分)	・チームメンバーたちに必要なコミュニケーションを取る際の形式（ミーティング、Eメール、会議通話、報告書、報告会）を明らかにしてもらいます。
次のステップ (10分)	・コミュニケーションの取り方を改めて確認し、全体で承認します。 ・このミーティングの要点筆記をいつどのように共有されるかをメンバーに伝えます。
閉会	

オンラインでこの話し合いを行う場合

- コミュニケーションの取り方を包括的に取りまとめる必要があることを説明したEメールを送付します。そして、各人にプロジェクトの進捗について常に把握しておく必要がある人の名簿を送ってもらいます。回収した名簿を整理します。

- ビデオ会議あるいは通話を立ち上げ、作成したステークホルダーの名簿を共有します。各人あるいはグループが何を知りたいのかを明らかにし、その情報をどのように届けるのが良いかを整理します。
- 話し合った内容を要約し、グループ内で共有します。
- 閉会します。

11.9 話し合いの組み立て9：進捗状況の報告会

詳細解説：チームが開くミーティングのうち、進捗状況の報告会が最も頻繁に行われます。このようなミーティングは、月に1回から週に数回までいつでも起こりえます。

進捗状況の報告会は、情報交換ミーティングです。近況を報告し、プロジェクトの状況を確認します。メンバーたちが現状を追えていることを確認するために、このミーティングの細部を計画します。多くの議論を生み出すことを目的には計画しません。そうしないことで、要点を示し、ミーティングを短くすることができます。この指針はミーティングの各回の最初に明確に述べておく必要があります。そうすることで、みんながその見通しを理解できます。

問題や見解の違いがあれば、その要点筆記を作成し、のちの意思決定を伴う体系的なミーティング（本書で紹介した体系的問題解決のミーティングやその他のミーティング）での議論に取っておくべきです。

進捗状況の報告会の開催形式はさまざまですが、標準的には次に解説するような項目を含みます。なお、進捗状況の報告会は基本的にはプロジェクトチームのメンバーのみが出席しますが、プロジェクトについて知らせる事項があれば、外部の人を招くこともあります。プロジェクトチームのメンバーのみが出席する報告会は、基本的に4人から10人が出席して行われます。

目的：進捗を確認し、次にやることと顕在化した問題を明らかにし、チームの全員が状況をよく理解するようにすること

進行	プロセスデザインノート
あいさつ (5分)	・ミーティングの目的を解説します。 ・ミーティングの進行案を改めて確認します。 ・ミーティングのルールを改めて確認し、全体で承認します（102ページ）。
出欠確認 (3分)	・もし外部の人がミーティングに招待されていたら、メンバーたちに名前と得意分野、プロジェクトでの役割を紹介するように誘います。
成果報告 (20分)	・最新の業務達成と成果を簡潔に発表するように誘います。良い仕事ぶりを褒めます。 ・それらをフリップチャートあるいはホワイトボードに記録します。
業務進捗 (20分)	・当初の計画に比べて、進捗の更新をグループ全体に聞きます。予想外の成功や他の人が知る必要のある問題の両方を議論します。 ・それらをフリップチャートあるいはホワイトボードに記録します。
未達成の 予定業務 (20分)	・工程表にある項目を改めて確認し、完了が予定されているが、開始されていない、またはスケジュールに遅れが出ている項目を確認します。 ・各業務の遅延について、その理由を探り、新しい目標日を設定します。 ・これらの項目をフリップチャートに記録します。

進行	プロセスデザインノート
プロジェクトに関わる問題（5分）	・プロジェクトの進捗に影響を及ぼし、解消していない進行中の問題を明らかにします。 ・特定の問題を誰が対処するべきかを明らかにします。それらの問題に取り組むことになったメンバーたちが集まって話し合う**体系的問題解決**（話し合い12）のセッションの日時を設定します。
次のステップ（5分）	・チームメンバーたちに自分が次に取り組むことの概略と、自分が取り組む活動に他のメンバーの手助けが必要であれば、それを申し出てもらいます。
閉会	

オンラインでこの話し合いを行う場合

- ビデオ会議またはグループ通話を開始し、出欠確認をします。
- 各メンバーに最新の業務達成と成果を簡潔に発表してもらいます。良い仕事ぶりを褒めます。
- 当初の計画に比べて、進捗の更新をグループ全体に聞きます。予想外の成功や他の人が知る必要のある問題の両方を議論します。
- 工程表にある項目を改めて確認し、完了が予定されているが、開始されていない、またはスケジュールに遅れが出ている項目を確認します。
- 各業務の遅延について、その理由を探り、新しい目標日を設定します。
- プロジェクトの進捗に影響を及ぼし、解消していない進行中の問題を明らかにします。
- 特定の問題を誰が対処するべきかを明らかにします。それらの問題に取り組むことになったメンバーたちが集まって話し合う体系的問題解決（話し合い12）のセッションの日時を設定します。
- チームメンバーたちに自分が次に取り組むことの概略と、自分が取り組む活動に他のメンバーの手助けが必要であれば、それを申し出てもらいます。
- 閉会します。

11.10 話し合いの組み立て10：創造的な思考

詳細解説：グループが斬新で奇抜な考えを巡らすことが重要な場合もあります。例えば、サービスの新たな提供方法や新しい商品の創造方法を見つける場合がそれに当たります。これまでは、創造的な人はどんな組織にも数人しかいないと考えられてきました。その誤った思い込みを正すため、創造的な思考を行うセッションの最初の段階では、創造的なプロセスにこれまで関わりそうに思われなかったタイプの人たちを集めます。エンドユーザーから第一線の生産現場の働き手や顧客まで参加者が幅広くなることで、固定観念を払い除けやすくします。

このミーティングの準備のため、参加者には革新的または創造的な商品やサービスを少なくとも1つ見つける下調べをやってきてもらいます。可能であれば、そうした商品やサービスについての資料やサンプルを持ってきてもらいます。カラー写真は脳の中枢にある想像力を刺激します。サービスを扱う場合は、ミーティングの前に非公式なインタビューを実施してもらっても良いです。インタビューでは、最近経験したサービスで非常に良かったものを尋ねたり、特定の商品の何が良いのかを教えてもらったりしてくるように伝えます。もう一つ、聞き出せると有用なことは、最近格闘している問題について詳しく教えてもらうことです。革新的な解決策は、既存の問題をどうにか解決したいというニーズからも生まれます。

最後に、ミーティングの場所についても発想を巡らせてみましょう。可能であれば、通常の会議室ではなく、刺激を受けられる場所に移動してみましょう。メンバーたちがいつも見ているものから遠ざかれる空間を見つけ、いつもと違うやり方を行いやすくしましょう。この話し合いの理想的な参加人数は8人から12人です。

目的：新たな発想を丹念に検討したり、既存の考えを新たな方法で組み合わせたり、一見関係ない分野同士をつなげたりして、革新的な解決策を見つけること

進行	プロセスデザインノート
あいさつ (10分)	• ミーティングの目的を解説します。 • ミーティングの進行案と進め方を改めて確認する。 • この特別なミーティングのルールを発案してもらいます。例えば、次のような質問を尋ねましょう――**「どんなルールがあれば、自分たちが真に斬新で奇抜な考えを出せるだろうか。何があれば、新しいことの発案に他の人が受け入れられるようになるだろうか。創造性を妨げないためにも、どんなことを言っては良くないだろうか」**。 • こうしたガイドラインの考案のファシリテーションを行い、フリップチャートに記録します。
下調べ発表 (25分)	• 明るい色紙を配り、発表を聞いている間に魅力に感じたアイデアの要点筆記を作成してもらいます。 • 下調べしてきたことについて発表するように誘います。もし図や絵を持ってきていたら、それを壁に張り出しましょう。 • 各発表の最後に、何がその商品やサービスが革新的にさせているのかをグループ全体に尋ねます。

進行	プロセスデザインノート
	・これらの特徴をフリップチャートに記録します。もし続く発表者が同じ特徴を述べたら、その項目の横にチェックを入れます。そうすることで、どの特徴が最も多く指摘されたかを可視化できます。
多重役職思考 (10分)	・各人に5枚から10枚の索引カードを配ります。 ・考える時間を与え、個別に対象の商品やサービスを改善あるいは向上させるアイデアを書いてもらいます。1枚のカードに1つのアイデアを書くようにします。 ・壁に役割の一覧を張り出します。アイデアを書き出す際に、これらのリストに挙げた人の全部または一部になったつもりで書くように挑戦させます。 ・役割の例：8歳の女の子、オタクな10代男子、高齢者、最近移住してきた人、最大の競合他社、優良な顧客、日本人のビジネスマン、ドイツ人のエンジニア、スティーブ・ジョブズ、イーロン・マスクなど。
アイデア・ ラッシュ (25分)	・カードの記入が完了したら、それらを回収し、シャッフルします。 ・そのアイデアが書かれたカードをランダムに配付します。 ・参加者は次のやり方に従って作業をします。 －受け取ったカードをすべて読む。 －本当に価値のあるまたは可能性を感じるものを残す。 －その他はテーブルの上に置く。 －自分の思考の材料になるカードをすべて集める。
革新チーム (30分)	・各人に集めたアイデアまたはアイデア集を解説するように誘います。 ・この解説は記録しません。むしろ、すべてのアイデアを聞き取るため、早くみんなの発表を促します。 ・共通したコンセプトがどれか、同じテーマだったアイデアはどれだったか、どれとどれが一緒になるかについての議論のファシリテーションを行います。 ・パターンや一緒のまとまりに振り分けられるアイデアを明らかにします。新しい用紙を空いている場所に貼り出します。この用紙には、グルーピングして出てきた主要なアイデアを書き、その一連のコンセプトを誰が進めるべきかの名前を書きます。
講評 (10分)	・思考を精緻にするために班で集まる時間を与えます。 ・各班に自分たちのアイデアを形にするための行動計画を作成してもらいます。 ・参加者一人ずつに追求するアイデアと次に何をするのかについての簡単に報告してもらいます。 ・各人がこのミーティングで得られたことを共有するように誘います。
閉会	

オンラインでこの話し合いを行う場合

- チームメンバーと要となるステークホルダーに創造的な思考活動に参加してもらいます。
- 各参加者に通話で、革新の必要性を説明します。そして、下調べを解説します。
- 調査した結果を投稿できるグループサイト（またはアプリ）を開設します。
- ビデオ会議またはグループ通話を立ち上げ、投稿されたアイデアのハイライトを改めて確認します。
- 収集された事例で示された革新的／創造的特徴が何かを明らかにするように誘います。
- これらの特徴を含んだ手立てを考え、書き出す時間を数分間与えます。

- 考えたことを共有する議論のファシリテーションを行います。参加者が話す内容を記録します。
- 参加者に多重役職思考に挑戦させます。このプロセスで顕在化したアイデアが追加であれば記録します。
- このミーティングで共有された革新的なアイデアをグループサイトに投稿し、オンラインでの話し合いを続けます。このページ上に、自分が引き続き追求したいアイデアの横に自分の名前を書くように誘います。
- さらに思考を発展させるために、班を作ります。
- 今後のビデオ会議またはグループ通話で、チームで検討した結果を報告してもらいます。

11.11 話し合いの組み立て11：中間まとめ

詳細解説：どんなコンサルティング業務でも、業務期間が数か月以上に及ぶ際は、一旦立ち止まり、物事がどのように進んでいるかを評価することは重要です。このミーティングは、プロジェクトチーム向けに細部が計画されています。しかし、依頼主の組織の幹部を相手に繰り返し実施することもできます。このミーティングでは問題を顕在化し、解決策を模索するため、ここでの話し合いは正面切って問題に対処するあなたの能力を示します。

この中間まとめ活動は、2つの部分に分かれます。もし時間が許せば、この進行案と体系的問題解決の進行案を組み合わせましょう。ここでの話し合いの唯一の注意点は、参加者に問題の顕在化をしてもらう点です。適切な人に声をかけ、参加者が気さくに発言できる環境を作ることを目指しましょう。この活動の最適な参加人数は8人から12人です。

目的：何がうまくいき、何がうまくいっていないのかを明らかにすること

<table>
<tr><th>進行</th><th>プロセスデザインノート</th></tr>
<tr><td>あいさつ
(5分)</td><td>・ミーティングの目的を解説します。
・ミーティングの進行案を改めて確認します。
・グループが安心ルールを考案するように手助けをします（102ページ）。</td></tr>
<tr><td>チェックイン
(10分)</td><td>・ここまでのところで、プロジェクトに関して個人的に自信を持っていることを一人一つ発表するように誘います。それは、チーム全体で達成したことでも良いし、個人的に貢献したことでも良いです。</td></tr>
<tr><td>現状分析
(30分)</td><td>・フリップチャートまたはホワイトボードに下記の表を設定します。
<table><tr><th>何がうまくいっているか。
何を正しくやれているか。</th><th>何がうまくいっていないか。
何を正しくやれていないか。</th></tr><tr><td></td><td></td></tr></table>
・空欄がすべて埋まるまで、両論点の議論のファシリテーションを行います。これは意思決定を伴う話し合いではなく、単に考えを収集するために行います。記録する内容について、いちいち参加者の同意を確認する必要はありません。支持されない考えは次の段階で省かれます。ただし、書き出されている考えが全員理解できるように、意図を明確にし、言い換えたりしましょう。</td></tr>
</table>

進行	プロセスデザインノート
複数投票 （15分）	・参加者がすべての論点について理解したら、4枚組みのシールを2セット配ります。両シールに次の数字を書いてもらいます。 ⑩ ⑦ ④ ① ・フリップチャートまたはホワイトボードにシールを貼るように参加者を誘います。一方のテーマにシール1セット分を用います。 ・最も重要な項目には10と書かれたシール、次に重要な項目には7と書かれたシールという具合に、フリップチャートにシールを貼っていきます。 ・シールの点数を計算します。その点数は、グループがどの項目を一番評価し、どの項目を一番注意が必要なのかと見ているのかを示します。
全体会議 （15分）	・参加者全体で順位づけを改めて確認します。 ・次の段階で、高く評価している点をさらに伸ばすことができるか、また強く懸念されている点を解決する方法を考えることを説明します。
次のステップ （5分）	・時間が許すのであれば、次のページで紹介する問題解決のステップにそのまま進めます。時間がなければ、別にセッションを設け、一番懸念されている項目の解決方法を検討します。 ・このセッションの要点筆記をいつグループメンバーたちに配るかを伝えます。誰がその要約を受け取れるかを明確にしておきます。
閉会	

オンラインでこの話し合いを行う場合

- 何がうまくいっていない点はあるのかを把握し、あれば軌道修正をするために中間まとめを実施することの重要性を説明したEメールを送ります。
- チームのグループページ（またはアプリ）にこの活動のページを開設します。
- 対面の進行案と同じ質問を投稿します。メンバーたちには、すでに投稿されている内容は再投稿しないようにしてもらいます。この段階の情報入力の締め切りを設定します。
- 完了した分析を改めて確認し、項目に点数をつけるように誘うEメールをメンバーたちに送付します。両リストにある項目から点数の高い4つから6つの項目を洗い出すため、複数投票ソフト（またはアプリ）を用います。投票結果をサイトに投稿します。
- ビデオ会議またはグループ通話を立ち上げ、上位の項目を改めて確認します。高く評価されていることをさらに伸ばす方法について発案するように誘います。強く懸念される項目を対処する方法について議論します。場合によっては、解決策のブレーンストーミングとチームメンバーへの責任を持ってもらうことで、対処できます。
- 問題解決の集中討議のテーマにする必要がある大きな問題を設定します。
- これらの問題に対処する時間を設定します。本書の体系的問題解決の手順を参照します。
- 閉会します。

11.12 話し合いの組み立て12：体系的問題解決

詳細解説：理解すべき最も重要な段階の一つは、体系的問題解決です。この段階は、問題を現状評価し、解決策を見つけるように手助けをします。ここで例示する進行案は、多段階のプロセスを単純化し、その概略を示したものです。このプロセスは、問題分析、可能性のある解決策の洗い出し、行動計画の上で協働することの重要な段階を解説します。

巷で行われているものには、問題のネーミングと問題解決の目標設定がありますが、本書ではそれらは省きました。というのも、これらの段階は問題の本質を見失うためです。重要な事実が顕在化する前に問題を複雑な言葉で名前をつけることは、問題の誤った名称化につながりかねません。そのため、この議論の組み立てでは、対象となっている問題を徹底的に分析することから始めます。この作業を最初に実施することで、その分析なく目標文を作成することよりも、グループはより深く理解することになります。

同様に、この議論の組み立てでは、グループメンバーたちに問題解決のための目標設定を尋ねる作業も省きます。目標設定は、自分好みの解決をメンバーたちに述べさせることになります。徹底的な分析の実施前に解決策に移行することは、偏った思考につながります。この活動の理想的な参加人数は、8人から12人です。

目的：情報発見の話し合いに要となるステークホルダーを積極的に参加させ、組織のプロフィールを作ること

進行	プロセスデザインノート
あいさつ (5分)	・ミーティングの目的を解説します。 ・問題解決の手順を含むミーティングの進行案を改めて確認します。 ・グループが安心ルールを作成するように手助けをします（125ページ）。
問題分析 (25分)	・フリップチャートまたはホワイトボードに取り組むべき問題の項目を書きます。 ・項目例：プロジェクトチームと新しい建物の敷地の管理チームの連携不足 ・問題が発生した状況を淡々と伝えるところから分析の作業は始めます。あたかも話を初めて聞くふりをし、グループが現状をひとしきり伝え切るまで質問を尋ね続けます。根本原因が明らかになるまで、過去の兆候にもメスを入れ、「なぜ、なぜ、なぜ」と尋ね続けましょう。 ・質問の仕方の例：順番に追って、何が起こっているのか詳細に描写していきます。 －「なぜこれが起きているのでしょうか。」 －「これが原因となって引き起こしている問題は他に何があるのでしょうか。」 －「この問題に誰が関わり、何が関わっているのでしょうか。」 －「なぜこの問題がまだ解決されていないのでしょうか。」 ・グループメンバーたちが分析の中で話したことを要約します。問題の全体像が捉えられているようにします。意思決定を伴う話し合いではないので、全員が同意している必要はないです。意見の相違があっても大丈夫です。
ブレーン ストーミング (15分)	・分析シートを貼り出し、要点筆記を全員が見られるようにします。 ・ブレーンストーミングで可能性ある解決策を出し合うように誘います。ここも意思決定を伴う話し合いではないため、アイデアについて討論することは避けましょう。出てきたアイデアは後ほど整理します。ブレーンストーミングのルールを示しておくのも良いです。

進行	プロセスデザインノート
	−アイデアを出し合おう。良し悪しを考えず、創造的に考えよう。 −奇妙なアイデアも出して大丈夫。 −他の人のアイデアに積み上げていこう。 ・メンバーが発案することすべてを記録し続けましょう。アイデア出しのスピードが落ちてきたら、このような形で質問をし始めましょう。 −「もしうちでの小鎚を持っていたらどうしますか。」 −「もし金銭を問わなければどうしますか。」 −「もし全知全能の力があったらどうしますか。」 −「自分たちができうる一番奇妙なことはなんでしょうか。」 ・これらブレーンストーミングで出されたアイデアは張り出し、みんなが見られるようにします。
アイデアの整理（10分）	・色マーカーでフリップチャートの真ん中に一本線を引きます。 ・片側には労力という言葉を書き、もう片側には影響力という言葉を書きます。 ・メンバーたちに10枚組みのシールを2セット配ります。シールは同じ価値を持ちます。 ・メンバーたちにフリップチャートの近くに寄り、シールを貼るように促します。投票のやり方を説明します。 ・労力側には、実施しやすい発案の横にシールを貼ります。 ・影響力側には、問題の解決に大きな影響を与える発案の横にシールを貼ります。 ・1つの項目に2つ以上のシールを貼らせないようにします。 ・投票の数を計算します。
行動計画の作成（40分）	・新しいフリップチャートに、各カテゴリの上位のアイデアを書き出します。取り組みやすく影響力の大きいものの優先度を高くします。 ・グループメンバーたちがどのアイデアを追求するのか議論するように手助けをします。 ・選択されたトピックについて2、3人の小グループに別れて検討します。 ・次に何をするのかについて各小グループで考案する時間を15分から20分間与えます。 ・グループを集め、行動計画を共有します。
次のステップ（5分）	・他に検討すべき問題があれば、他にミーティングの時間を設定します。 ・このミーティングで作成した計画の実施状況を確認する日程を設定します。
閉会	

オンラインでこの話し合いを行う場合

- このプロセスを説明するEメールを送ります。
- プロジェクトチームのグループサイト（またはアプリ）に問題解決活動のページを作成します。
- 問題に関する解説を1、2文で投稿します。対面のミーティングで発案した分析用の質問を投稿します。メンバーに自分のコメントを書き込むように誘います。一貫したカテゴリにアイデアを整理できるようであれば、フィッシュボーン図や親和図法の表などを用いても良いです。問題分析の入力期間を述べます。
- 重複したコメントを省き、回収した情報を構造化します。その結果を投稿し、チームメンバーたちにブレーンストーミングでアイデアを募ります。もし表やグラフを用いたなら、その構造はそのまま使用し、発案をその枠組みで記録しても良いです。

- 重複を削除し、発案を整理します。複数投票ソフト（またはアプリ）を使い、メンバーに発案に順位をつけてもらいます。発案を高い評価順に並べ替えます。
- ビデオ会議またはグループ通話を立ち上げ、発案を改めて確認し、行動を洗い出します。チームメンバーたちにタスクを与えます。取るべき詳細な行動ステップを提出する期限を設定します。
- 今後のミーティングで進捗を改めて確認するために要点筆記を作成します。
- 閉会します。

11.13 話し合いの組み立て13：建設的な論争

詳細解説：この体系的な話し合いは、アイデアが実施される前に、異なる見解を利用して、徹底的にそのアイデアを試すように細部が計画されています。

異論を避けようとする多くのミーティングとは異なり、アイデアをあらゆる角度から検証するために、ここでの進行は故意に論点を争わせます。この進め方が有効なのは、アイデアが2つ以上ある場合であり、それらが競合し、どちらを採用するかグループ内で意見が分かれている場合です。この対話は参加人数が6人から10人で行うと効果が大きいですが、それ以上の人数でも行えます。

目的：異なる見解を際立たせ、発想を徹底的に検証すること

進行	プロセスデザインノート
あいさつ (5分)	・ミーティングの目的を解説します。 ・ミーティングの進行案を改めて確認します。 ・グループが安心ルールを作る手助けをします（125ページ）。
アドボカシーチーム編成 (20分)	・競合するアイデアを別々のフリップチャートに分けて書き出します。 ・グループメンバーたちにそれぞれのアイデアを簡単に説明するように誘います。 ・競合するアイデアごとにアドボカシーチームを編成し、グループを分けます。各チームにそれぞれの行動展開策の利点を議論する時間を与えます。各チームにアイデアが実行に移されたらどうなるのかを描写するシナリオを作成してもらいます。
アドボカシー発表 (20分)	・各チームに全体に対して検討事項を発表する機会を与えます（他のステークホルダーを招待し、この発表を聞いてもらうこともできます）。 ・聴く側には要点筆記を作成するように働きかけますが、発表中は発言をさせないようにします。
相違点準備 (20分)	・チームは発表内容の各論点について立場を覆してみるように仕向けます。各グループには、擁護しているアイデアのつけ入れられる論点を見つけるように働きかけます。例えば、欠点や誤った思惑や想定、想定外の反応、履行失敗などです。これは各チームに自身の提案の理解を深めることを促します。
相違点発表 (20分)	・各チームに全体に対して新たに発見した相違点を発表します。聴く側には、質疑をすることを許し、相違点の探求をさらに深めることを促します。
考察 (20分)	・対立チーム同士でペアを作るように誘います。両提案についての深まった洞察を共有する時間を与えます。 ・グループ全体を集め、フリップチャートに新たな洞察を記録します。
点数制決定 (5分)	・用紙1枚またはホワイトボードに2つの提案名を書き出します。その間に1本縦に線を引きます。 ・提案Aと提案Bとラベルをつけます。 ・メンバーたちに10枚組のシールを配付します。シールは同じ色のものを用意します。 ・メンバーたちには、好ましいと思う度合いに応じてシールにどちらかの記号を書いてもらいます（例えば8枚にA、2枚にBなど）。この投票は人に見せないようにします。書き終わったら、シールを箱かカゴに入れて回収します。 ・シールを用紙に貼り、得票数を数えます。 ・勝った方を発表します。

進行	プロセスデザインノート
行動計画の作成（10分）	・選択された発想の行動計画あるいは手立てを洗い出します。この行動計画の作成では、ミーティングの最初に顕在化した課題に対処することを考慮するようにします。 ・この議事録を共有する方法と次の段階について把握します。
閉会	

オンラインでこの話し合いを行う場合

- このプロセスを説明したＥメールを送付します。
- グループサイト（またはアプリ）に建設的な論争のページを作成します。それぞれの意見の賛成者に、その利点をすべて投稿してもらいます。この投稿を改めて確認できる期間を設定します。
- チームのメンバー全員に各提案の課題や問題、欠点、誤った思惑や想定、想定外の影響と思われることを書くように誘います。
- ビデオ会議またはグループ通話では、各提案の良い点と悪い点の両方を改めて確認します。
- この議論を通じて得られた考察について出し合う議論のファシリテーションを行います。
- オンラインミーティングの後、全員をグループサイトに訪問させ、２つの提案間で10票をそれぞれ振り分けるように誘います。
- 選択されたアイデアを実行するようにチームに役割を与えます。この建設的な論争のプロセスで出された欠点はすべて考慮するようにします。
- 閉会します。

11.14 話し合いの組み立て14：サーベイ・フィードバック

詳細解説：コンサルタントはアンケート調査を実施することがよくあります。例えば、社員・従業員の満足度や顧客の満足度、商品やサービスの業績についてであったりします。その形式は、昔ながらの方法で質問紙だったり、ウェブ調査だったりします。

結果が出たら、それをもとに何かをする必要があります。サーベイ・フィードバックの話し合いは、集団で調査結果を改めて確認し、評価の低かった項目に対処する手立てを共同で特定できるように細部を計画します。

このミーティングは小グループで行われることがありますが、実際には20人以上の大人数で行うとその効果が大きくなります。というのも、参加人数が多ければ、それだけ多くの課題を扱うことができる可能性が出るためです。また、人数が多いと小さい話し合いの輪を作ることもでき、ゆえに匿名性が上がり、さらには安心を生み出します。

このミーティングを、プロジェクトチームとステークホルダーグループのメンバーの共同ミーティングとして細部が計画できると理想的です。その方が、すべての話し合いを小グループで行えるため、体制的に配慮の必要な問題に安心して対応でき、また改善策を強調して前向きにミーティングが行えるためです。

目的：アンケート調査結果を評価する対話にステークホルダーを巻き込み、改善策を特定すること

進行	プロセスデザインノート
あいさつ (5分)	・ミーティングの目的を解説します。 ・ミーティングの進行案を改めて確認します。 ・ミーティングのルールを改めて確認し、全体で承認します（102ページ）。
評点の解釈 (60分)	・6人1班にメンバーを分けます。 ・各班でファシリテーター役を任命してもらいます。各班には評点の低い項目を一つ渡します。 ・班は、与えられた問題に関して、次に挙げる質問と手順を通して作業します。 －「この項目がこのように低い点数なのは何故でしょうか。」（状況分析） －「何をするとこの点数は改善できるでしょうか。」（ブレーンストーミングによる解決策） －「自分たちが挙げた解決策でどれが有力でしょうか。」（多数投票）
全体会議 (60分)	・グループ全体を集めます。各班に改善策だけを発表するように誘います（他の人の気持ちを配慮し、低い点数になった理由については話さないこと）。 ・各提言について全体の承認を得えます。
行動計画の作成 (30分)	・当初の班に戻り、全体で承認された発想を実現する行動計画を作成させます。
全体会議 (30分)	・改善策を実施する具体的な行動計画を班に発表してもらいます。 ・計画には、モニタリング方法やレポート方法、フォローアップ方法が含まれていることを確認します。
閉会	

第11章

オンラインでこの話し合いを行う場合

- 作業を説明するEメールを送付します。グループの共有サイト（またはアプリ）にアンケート調査を投稿します。調査には率直で虚偽のないように回答をするように働きかけます。そうすることで、軌道修正の行動に向けて問題箇所が特定しやすくなります。調査の回答期限を明確にします（回答者は、自分の回答しか見られません）。

- 図表化した結果を共有します。高評価の回答結果に関する項目の要約を作成します。低評価の項目をすべてリストに並べます。各低評価項目について個別のシートを作成します。これらの項目が低評価となった理由について匿名で意見を書き込む期間を5日間ほどメンバーたちに与えます。

- 書き込み期限が近くなったら新たなEメールを出し、メンバーたちに集まったコメントをすべて読み、明らかにされた根本原因に関わる改善策を洗い出してもらいます。この作業期間に5日間ほど与えます。

- メンバーたちに各調査トピックの改善策案を順位づけしてもらうEメールを送ります。結果を図表化する複数投票ソフト（またはアプリ）を起動します。

- ビデオ会議またはグループ通話を立ち上げ、上位の改善策案を改めて確認します。特定の項目に向けた行動計画を責任持って作成する人を募ります。フォローアップの日程を設定します。

11.15 話し合いの組み立て15：対人問題の解消

詳細解説：あらゆる関係性には、不和のリスクが潜んでいます。これは利害が強くあるケースでコンサルティングを行う場合では特にそうです。問題はワークスタイルの違いであることもあれば、個性のぶつかり合いであることもあり、幅広いです。原因がなんであれ、自分と依頼主らとの間の差異を表面化し、できるだけ早い段階で解消しておく必要があります。

頭に入れておいてほしい重要なことがあります。衝突解消の対話の多くは、ガス抜きをすることに焦点を置いています。これは言い換えれば、メンバーたちはもう一度同じ過ちを繰り返すことになります。これにはいくつかの理由から危険です。第一に、過去を蒸し返すことは、もう一度傷口を開かせることになりがちです。第二に、ギスギスした感情ができやすいです。とはいえ、対人問題の解消をする際、多くの人が回避策を取りがちになることには驚きません。

ここで紹介する議論の組み立ては、より安心で建設的な方法を示します。過去を蒸し返すのではなく、前に進むために互いに何が必要なのかを的確に描写する討論に論争し合っている立場の者たちを招くやり方です。例えば、これまでの意思疎通の悪さを非難するのではなく、毎日の退社時に、重要事項を箇条書きでまとめた日報をEメールで送ってほしいとシンプルに伝えれば良いのです。最良の要望は、具体的で丁寧であり、過去の判断を避けることです。

ここで紹介する対話は、どんなプロジェクトの中間地点でも取り入れられる理想的な対話です。仮に問題となる兆候がない場合であっても同じです。問題化する前に、事前に問題の芽を摘む予防策であると考えてください。この話し合いの性質上、小グループで開くことが最適です。例えば、ファシリテーターと雇用主との間や、内部チームとの間、軋轢を起こしていると思われる人との間などです。これは私的な会話であったとしても、ランチタイムや公共の場で行ってはなりません。邪魔の入らない個室を探しましょう。第8章159ページの2つの立場の異なる者たちの間の論争の解消の段階を改めて確認しても参考になるでしょう。

目的：言い争っている二人の間の問題を解消し、関係性を修復する具体的な行動を明らかにする

進行	プロセスデザインノート
あいさつ (3分)	・ミーティングの目的を解説します。 ・進め方を改めて確認します。 ・102～104ページにあるルールを提案します。参加者にこれらを受け入れるように求めます。また追加のルールを加えるように促します。

進行	プロセスデザインノート
舞台設定 (2分)	・ファシリテーターとして、より一層共同作業が捗る方法を模索したいということを述べます。これは未来志向の対話であることを説明し、自分のサービスや依頼主の組織との相互作業の仕方を改善するのに何ができるかについての具体的な事柄を見ていることを説明します。
意見傾聴 (15分)	・あなたが一層効果的に一緒に働けるようになるには、何が必要かを依頼主に尋ねます。 ・例えば、次のようなことを尋ねます――**「例えば、もし私が頻繁に連絡をしていないとお思いでしたら、いつ、どのような方法で連絡をしてほしいか正確にご教示ください。これまでの過ちをご指摘していただくよりは、私がどのように改めると良いかだけをご指摘いただきたいです。一緒に仕事をしていくにあたって、すぐに実行できる具体的なことを４つや５つ挙げていただけると幸いです」**。 ・慎重に聞き取り、本音を引き出す質問で問いかけ、先方が指摘する重要事項を復唱します。中立的立場であることに徹し、この段階では要望に対する反論はしてはいけません。異論があっても、あらゆる指摘に対して落ち着いて受け入れます。 ・先方の言い分を聞き取っていることを示すため、要点筆記を作成しましょう。相手が言い終えたら、要点筆記を復唱し、自分が先方の要求を正確に理解したことを示しましょう。
申し出 (5分)	・具体的な申し出をすることで、表出された要求に応えましょう。例えば、一同が進捗の日報の作成を要求したら、一日の進捗内容と報告時間をどのように実施するか見込みを告げましょう。 ・指摘された問題によっては、別の検討の場が必要な場合もあることに注意しましょう。その際は、281～283ページで概説した体系的な対話が使えます。 ・先方が申し出に満足したようであれば、次の段階に話を進めましょう。
意見の申告 (15分)	・先方に、自分の要求を述べて良いか尋ねます。状況によっては、先方の支援がなければ要求を満たせないことを説明します。 ・先方に求めることを、明確にかつ感情的にならない言い方で伝えます。過去にどう誤ったかを示すことはしないようにしましょう。過去を蒸し返すことになりかねません。状況の改善のために必要なことに終止しましょう。例えば、このように言うことができます――**「私のプロジェクトに影響が及ぶ幹部ミーティングがあれば、それが終わり次第、議事録をすべていただく必要があります」**。 ・自分が持っているどんな要求も共有します。
要望 (10分)	・すべての要求を言い終えたら、そのリストを改めて確認し、先方に何ができるかを発案してもらいます。
総括 (5分)	・先方の申し出を要約します。 ・2種類の申し出リストを書き出します。この内容をいつ共有するかを定めます。 ・関係性改善の方法について議論するために時間を取らせたことを先方に感謝します。
閉会	

オンラインでこの話し合いを行う場合

- 関係性を改善する方法を模索したいと、先方に伝える通話を個人的に行います。
- プロジェクト管理改善に向けた具体的なことを個人通話で協議するのに、先方の都合を確認します。
- 先方の要求リストを確認後、先方には具体的な申し出を返すつもりであることを説明します。いくつか例を示します。先方が構わなければ、要求リストをEメールで送ってもらうようにします。

- 先方の要求とそれに対する申し出について話す日時を設定します。
- このやりとりを双方向で行うことについて先方から承認を得ます。
- 自分の要求リストを共有します。雇用主側の申し出を受け入れます。
- ２種類の申し出リストをいつ共有するのかを示します。

11.16 話し合いの組み立て16：抵抗の緩和

詳細解説：変化に対して人が抵抗することは至極よくあることです。抵抗に対処するのに、巷で取られる方法は、人々が刺激される魅力的なビジョンについてコミュニケーションを取ることです。しかし、これは見かけ倒しの何物でもありません。このやり方は通用しないだけではありません。むしろ水面下で反発を駆り立てることにもなりかねません。言い方を変えると、変化を承認するように表面上を装い、受動的には実行に反発します。

ファシリテーターは、抵抗の対処には別の方法を取ります。人々がなぜ引っ掛かるのかを正直に対話し、彼らが前進することができるようになることを明らかにしながら、彼らをサポートします。

もし自分のプロジェクトが抵抗に会い、人々が足を引っ張るのはなぜかを知りたければ、次に例示する進行に基づいた話し合いを検討しましょう。これは小グループで行われますが、呼びかけることができれば20人以上でやれるとより効果的です。参加者の数が増えれば、匿名性が増し、提言が生まれやすくなります。抵抗に対する対処の原則は177ページを参照してください。

目的：変化への抵抗を明らかにし、前に進める作戦を立てること

進行	プロセスデザインノート
あいさつ (5分)	・ミーティングの目的を解説します。 ・ミーティングの進行案を改めて確認します。
舞台設定 (15分)	・変化に抵抗することは自然のことであると率直に述べます。未来志向の話し合いとして、抵抗の原因は何かを模索したいことを明るく述べます。 ・グループがこのミーティングにおける特別なルールを作成するように手助けをします。 ・フリップチャートに手始めのルールを張り出します。参加者には、パートナーを作り、みんなが話し合いに気楽に参加できるような追加のルールを作ってもらいます。手始めのルールセットは、102～104ページの安心ルールを参照してください。 ・パートナーからの追加ルールの発案をさっと全体会議でまとめます。それらを書き出し、異存がないように全体で承認します。
抵抗モデルの提示 (5分)	・下記に示す4段階抵抗モデルのスケッチを張り出します。 ・変化の影響を受けた人は次の4つの反応を示すことを説明します。人々が何にどのレベルで抵抗しているのかを正確に明らかにすることは、変化への抵抗を和らげる解決策を見つける手がかりとなります。 1. **積極的行動**――心からの賛同「よし、やろう！」 2. **探索**――開放「試してみたい」 3. **抵抗**――変化に対して積極的に反発「変えたくない」 4. **否定**――変化への無視「変わんないよ」

進行	プロセスデザインノート
原因究明 (40分)	・参加者を4つの班に分けます。各班を部屋の4隅に移動させます。各班にフリップチャートを与え、記録係を任命してもらいます。 ・各班に抵抗モデルの4段階の反応をそれぞれ割り当て、参加者がそのカテゴリに関して考えられるように、次に示す質問に答える課題を与えます（注）。 －この抵抗レベルでは、変化についてどの観点から抵抗が起きているのか。 －変化に誰が抵抗しているのか。 －なぜ抵抗が起きているのか。 －どうやったら人々を動かすことができるのか。 ・各班に10分の時間を与え、議論とその回答を記録させます。 ・作業を中断させます。 ・各班に席を立ち、次のフリップチャートのところに移動してもらいます。記録係は同じテーブルに残り、次の班にどんなことが議論されたかを共有してもらいます。新たな班でアイデアを追加する時間を5分間与えます。 ・作業を中断させます。 ・5分後、また班を移動してもらいます。 ・作業を中断させます。 ・5分後、最後の1ラウンドに班を移動してもらいます。 ・全員が各トピックを議論したら、作業を終了させます。
手法の考案 (40分)	・各人4種類の話し合いに参加しました。最初のフリップチャートのところに戻ってもらいます。記録係は、担当した抵抗カテゴリにおいて全体が検討した発案を班に報告します。 ・班で抵抗を緩和するあるいは積極的な行動力を高める手立ての発案を評価し、承認してもらいます。 ・各記録係に班で承認した手立てを読み上げてもらいます。全体からコメントをするように誘います。
アイデアの整理 (5分)	・各人に投票用シールまたは色マーカーを渡します。 ・全員に4つのフリップチャートの前を行き来し、フリップチャートに書かれたアイデアの中から実行すべきものを2つか3つに印をつけるように誘います。 ・得票数を数えます。
行動計画の作成 (60分)	・抵抗を和らげるあるいは積極的な行動力を高める上位の手立てを部屋の前にあるフリップチャートに記録します。 ・2、3人の小グループの行動チームを編成し、上位にある項目を計画し、進捗を点検する人を募ります。 ・もし時間があれば、そのチームに直近にやることを明らかにし、その後の作戦会議の日程を設定してもらいます。 ・進捗を点検する体制を作ります。 ・参加者に感謝と労いを伝えます。
閉会	

注：積極的行動のグループであれば、なぜ人々が心からの賛同を示し、その積極的行動はどのようにてこ入れされているのかを見ていきます。

オンラインでこの話し合いを行う場合

● Eメールを送付し、変化に対する抵抗が起こることは自然であり、物事を進めるアイデアを探る良い機会であることを伝えます。意見を募集する期間を設定します。

● チームのグループサイト（またはアプリ）にこの活動のためのページを作成します。前述の抵抗モデルの4段階を示した図を投稿します。また、具体的な抵抗の内容、抵抗している主体、その理由について検討していることを説明します。どのくらいの解像度の情報を求めているのかを示すため、少なくとも1つの例を示します。そして、積極的行動のカテゴリにおいては、心の底からの賛同の例を提示するように誘います。

- ビデオ会議または通話を立ち上げ、集まったデータを改めて確認します。そのデータについて議論するように働きかけ、抵抗の要因についての理解がグループで共有されるようにします。
- 口頭で複数投票を行います。各人に取り組むべき上位3つの領域を示すように誘います。これによって、重要な障害のリストが明らかになります。積極的行動の枠にある項目についても同じことを行います。
- 各抵抗要因に対処し、既存の心からの同意を高める手立てを生み出すブレーンストーミングのファシリテーションを行います。
- 手立てを整理し、グループが追求する価値があると思う手立てを承認し、その行動計画を作成する人を割り当てます。行動の実行に向けた次のステップを示し、結果を報告する機会を示します。
- 閉会します。

11.17 話し合いの組み立て17：プロジェクトの振り返り

詳細解説：どのようなプロジェクトやイベントであろうと、その終わりで学んだ点を明らかにすることは重要なことです。幅広い視点を得るため、参加者の人数は15人から30人の間が望ましいです。参加者が多ければ、班を作ることもできます。それは匿名性を高め、それゆえより正直な評価を作り出します。

ミーティングの前に、詳細なプロジェクトの流れを示す全体像を作成する必要があります。この全体像には、プロジェクト全体の段階とスケジュールを示すべきです。この全体像を会議室に張り出します。事前に参加者にプロジェクト全体像の概要を配布します。そうすることで、記憶を新たにすることができます。注意してほしいのですが、振り返りは一定程度の批判が伴うため、参加者にルールの設定を行うように誘うことが重要です。そうすれば、問題が表面化しても雰囲気が悪くならないです。

目的：プロジェクトを報告し、何がうまくいき、何を学べたかを明らかにすること

進行	プロセスデザインノート
あいさつ (5分)	・ミーティングの目的を解説します。 ・ミーティングの進行案を改めて確認します。 ・メンバーにプロジェクトについて真摯になれるためのルールを発案してもらいます。手始めとして102～104ページにある安心ルールを使うことを検討します。
良かった点 (25分)	・各人に付箋紙を配付し、プロジェクトの期間に起こった出来事のうち良かったことを書き出す時間を与えます。良かったこととは、良くやれたことや達成できたこと、突破できたこと、良いチームワークなどが考えられます。 ・それらがいつ起こったのかを、全体像の中に張り出すように誘います。張り出す際に、その内容を読み上げてもらっても良いです。 ・このプロジェクトの強みについて、全体での議論のファシリテーションを行います。例えば、こうした良いことが起きたら何がうまくいったか、誰がこうした成功を支えたかなどです。良かった点をフリップチャートに書き出していきます。 ・点数がついた投票シールを配ります。参加者に良かった点を順位づけるように誘います。 ・得票数を数え、点数を改めて確認します。
欠点 (10分)	・違う色の付箋紙を各人に配ります。プロジェクトの期間に起こった出来事のうち良くなかったことを書き出す時間を与えます。良くなかったこととは、うまくやれなかったことや失敗、災難、チームワークの欠落、衝突などが考えられます。 ・それらがいつ起こったのかを、全体像の中に張り出すように誘います。これらの内容は読み上げません。 ・グループメンバーたちには、自由にぶらついて張り出された内容を読んでもらうようにします。
学んだ点 (20分)	・参加者に班に分かれるように誘い、各班にはプロジェクトの各段階を割り当てます。 ・各班にプロジェクトの段階で評価することが書かれた付箋紙を配ります。 ・付箋紙に書かれた論点について最低20分議論する時間を与えます。ここでは、1）各論点について、何がうまくいかず、どうしてそうなったのかを分析し、2）ここから何を学び、同じ過ちを犯さないために将来何ができるかを明らかにする作業を行います。

進行	プロセスデザインノート
全体会議 （15分）	・グループ全体を集めます。各班に学んだ点と将来に向けた提言を発表してもらいます。過去を蒸し返さないようにします。 ・部屋の前のフリップチャートに発案を記録します。質疑応答をします。 ・参加者に感謝を述べます。
閉会	

オンラインでこの話し合いを行う場合

- プロジェクトの全体像を示したイントラネットのページを作成します。各段階で何を達成したかについての簡単な解説を加えます。
- メンバーたちに招待Eメールを送り、ページに訪れ、各段階でうまくいったこととうまくいかなかったことを書き込んでもらいます。このデータの書き込み期限を設定します。すべてのコメントは匿名で行うように注意します。
- 他の人のコメントを改めて確認するように参加者を誘います。肯定的評価と否定的評価の両方に点数をつける仕組みを作ります。
- 複数投票ソフト（またはアプリ）を使い、両方の一連のコメントを順位づけします。結果を図表化し、評価を共有します。
- ビデオ会議またはグループ通話を立ち上げ、学んだ点と上位に位置付けられた課題や失敗を回避する方法への提言を整理します。
- この作業で得られた情報を共有する方法を解説します。
- 閉会します。

11.18　話し合いの組み立て18：プロジェクトの散会

詳細解説：プロジェクトの完了は晴れやかな気分で終える機会です。ここでの話し合いは幾分親密であり、そのため6人から10人までの小グループで行うのが最適です。下記に概観を示した段階をすべて利用するか、あるいは少し堅苦しさを下げて行うかにかかわらず、ここでの話し合いは成功を導いた人たちと打ち上げをすることが重要であることを再確認します。

覚えておいてほしいのですが、もしこの話し合いの私的な性格が苦手な場合は、オンラインでこの活動を行うこともできます。フィードバックページを設定し、その他のチームメンバーが写った写真の下に前向きなコメントを残すように招待Eメールを送れば良いです。それでも、対面でやること以上に良い影響を出してくれるものはないものです。

目的：晴れやかな気分でコンサルティング業務を終えること

進行	プロセスデザインノート
あいさつ (5分)	・ミーティングの目的を解説します。 ・ミーティングの進行案を説明します。
強みの寄せ書きワークショップ (25分)	・各人に色紙を1枚ずつ配ります。その紙の上に自分の名前を書き、その紙を左隣の人に渡してもらいます。 ・渡された色紙にその人の良かった点を書く時間を与えます。書くことは、その人の個性だったり、称賛すべきことだったりします。全員がそれぞれの人の色紙に最低一つのコメントを書き終わるまで、色紙を回し続けてもらいます。
強みの共有 (10分)	・全員が自分のフィードバック色紙を受け取ったら、共有タイムを開始します。 ・誰から始めるかを尋ねます。最初の人は左隣の人に色紙を渡します。2番目の人は、その色紙に自分が書いたことを読み上げます。そして、3番目の人に渡し、3番目の人も自分が書いたことを読み上げます。各人が最初の人に向けて書いたことを読み上げるまで、色紙を回し続けます。最初の人の手元に色紙が戻ったら、今度は2番目の人ので同じことを繰り返します。全体の前で、各人の強みのコメントが読み上げられるまで続けます。 ・各人にフィードバックで得られた一番貴重なことについて解説するように誘います。 ・個人的に得られたことを共有します。
締めくくり (2分)	・全員に参加してくれたことと、プロジェクトの成功に貢献してくれたことに感謝の意を示します。 ・素晴らしい業績の追求を支える機会を提供してくれた依頼主に感謝の意を示します。
閉会	

オンラインでこの話し合いを行う場合

- グループサイト（またはアプリ）にチーム用ページを作成します。各人の写真を載せます。
- Eメールを送り、チームメンバー全員にサイトに訪問させ、各チームメンバーの写真の下に長所や好印象を記入するように誘います。例えば、個性であったり、どれだけ成長したかであったり、称賛すべきことであったりを記入します。コメントを投稿する期限を設定します。

- ビデオ会議またはグループ通話を立ち上げ、長所や好印象に関するフィードバックを確認します。チームメイトに送ったフィードバックを読み上げるように誘います。
- このプロジェクトで個人的に得られたことについて共有するように誘います。自分が得られたことも共有します。
- プロジェクトの成功に向けた貢献をみんなに感謝します。
- 閉会します。

参考文献・資料

第１章　ファシリテーションを理解する

Argyris, C.（1970）*Intervention Theory and Method.* Addison-Wesley. Reading, MA.
Beckhard, R.（1969）*Organization Development: Strategies and Models.* Addison-Wesley. Reading, MA.（『組織づくりの戦略とモデル』リチャード・ベックハード著、高橋達男・鈴木博訳、産業能率短期大学出版部、1972年）
Bennis, W. G.（1966）*Changing Organizations.* McGraw-Hill. New York, NY.（『組織の変革：行動科学的アプローチによる有機的適応組織へ』ウォレン・G・ベニス著、幸田一男訳、産業能率短期大学出版部、1968年）
Block, P.（1987）*The Empowered Manager.* Jossey-Bass. San Francisco, CA.（『21世紀のリーダーシップ：人を奮い立たせ、組織を動かす』ピーター・ブロック著、安藤嘉昭訳、産能大学出版部、1991年）
Block, P.（1999）*Flawless Consulting*（2nd ed.）. Pfeiffer. San Francisco, CA.
French, W. L., & Bell, C. H., Jr.（1978）*Organization Development.* Prentice Hall. Englewood Cliffs, N.J.
Hargrove, R.（1995）*Masterful Coaching.* Pfeiffer. San Francisco, CA.
Jongewood, D., & James, M.（1973）*Winning with People.* Addison-Wesley. Reading, MA.
Kayser, T. A.（1990）*Mining Group Gold.* Serif Publishing. Segundo, Calif.
Lewin, K., & Hanson, P.（1976）*Giving Feedback: An Interpersonal Skill.* In W. G. Bennis and others（Eds.）, *The Planning of Change*（3rd ed.）. Holt Rinehart & Winston. New York, NY.
Lippitt, G. L.（1969）*Organization Renewal.* Appleton, Century, Crofts. New York, NY.
McKroskey, J. C., Larson, C. E., & Knapp, M. L.（1971）*An Introduction to Interpersonal Communication.* Prentice Hall. Englewood Cliffs, NJ.
Nadler, D.A.（1977）*Feedback and Organization Development.* Addison-Wesley. Reading, MA.
Schein, E. H.（1969）*Process Consultation: Its Role in Organization Development.* Addison-Wesley. Reading, MA.（『職場ぐるみ訓練の進め方：スタッフ、コンサルタントのための指針』エドガー・H・シェイン著、高橋達男訳、産業能率短期大学出版部、1972年）
Schein, E. H.（1987）*Process Consultation: Lessons for Managers and Consultants.* Addison-Wesley. Reading, MA.
Schein, E. H., & Bennis, W. G.（1965）*Personal and Organization Change Through Group Methods: The Laboratory Approach.* John Wiley & Sons. New York, NY.

第２章　効果的な問いかけ

Fairhurst, G. & Sarr, R.（1996）*The Art of Framing.* Jossey-Bass. San Francisco, CA.
Harrison, R.（1970）"Choosing the Depth of Organization Intervention." *The Journal of Applied Behavioral Science* 1 of 6,（2）, 181-202.
Higgins, A. C. & Ashworth, S. D.（1996）*Organizational Surveys: Tools for Assessment and Change.* Jossey-Bass. San Francisco, CA.
Hogan, C.（2003）*Practical Facilitation.* Kogan-Page. Sterling, VA.
Hunter, D.（2007）*The Art of Facilitation.* Jossey-Bass. San Francisco, CA.
Schwarz, R.（1994）*The Skilled Facilitator.* Jossey-Bass. San Francisco, CA.（『ファシリテーター完全教本：最強のプロが教える理論・技術・実践のすべて』ロジャー・シュワーツ著、寺村真美・松浦良高訳、日本経済新聞社、2005年）
Stanfi eld, R. B., ed.（2000）*The Art of Focused Conversation.* ICA Canada. Toronto, Canada.
Strachen, D.（2001）*Questions That Work.* Ottawa, Canada: ST Pres.
Weisbord, M. R.（1991）*Organizational Diagnosis: A Workbook of Theory and Practice.* Jossey-Bass. San Francisco, CA.

第３章　ファシリテーションの段階

Argyris, C.（1970）*Intervention Theory and Method.* Addison-Wesley. Reading, MA.
Beckhard, R.（1969）*Organization Development: Strategies and Models.* Addison-Wesley. Reading, MA.（『組織づくりの戦略とモデル』リチャード・ベックハード著、高橋達男・鈴木博共訳、産業能率短期大学出版部、1972年）
Blake, R. R., & Mouton, J. S.（1968）*Corporate Excellence Through Grid Organization Development.* Gulf. Houston, TX.（『動態的組織づくり』ロバート・R・ブレーク／ジェーン・S・ムートン著、上野一郎訳、産業能率短期大学出版部、1969年）
Block, P.（1999）*Flawless Consulting*（2nd ed.）. Pfeiffer. San Francisco.

Lewin, K., & Hanson, P.（1976）"Giving Feedback: An Interpersonal Skill." In W. G. Bennis and others（Eds.）, *The Planning of Change*（3rd ed.）. Holt, Rinehart & Winston. New York, NY.
Likert, R.（1967）*The Human Organization.* McGraw-Hill. New York, NY.（『組織の行動科学：ヒューマン・オーガニゼーションの管理と価値』R・リッカート著、三隅二不二訳、ダイヤモンド社、1968年）
Lippitt, G., & Lippitt, R.（1978）*The Consulting Process in Action.* Pfeiffer. San Francisco, CA.
Margulies, N., & Wallace, J.（1973）*Organizational Change: Techniques and Applications.* Scott, Foresman. Glenview, Ill.
Nadler, D. A.（1977）*Feedback and Organization Development.* Addison-Wesley. Reading, MA.
Reddy, B.（1994）*Intervention Skills: Process Consultation for Small Groups and Teams.* Pfeiffer. San Francisco, CA.（『インターベンション・スキルズ：チームが動く、人が育つ、介入の理論と実践』W・ブレンダン・レディ著、林芳孝・岸田美穂・岡田衣津子訳、金子書房、2018年）
Schein, E. H.（1969）*Process Consultation: Its Role in Organization Development.* Addison-Wesley. Reading, MA.（『職場ぐるみ訓練の進め方：スタッフ、コンサルタントのための指針』エドガー・H・シェイン著、高橋達男訳、産業能率短期大学出版部、1972年）
Schein, E. H.（1987）*Process Consultation: Lessons for Managers and Consultants.* Addison-Wesley. Reading, MA.

第４章　ファシリテーションができる人

Anderson, T. D.（1992）*Transforming Leadership.* Human Resource Development Press. Amherst, MA.
Autry, J. A.（2001）*The Servant Leader.* Prima Publishing. Roseville, CA.
Bennis, W., & Goldsmith, J.（2003）*Learning to Lead.* Perseus Books. New York, NY.
Belasco, J., & Stayer, R.（1993）*Flight of the Buffalo.* Warner Books. New York, NY.
Block, P.（1990）*The Empowered Manager.* Jossey-Bass. San Francisco, CA.（『21世紀のリーダーシップ：人を奮い立たせ、組織を動かす』ピーター・ブロック著、安藤嘉昭訳、産能大学出版部、1991年）
Burns, J. M.（1978）. *Leadership.* Harper & Row. New York, NY.
Hesselbein, F., Goldsmith, M., & Beckhard, R.（Eds.）（1997）*The Organization of the Future.* Jossey-Bass. San Francisco, CA.（『企業の未来像：成功する組織の条件』フランシス・ヘッセルバイン／マーシャル・ゴールドスミス／リチャード・ベックハード編、小坂恵理訳、トッパン、1998年）
Hunsaker, P., & Alessandra, A.（1980）*The Art of Managing People.* Prentice-Hall. Englewood Cliffs, NJ.
Katzenbach, J., & Smith, D.（1993）*The Wisdom of Teams.* HarperCollins. New York, NY.（『「高業績チーム」の知恵：企業を革新する自己実現型組織』J・R・カッツェンバック／D・K・スミス著、吉良直人訳、ダイヤモンド社、1994年）
Kinlaw, D. C.（1993）*Team-Managed Facilitation.* Pfeiffer. San Francisco, CA.
Pfeiffer, J. W., & Jones, J. E.（1972）*A Handbook of Structured Experiences for Human Relations Training*（Vols. 1–X）. Pfeiffer. San Francisco, CA.
Rees, F.（1991）. *How to Lead Work Teams.* Pfeiffer. San Francisco, CA.
Tagliere, D. A.（1992）*How to Meet, Think, and Work to Consensus.* Pfeiffer. San Francisco, CA.
Weaver, R. G., & Farrell, J. D.（1997）*Managers as Facilitators.* Berrett-Koehler. San Francisco, CA.

第５章　参加者を理解する

Argyris, C.（1964）*Integrating the Individual and the Organization.* John Wiley & Sons. New York, NY.（『新しい管理社会の探求：組織における人間疎外の克服』クリス・アージリス著、三隅二不二・黒川正流訳、産業能率短期大学出版部、1969年）
Beckhard, R., & Harris, R. T.（1969）*Organizational Transitions: Managing Complex Change.* Addison-Wesley. Reading, MA.
Dyer, W. G.（1987）*Team Building.* Addison-Wesley. Reading, MA.
Likert, R.（1961）*New Patterns of Management.* McGraw-Hill. New York, NY.（『経営の行動科学：新しいマネジメントの探求』R・リッカート著、三隅二不二訳、ダイヤモンド社、1964年）
McGregor, D.（1960）*The Human Side of Enterprise.* McGraw-Hill. New York, NY.（『企業の人間的側面』D・マグレガー著、高橋達男訳、産業能率短期大学出版部、1966年）
Pfeiffer, J. W., & Jones, J. E.（1972）*A Handbook of Structured Experiences for Human Relations Training*（Vols. I–X）. Pfeiffer. San Francisco, CA.
Schein, E. H.（1969）*Process Consultation.* Addison-Wesley. Reading, MA.（『新しい人間管理と問題解決：プロセス・コンサルテーションが組織を変える』エドガー・H・シャイン著、稲葉元吉・岩崎靖・稲葉祐之訳、産能大学出版部、1993年）
Schutz, W. C.（1966）*The Interpersonal Underworld. Science and Behavior Books.* Palo Alto, CA.
Tuckman, B. W.（1965）"Development Sequences in Small Groups." *Psychological Bulletin.*

Weisbord, M. M.（1991）*Productive Workplaces.* Jossey-Bass. San Francisco, CA.

第6章　参加の場を生み出す

Bennis, W. G.（1966）*Changing Organizations.* McGraw-Hill. New York, NY.（『組織の変革：行動科学的アプローチによる有機的適応組織へ』ウォレン・G・ベニス著、幸田一男訳、産業能率短期大学出版部、1968年）
Bennis, W. G., and others.（1976）*The Planning of Change*（3rd ed.）. Holt, Rinehart & Winston. New York, NY.
French, W. L., & Bell, C. H., Jr.（1978）*Organization Development.* Prentice Hall. Englewood Cliffs, NJ.
Kayser, T. A.（1990）*Mining Group Gold.* Serif Publishing. Segundo, Calif.
Pfeiffer, J. W., & Jones, J. E.（1972）*A Handbook of Structured Experiences for Human Relations Training*（Vols. I–X）. Pfeiffer. San Francisco, CA.
Scannell, E. E., & Newstrom, J.（1991）*Still More Games Trainers Play.* McGraw-Hill. New York, NY.
Schein, E. H.（1969）*Process Consultation: Its Role in Organization Development.* Addison-Wesley. Reading, MA.（『職場ぐるみ訓練の進め方：スタッフ、コンサルタントのための指針』エドガー・H・シェイン著、高橋達男訳、産業能率短期大学出版部、1972年）
Schein, E. H.（1987）*Process Consultation: Lessons for Managers and Consultants.* Addison-Wesley. Reading, MA.
Schein, E. H., & Bennis, W. G.（1965）*Personal and Organization Change Through Group Methods: The Laboratory Approach.* John Wiley & Sons. New York, NY
Senge, P., and others.（1994）*Fifth Discipline Fieldbook.* Doubleday. New York, NY.（『フィールドブック学習する組織「5つの能力」: 企業変革をチームで進める最強ツール』ピーター・センゲ他著、牧野元三訳、日本経済新聞社、2003年）
Wood, J. T., Phillips, G., & Pederson, D. J.（1986）*Group Discussion: A Practical Guide to Participation and Leadership.* Harper & Row. New York, NY.

第7章　効果的な意思決定とは

Avery, M., Auvine, B., Streiel, B., & Weiss, L.（1981）*Building United Judgment: A Handbook for Consensus Decision Making.* The Center for Confl ict Resolution. Madison, WI.
DeBono, E.（1985）*Six Thinking Hats.* Key Porter Books. Toronto, Canada.（『デボノ博士の「6色ハット」発想法』E・デボノ著、松本道弘訳、ダイヤモンド社、1986年）
DeBono, E.（1993）*Serious Creativity.* HarperCollins. New York, NY.
Fisher, A. B.（1974）*Small Group Decision Making: Communication and Group Process.* McGraw-Hill. New York, NY.
Fisher, R., & Ury, W.（1983）*Getting to Yes.* Penguin Books. New York.（『ハーバード流交渉術』フィッシャー／ユーリー著、金山宣夫・浅井和子訳、三笠書房、1990年）
Harvey, J. B.（1988）*The Abilene Paradox and Other Meditations on Management.* Heath. Lexington, MA.
Kuhn, T. S.（1970）*The Structure of Scientific Revolutions.* University of Chicago Press. Chicago, IL.
Saint, S., & Lawson, J. R.（1994）*Rules for Reaching Consensus.* Jossey-Bass. San Francisco, CA.
Schneider, W. E.（1994）*The Reengineering Alternative: A Plan for Making Your Current Culture Work.* Irwin. Burr Ridge, IL.
Van Gundy, A. B.（1981）*Techniques of Structured Problem Solving.* Van Nostrand Reinhold. New York, NY.

第8章　対立のファシリテーション

Beckhard, R.（1967, March）"The Confrontation Meeting." *Harvard Business Review*, 45.
Beckhard, R.（1969）*Organization Development: Strategies and Models.* Addison-Wesley. Reading, MA.（『組織づくりの戦略とモデル』リチャード・ベックハード著、高橋達男・鈴木博訳、産業能率短期大学出版部、1972年）
Blake, R. R., Shepard, H., & Mouton, J. S.（1965）*Managing Intergroup Conflict in Industry.* Gulf. Houston, TX.（『組織の協調体制：行動科学による部門間紛争の解決』R・ブレーク／ H・シェパード／J・ムートン著、土屋晃朔訳、産業能率短期大学出版部、1975年）
Filley, A. C.（1975）*Interpersonal Conflict Resolution.* Scott, Foresman. Glenview, Il.
Fisher, R., & Ury, W.（1983）*Getting to Yes.* Penguin Books. New York, NY.（『ハーバード流交渉術』フィッシャー／ユーリー著、金山宣夫・浅井和子訳、三笠書房、1990年）
Kilmann, R. H., & Thomas, K. W.（1978）"Four Perspectives on Confl ict Management: An Attributional Framework for Organizing Descriptive and Normative Theory." *Academy of Management Review.*
Kindler, H. S.（1988）*Managing Disagreement Constructively.* Crisp Publications. Los Altos, CA.
Likert, R., & Likert, J. G.（1976）*New Ways of Managing Conflict.* McGraw-Hill. New York, NY.（『コンフリクトの行動科学：対立管理の新しいアプローチ』R・リッカート／J・G・リッカート著、三隅二不二監訳、ダイヤモンド社、1988年）

Patterson, K., Grenny, J., McMillan, R., & Switzler, A.（2005）*Crucial Confrontations.* McGraw-Hill. New York, NY.（『言いたいことが、なぜ言えないのか？：意見の対立から成功を導く対話術：ダイアローグスマートPro「アカウンタビリティとイネーブラー」』ケリー・パターソン［ほか］著、本多佳苗・千田彰訳、トランスワールドジャパン、2005年）
Thomas, K. W., & Kilmann, R. H.（1974）*The Thomas-Kilmann Conflict Mode Instrument.* Xicom. Tuxedo, NY.
Walton, R. E.（1987）*Managing Conflict: Interpersonal Dialogue and Third Party Roles.* Addison-Wesley. Reading, MA.
Zander, A.（1983）*Making Groups Effective.* Jossey-Bass. San Francisco, CA.（『集団を活かす：グループ・ダイナミックスの実践』A・ザンダー著、黒川正流・金川智恵・坂田桐子訳、北大路書房、1996年）

第９章　ミーティングの運営

Bradford, L. P.（1976）*Making Meetings Work.* Pfeiffer. San Francisco, CA.
Doyle, M., & Straus, D.（1976）*How to Make Meetings Work: The New Interaction Method.* Berkley Publishing Group. New York, NY.
Dyer, W. G.（1987）*Team Building.* Addison-Wesley. Reading, MA.
Frank, M. O.（1989）*How to Run a Meeting in Half the Time.* Simon and Schuster. New York, NY.
Haynes, M. E.（1988）*Effective Meeting Skills: A Practical Guide for More Productive Meetings.* Crisp Publications. Los Altos, CA.
Jones, J. E.（1980）*Dealing with Disruptive Individuals in Meetings. The 1980 Annual Handbook for Group Facilitators.* Pfeiffer. San Francisco, CA.

第１０章　ファシリテーターのプロセスツール

Beckhard, R.（1969）*Organization Development: Strategies and Models.* Addison-Wesley. Reading, MA.（『組織づくりの戦略とモデル』リチャード・ベックハード著、高橋達男・鈴木博共訳、産業能率短期大学出版部、1972年）
Cooperrider, D. L., & Whitney, D.（1999）*Appreciative Inquiry.* Berrett-Koehler. San Francisco, CA.（『AI「最高の瞬間」を引きだす組織開発：未来志向の"問いかけ"が会社を救う』デビッド・L・クーパーライダー／ダイアナ・ウィットニー著、市瀬博基訳、PHPエディターズ・グループ、PHP研究所（発売）、2006年）
Delbecq, A. L., & Van de Ven, A. H.（1971）"A Group Process Model for Problem Identifi cation and Problem Planning." *Journal of Applied Behavioral Science.*
Deming, W. E.（1986）*Out of Crisis.* MIT Center for Advanced Engineering Study. Cambridge, MA.（『危機からの脱出』W・エドワーズ・デミング著、成沢俊子・漆嶋稔訳、日経BP、日経BPマーケティング（発売）、2022年）
Fritz, R.（1989）*The Path of Least Resistance.* Ballantine. New York, NY.（『偉大な組織の最小抵抗経路：リーダーのための組織デザイン法則』ロバート・フリッツ著、田村洋一訳、Evolving、2019年）
Fritz, R.（1991）*Creating.* Fawcett Columbine. New York, NY.
Green, T. B., & D.F.R.（1973）"Management in an Age of Rapid Technological and Social Change." *Southern Management Association Proceedings.* Houston, TX.
Ingle, S.（1982）*Quality Circle Masters Guide.* Prentice Hall. Englewood Cliffs, NJ.
Ishikawa, K.（1990）*Introduction to Quality Control.* 3A Corporation. Tokyo.
Johnson, D. W., & Johnson, R. T.（2005）*Teaching Students to Be Peacemakers.* Interaction Book Company. Edina, MN.
Massarik, F.（1990）*Advances in Organization Development.* Ablex Publishing Corporation. Orwood, NJ.
Ohno, T.（1988）*Toyota Production System: Beyond Large Scale Production.* Productivity Press. Portland, OR.
Ouchi, W.（1981）*Theory Z.* Addison-Wesley. Reading, MA.（『セオリーZ（ジー）：日本に学び、日本を超える』ウィリアム・G・オオウチ著、徳山二郎監訳、CBS・ソニー出版、1981年）
Pfeiffer, J. W., & Jones, J. E.（1972）*A Handbook of Structured Experiences for Human Relations Training*（Vols. I–X）. Pfeiffer. San Francisco.
Senge, P., and others.（1994）*Fifth Discipline Fieldbook.* Doubleday. New York.（『フィールドブック学習する組織「5つの能力」：企業変革をチームで進める最強ツール』ピーター・センゲ他著、牧野元三訳、日本経済新聞社、2003年）
Stavros, J., & Hinricks, G.（2009）*The Thin Book of SOAR: Building Strengths-Based Strategy.* Thin Book Publishing Co. Bend OR.

第１１章　話し合いの組み立て

Beckhard, R.（1969）*Organization Development: Strategies and Models.* Addison-Wesley. Reading, MA.（『組織づくりの戦略とモデル』リチャード・ベックハード著、高橋達男・鈴木博訳、産業能率短期大学出版部、1972年）
French, W. L., & Bell, C. H., Jr.（1978）*Organization Development.* Prentice Hall. Englewood Cliffs, NJ.
Hogan, C.（2002）*Understanding Facilitation.* Kogan Page. London, UK.

Patterson, K., Grenny, J., McMillan, R., & Switzler, A.（2002）*Crucial Conversations*. New York, NY. McGraw-Hill.（『言いにくいことを上手に伝えるスマート対話術』ケリー・パターソン［ほか］著、本多佳苗・千田彰訳、講談社、2004年）
Stanfield, R. B. ed.（2000）*The Art of Focused Conversation*. Toronto, Canada. ICA Canada.
Wilkinson, M.（2011）*The Executive Guide to Facilitating Strategy*. Leadership Strategies Publishing. Atlanta, GA.

謝　辞

本書及び過去3版の出版は、各国においてファシリテーターとして取り組んでいる多種多様なグループの人々からの寛大なご意見とご助言がなければ、完成しなかったでしょう。ご支援をいただいた人々の中には、ロニー・マクイワン、マーク・ヴィルバート、シーグリンド・ヒンガー、アドリアーノ・ピアネージ、サンディ・ベンツ、ステファニー・キャロル、イアン・マデル、ジョージー・ビショップ、クローデット・エジソン、クリステン・ニコラス、テッリ・ローニン、ジェニファー・ウォーカー、クリスター・フォースバーグが含まれます。

また、本書の初版の際に知恵と洞察を提供していただいた以下の方々に改めて感謝いたします。メリリン・ライケン、マイケル・ゴールドマン、ジャン・ミーンズ、チャールズ・ベンズ、ベブ・デビッズ、カール・アスプラー、クリス・ボイド、シャルロッテ・デ・ハインリッヒ。

訳者解説／あとがき

初心者ファシリテーターがいろはを学ぶ身近なツール

似内 遼一

昨今、日本でも様々な場面でファシリテーションという言葉を聞くようになりました。そして、ファシリテーターという役割が道具的に用意され、少しでも知識のある人がその役割を担う現場をよく見聞きします。残念なことに、そういう現場に入った人が手軽にファシリテーションを上達できる場は少なく、限られた機会での試行錯誤（あるいは反省のみ）ではなかなか上達できないと感じている人が多いように感じます。そこで本書は、ファシリテーションを学ぶ機会を補完するという意味で、有益な情報源の強みを持っています。

まず、ファシリテーションを実践する上で備えるべき知識と技術、素質・心構えを細かく解説している点です。知識では、ミーティングの参加者が遭遇する様々な段階、例えば意思決定や対立、場の理解に伴うプロセスを示し、その組み立て方をプロセスノートとして作成することを丁寧に解説しています。技術の面では、ファシリテーションの実践に使用する会議術や参加手法、分析手法などの情報を惜しみなく掲載しています。さらに、素質・心構えとしては、単に表面的な役割を示すのではなく、読者が置かれる立場にも気を配りながら、現場での立ち居振る舞いを明確な言葉で指南しています。こうした、いわば「ファシリテーションの心技体」を一冊の本にまとめたものはほとんどないでしょう。読者は、自身が不足していると思われる側面を補完するように本書を活用することができるでしょう。

もう一つの本書の強みは、具体例を多く掲載している点です。ファシリテーションを身につけ、その能力を高められるのは現場での経験ですが、その現場で模倣しやすいように本書に掲載された具体例は編集されています。例えば、状況に応じたプロセスノートの具体例では、どういう状況で、どのくらいの参加者を想定し、どの程度の時間配分で、何を議論し、どういう成果をそのミーティングで出すのかということを模範に示しており、初心者が真似して実践できるように作られています。こうした例は、初心者にとって情報面だけでなく、心理的なハードルを下げる効果もあるように思われます。

さて、訳書としての本書の強みは、いたずらに横文字を使用することは避けた点にあります。ファシリテーションという言葉自体を知らない人を相手にファシリテーションを行う時は配慮が必要だと思います。ミーティングの基本はコミュニケーションであり、うまく意思疎通ができないと信頼関係を構築することに障壁ができてしまいます。日本でファシリテーションを行う人は、よくわからない外来語を使い続けるよりも、適切な日本語できちんと状況やプロセス、条件を説明することで、時間や資源の浪費を避けられるはずです。そうしたことを念頭に本書を訳しました。読者の皆さんの学習と現場で役立つことを願っています。

ファシリテーターとしての熟達を促す三つの要素

荻野 亮吾

本書は、ファシリテーションの全体像がまだつかめていない方だけでなく、一定の経験を積んだ中級者・上級者の方も繰り返し読むことで、深みが出る内容になっています。幅広い層の読者に役立つと考えられる三つの要素を紹介します。

本書の特徴の一つめは、ファシリテーションの本質を捉えられることです。ファシリテーション概念が人口に膾炙するにつれ、「ソーシャル・ファシリテーション」など、社会的な仕組みづくりを視野に入れた概念に広まりを見せていますが、その中で本書は改めて対話の場の効果的なデザインに焦点を当てています。本書を通読することで、ファシリテーションとは、上から命じるのではなく、考えさせることであり、参加者の様々な声を聞き取り、合意を形成することであるという、ファシリテーションの本質に迫ることができます。

本書の二つめの特徴は、ファシリテーションのスキルやグループの状態を可視化するツールを豊富に含んでいることです。ファシリテーションに関する書籍は、対話を促すツールを扱うことが多い一方で、自分たちの組織やコミュニティの現状や課題を診断し、対策を立てられるものは少ないのが現状です。この状況に対し、本書に収録されている数々の診断ツールを用いることで、私たちはファシリテーションが有効に機能しているか、チームの対話はどのレベルか、話し合いの課題が何かを明確に把握することができます。原著者のBensが、本書を「読む」のではなく「使う」ことを推奨するように、実践の度に関連する章を読み返すことで、着実に成長をサポートしてくれる内容となっています。

本書の三つめの特徴は、対話の場のファシリテーションを行う際の基礎的事項から、状況ごとの細かい仕掛け方、場のデザインの方法などが網羅されていることです。本書は、①「ファシリテーション」の基礎的な理解（第1～4章)、②「参加者」への深い理解（第5章・第6章)、③「場」のマネジメント（第7章・第8章)、④ミーティングの「プロセス」のデザイン（第9～11章）という四つの内容で構成されています。これらの各要素を一冊にまとめた書籍は少なく、本書はファシリテーションを行う際に常に参照できる最良のハンドブックとなっています。

このように、本書は、ファシリテーションの初級者から、一定の経験がありさらにスキルアップしたいという方にまで、広く役立つものになっています。ぜひ、お手元に置いて繰り返しご活用ください。

経験を教育資源として活用するために

岩崎 久美子

おとなの学習の場面でよく用いられる三つのポイントと思われるキーワードがあります。「経験」(experience)、「対話」(dialogue)、「振り返り」(reflection) です。

この三つの言葉を考えてみましょう。まず、「経験」という言葉です。成人教育学者であるリンデマン (Lindeman, E. C.) は「成人教育における最高の資源は学習者の経験である。…経験は成人学習者の生きた教科書である」と言います。つまり、大人の学習の場では、それぞれが有する経験が教育資源です。この経験という資源を共有することがおとなの教育的活動の根底にあります。しかし、経験は、経験した本人にのみ帰属するもので、その人の内部に留まっていては資源になりません。そこで、「対話」が必要になります。対話は、各人の経験、あるいはそれに根ざす発想、知恵、意見を言語化した資源として共有する試みということができます。そして、共有された資源は、また、「振り返り」により、それぞれ意味づけられ、各人の新たな経験として再び資源化されることになります。

おとなの学習は、企業などの会議・研修、社会人むけの大学の講義、地方自治体主催の社会教育講座など、さまざまな場を通じて行われます。その際、場を運営する主宰者、そして具体的に場を動かすファシリテーターは、「経験」「対話」「振り返り」に焦点をおきながら、その場の雰囲気を的確に見定め、人間関係の中で生じる感情の軋轢を統制し、楽しく資源の共有が最大化され、その後の議論の拡散・収斂プロセスを経て生産的結果がもたらされるよう、さまざまな介入や働きかけを行うことになります。

では、そのようなファシリテーターには、具体的にはどのような技能が求められているでしょうか。

ファシリテーターは、明るく話が面白く、場持ちが上手といった個人特性がすべてではありません。場を作り上げるテクニックや場のプロセス管理など、プロフェッショナルとしての技能が求められる仕事です。ファシリテーターという言葉が外来語であるため、日本では、この名称は広く知られているものの、どのような技能を求められているかについて細部にわたる理解がなされてこなかったように思われます。その意味では、本書は、米国での実践経験や知見の蓄積、そして学問的根拠の上に、ファシリテーターの機能や持つべき技能は何であるかについて構造的に整理してわかりやすく解説しており、また読者が利用できる様々なテクニックや手法を紹介してくれています。ファシリテーターについて知りたいと思う読者には、本書を手にとれば、その全体像がわかることでしょう。

ファシリテーターは、学び合う相互作用のプロセスを通じ、それぞれの経験を資源として人々が信頼や関係性を構築できるきっかけを創出しうる社会の潤滑油です。孤立や分断化を防ぎ、人々が集い笑顔になる安寧な社会を作り上げるためにも、ファシリテーターの人々の技量の向上はこれからの日本においてますます重要となっていくでしょう。

本書は、そのようなファシリテーターとして役割を担い、その技量を高めようと思う人々にとって有益な書であり、実践の礎になると思われます。

ユニークでイノベイティブな学び社会への接近

吉田 敦也

私からは、本書の翻訳に取り組むことになった経緯から説明を加えておきましょう。本書の英語版（原著）は、2020年4月から始まった文部科学省による社会教育士という新しい資格認証のために放送大学が開講する「生涯学習支援論」に付随する「ファシリテーション演習」を開発・実施するための骨組みのひとつとして採用されたものです。

すなわち、これまでの社会教育主事とは異なるユニークでイノベイティブな地域教育や生涯学習の支援に真に活躍する社会教育士の養成にあたり、ぜひとも備えておいて欲しい基盤力を学び、身につけるための参考書として採用されたものです。

ここで言う基盤力とは「ファシリテーターする力」です。そのためのファシリテーションの基礎をガッチリ身につけるための知識・技能を体系的に提供する書籍を探したところ最適と思われたのが本書です。上記ファシリテーション演習の初年度は担当する我々が内容を咀嚼してプログラムに組み込みましたが、次年度以降は、より良質で影響力のある社会教育士の養成をめざして翻訳に踏み切った次第です。

もちろんのこと本書は社会教育士のみならず、企業や組織、地域活動など、学習や教育以外の全ての領域において役立つものです。例えば、チーム編成、組織改革、企業変革、製品開発、公共サービスの考案・改善・最適化、住民満足度の高い行政力づくり、幸福社会形成、地域社会の持続、地球環境保全、気候変動、地球規模の新型感染症対策、貧困、人権、包摂性、少子高齢化、子育て、新しい常態への視点共有と対処などなど、組織一丸となって、また、組織間連携、地域や社会全体で協働しないと解決できない今日的問題へのアプローチや合意形成に取り組む人たちにとって、本書が示しているファシリテーションの本質と手法への正しい理解は有用です。

特に、組織や地域における対話と共創の場づくり、そこでの実践に具体的に携わっている指導者や支援者にとっては、すぐさま活用・応用できる知識や技能を学べます。特徴としては、こうしたらうまく行きますよ、こんなやり方すると失敗しますよ、という成功と失敗の対比から教えてくれているのは分かりやすくありがたい話です。

かといって、決して誰にでも簡単な入門書というわけではないかもしれません。どちらかというと、関連の問題にタックルしている人たち、コーディネート業務など類似の事に携わった経験がありファシリテーションという観点から基礎力（コンピテンシー）を向上させようとしている人たち、そして、専門的なファシリテーターをめざす人たちにフィットするレベルまでをカバーしています。面白く読み進めることができることにはまちがいありません。それぞれの立場から楽しく学んでくださったら幸いです。読み終わったら確かに成長している自分に気づくことができる、そんな書物です。

◎監訳者・訳者紹介

似内 遼一（にたない・りょういち）――監訳、翻訳担当：はじめに・第11章
東京大学大学院工学系研究科助教。1985年東京都生まれ。東京大学大学院工学系研究科博士課程単位取得退学。博士（工学）。東京大学高齢社会総合研究機構、東京大学先端科学技術研究センターを経て、2023年4月より現職。専門領域は都市計画、コミュニティデザイン。計画的視点からの超高齢社会に対応した居住環境づくりや復興まちづくりの研究および実践に各地で取り組んでおり、ファシリテーションの経験も持つ。2023年住総研研究・実践選奨奨励賞受賞。

荻野 亮吾（おぎの・りょうご）――翻訳担当：第9章・第10章
日本女子大学人間社会学部准教授。1983年生まれ。東京大学大学院教育学研究科博士課程修了。博士（教育学）。東京大学高齢社会総合研究機構、佐賀大学大学院学校教育学研究科などを経て、2023年4月より現職。専門領域は社会教育学、生涯学習論、成人教育学。コミュニティの課題把握や活動計画の立案を行う際の「対話」の場に関するアクション・リサーチを行っている。著書に『地域社会のつくり方：社会関係資本の醸成に向けた教育学からのアプローチ』（単著、勁草書房、2022年）、『地域教育経営論：学び続けられる地域社会のデザイン』（共編著、大学教育出版、2022年）、訳書に『コミュニティを研究する：概念、定義、測定方法』（共監訳、新曜社、2023年）等がある。

岩崎 久美子（いわさき・くみこ）――翻訳担当：第5章・第6章・第7章・第8章
放送大学教養学部教授。1962年生まれ。筑波大学大学院図書館情報メディア研究科博士後期課程修了。博士（学術）。文部科学省・国立教育政策研究所生涯学習政策研究部総括研究官を経て、2016年4月より現職。専門領域は教育社会学、生涯学習論、成人教育学。成人の教育・学習に関わる研究、実践に従事する。著書に『成人の発達と学習』（単著、放送大学教育出版会、2019年）、『生涯学習支援論ハンドブック』（共著、国立教育政策研究所社会教育実践研究センター、2020年）、訳書に『学習の環境：イノベーティブな実践に向けて』（共訳、OECD教育研究革新センター編著、明石書店、2023年）等がある。

吉田 敦也（よしだ・あつや）――翻訳担当：第1章・第2章・第3章・第4章
1953年兵庫県生まれ。大阪大学大学院人間科学研究科博士課程単位取得退学。学術博士（大阪大学）。大阪大学助手、京都工芸繊維大学助教授、徳島大学大学院教授/地域創生センター長などを歴任。現在は徳島大学名誉教授、放送大学客員教授、ポートランド州立大学パブリックサービスセンターシニアフェロー。研究テーマはインパクトデザインとプロセスファシリテーション。実践活動ではイノベーションの「場」づくり、チェンジメーカー育成、地域の持続を対話・共創するフューチャーセンターとエコシステムの形成などに取り組んでいる。主な著書は『生涯学習支援の理論と実践』（共編著、放送大学教育振興会、2022年）など。

◎著者紹介

イングリッド・ベンズ (Ingrid Bens)

イングリッド・ベンズは、成人教育の修士号を持ち、ファシリテーターとして25年以上の経験を持つコンサルタント兼トレーナーである。長年にわたり、数多くの戦略的な組織変革のための取り組みの細部を計画し、主導してきた。また、より協働的な職場づくりを目的としたさまざまなプロジェクトでコンサルティングを行ってきた。

組織開発コンサルタントの経験を持つイングリッドだが、現在はファシリテーション能力に関する執筆やワークショップの講演に時間を割いている。本書*Facilitating with Ease!*のほかにも、Wiley社から*Advanced Facilitation Strategies*と*Facilitating to Lead*の2冊の出版物が刊行されている。

2009年、ファイファー社（Pfeiffer Company）はイングリッド・ベンズにファシリテーションの職業能力モデルの作成を依頼した。その結果、「Facilitation Skills Inventory（FSI）」が生み出された。この評価を組織に導入するための詳細は、Amazon.comで購入することができる。

2010年、イングリッド・ベンズは、最初で唯一のオンライン型ファシリテーション能力e-ラーニング・プログラムを構築した。このプログラムは、コアスキルを学ぶことができ、彼女のウェブサイトで閲覧可能である。www.facilitationtutor.com.

ファシリテーター・ハンドブック

2023年9月24日　初版第1刷発行

著　者：イングリッド・ベンズ
監訳者：似内遼一
訳　者：荻野亮吾、岩崎久美子、吉田敦也
発行者：大江 道雅
発行所：株式会社明石書店
〒101-0021
東京都千代田区外神田6-9-5
TEL 03-5818-1171
FAX 03-5818-1174
http://www.akashi.co.jp
振替　00100-7-24505

装丁：谷川のりこ
組版：朝日メディアインターナショナル株式会社
印刷・製本：モリモト印刷株式会社

（定価はカバーに表示してあります）　ISBN978-4-7503-5617-4

マネージング・フォー・ハピネス

チームのやる気(モチベーション)を引き出すゲーム、ツール、プラクティス

ヨーガン・アペロ 著　寳田雅文 訳

■B5判変型／並製／352頁／オールカラー　◎3000円

幸福度の高い組織は、生産性と創造性が高い。本書では、チームの幸福度を高めるマネジメントのアプローチを改善することに焦点を当て、より効果的なマネジメントを実現するためのツールとプラクティスを提供する。すぐに実践できる取り組みが満載のガイドブック。

●内容構成●

第1章　Kudoボックスと Kxudoカード
第2章　パーソナルマップ
第3章　デリゲーションボードとデリゲーションポーカー
第4章　バリューストーリーズとカルチャーブック
第5章　エクスプロレーションデーと社内クラウドファンディング
第6章　ビジネスギルドとコーポレートハドル
第7章　フィードバックラップと無制限の休暇
第8章　エメトリクスエコシステムとスコアボードインデックス
第9章　メリットマネー
第10章　ムービングモチベーターズ
第11章　ハピネスドア
第12章　イェイ！クエスチョンとセレブレーショングリッド

リモートワーク　チームが結束する次世代型メソッド
リセット・サザーランド、カースティン・ジャニーン＝ネルソン著
ヨーガン・アペロ序文　上田勢子、山岡希美訳　◎2500円

ガイドブック
あつまれ！ みんなで取り組む教育相談
ケース理解×チームづくり×スキルアップ
益子洋人、平野直己編著　◎2500円

共生社会のアサーション入門　差別を生まないためのコミュニケーション技術
小林学美著　石川貴幸訳　◎1800円

国際バカロレアの挑戦　グローバル時代の世界標準プログラム
岩崎久美子編著　◎3600円

14歳からのSDGs　あなたが創る未来の地球
水野谷優編著　國井修、井本直歩子、
林佐和美、加藤正寛、高木超著　◎2000円

10代からの批判的思考　社会を変える9つのヒント
名嶋義直編著　寺川直樹、田中俊亮、竹村修文、
後藤玲子、今村和宏、志田陽子、佐藤友則、古閑涼二著　◎2300円

社会関係資本　現代社会の人脈・信頼・コミュニティ
ジョン・フィールド著
佐藤智子、西塚孝平、松本奈々子訳　矢野裕俊解説　◎2400円

文化資本とリベラルアーツ
人生を豊かにする教養力　小宮山博仁著　◎2200円

〈価格は本体価格です〉